西西看電影

中

西西 著
趙曉彤 編

中華書局

目錄

第一部分

《亞洲娛樂》「每月影評」專欄

第二部分

《亞洲娛樂》非專欄文章

第三部分

《香港影畫》「開麥拉眼」專欄

第四部分

《香港影畫》非專欄文章

正文凡例

一、原文字形模糊不能辨認者，編者據字形、文理嘗試補遺者，以〔　〕表示；脫文而無從臆補者，只能以□闕如；

二、明顯錯字、倒字、衍文逕改，明顯漏字逕補；

三、尊重西西當年用字和標點習慣，一般不逕改；

四、異體簡化字，今義同，如伙、夥，癡、痴，不逕改；今義有別，如担、擔，逕改；

五、方言助詞，如呢、哩，不逕改；

六、早年的報刊多以引號標識作品，一律改以書名號或篇名號；

七、西西使用的電影及人物譯名偶有不同，部分今已不用。為保存原貌，一篇出現不同譯名，予以統一，不同文章譯名相異，不逕改，悉數保留於附錄，俾便讀者查索；

八、一般情況不加註釋。惟編者不確定的用字、附錄無法收入的個別譯名，或行文出處未及完整者，倘容易引起歧義，才斟酌補入註釋。

第一部分

《亞洲娛樂》「每月影評」專欄

花木蘭

香港的電影有一點兒的可喜了，看《花木蘭》就看出了一丁點兒來，例如那一個開場，黑白的畫面上嘩啦啦地衝下一群蠻人來，氣勢果然有點獨特，而這，接着就紅紅地映了三個「花木蘭」的紅字。不能說香港的電影沒進步。

起初，那兩場的場景，人們雞飛狗走的場景，大燈籠晃得烏天暗地的場景，不錯。只是好景不常，整個的電影不是甘蔗，是雪糕筒，吃到最後就甜不起來了哩！而這是製片導演的要注意一氣呵成，繼續後勁的地方。

應該這樣地說，我們現在的電影已經十分「優秀」了，至少也有那麼的彩色片，有那麼的大銀幕，這使我們彷彿文明了許多，好像再也用不着住茅廬，而搬進了高樓大廈，不過，這是物質文明的因果，而事實上，在精神上，仍還是頗為空虛的哩。

《花木蘭》的上一半像一部「電影」，下一半就拖了條長尾巴。外國的電影早已以新藝綜合體的銀幕的長度為垢病而不取，我們卻還在努力地展示長蛇的排列（臨散場時那些軍隊的魚貫而行便是）。但這些表示這裏的電影的確從外國片中承受了不少的東西，像這樣的長蛇陣就是甚麼《聖袍千秋》那種聖經片裏的羅馬兵裏借來的。其實，我們在嘗試階段，可不能爬上天，《花木蘭》的少數的成就，已經很可愛了。

凌波演得努力，她倒是一個肯幹肯演的演員。不過，在這電影裏，她是沒本領好施了，首先穿薄底鞋，無袖可揮的軍裝，戴那種搖紅纓的帽子，都使她看起來更矮，彷彿是個小孩子，反而演女性時，又高又漂亮。而且那幾套女裝可真美麗，看也沒看清楚，又換了一件，從軍回家後，一連換了三套，都是上選的款色。

這部電影實在是凌波的，但配角甚佳，尤其是那幾名拜把的丘八兄弟（李將軍呆了些）。活龍活現，可喜。

敗筆之處的是編劇的故意安上了些梁山伯祝英台，這當然是自我宣傳一番。花木蘭就是花木蘭，梁山伯祝英台，就是梁山伯祝英台，也不知這夥人甚麼時候會搞在一起。應該刪去。表達思念的情懷的方法豈不多極。

黃梅調本來早就聽厭，陳燕燕是不會唱，又要大家替她難過，但是凌波的黃梅調帥極，這個人，讓大家捧，也很應該，試想想，誰個能唱得她那麼動聽的黃梅調，又能演那麼活潑的女扮男。

倫士（一九六四年七月號）[1]

1　原刊未每期編號，且偶見前後不對應的情況，統一不列總期數。

穆桂英大戰洪州

這戲老少咸宜，有美麗的彩色，精湛的演技，打鬥的場面，主角美，夠俏皮。

劉秀榮飾演的穆桂英，扮相美，演技好，尤其是唱腔及台步，真是媲美《楊門女將》中的楊秋玲，劉秀榮乃尚小雲之學生，據京劇迷說她舞台功架青出於藍，尚小雲乃當年四大名旦中武工最好的一位，劉秀榮既能青出於藍，可想而知她的武工亦是很好的了，真的，在戲中，她大戰洪州與向天佐對打一場，可見其功夫之深到，穆桂英乃古時英雄人物，其英雄事跡至今仍為世人所津津樂道，大戰洪州乃她初次掛帥出征，楊宗保為其先行官，因此宗保不服，後終因桂英才能而順服，夫妻和好，劉秀榮演此角色，七情上面，把一個穆桂英演活了。

楊宗保，由張孝春飾演，雖屬主角，但戲分仍少，俏皮而不流於俗套，每個場面都因有他而引得觀眾大笑，尤以捉弄父親及妻子會面那一場，更使人忍俊不禁，當接受先行官金印時，滿心歡喜，卻誰知新元帥是自己妻子，於是心有不服，私自出營卻打敗回來，不但不知罪過，反以為妻子不敢斬他，因此險些歷史重演（當年六郎轅門罪子，今次桂英轅門斬夫），幸而六郎講情，於是改為四十軍棍，因此對妻子更為怨憤，但經桂英力陳利害，若不如此，怎能令三軍馴服？宗保亦知己過，向桂英悔過，言歸於好。

其餘朱秉謙的寇準，智多謀廣，與生性憨直〔的〕李春城所飾的八賢王剛好一反比，寇準出謀策劃，探查楊府虛實，務使桂英掛帥出征，與八賢王溜進後花園演武廳，敲響戰鼓，引出桂英；在前廳利用激將法引桂英入彀，接受帥印，出征洪州；王夢雲的佘太君，唱腔功架都好，因惜桂英有孕，不允出兵，把一個仁慈的祖母演得出色極了，王榮增的楊六郎延昭，雖然出場不多，但亦可見其演技之精堪，當援兵來到時，因宗保沒有說出新元帥是誰，於是糊塗地出迎，結果公公兒媳，莽撞會面，尷尬萬分。

此片場面、情節、配搭，均無懈可擊，唯一缺點就是戲名改得不甚完美，使人一看就以為是一部很多打鬥的戲，卻原來是一部輕鬆俏皮的電影，既有悅目的色彩，又有悅耳的曲調，只是在最後才有幾場精彩至極的武戲。

舜（一九六四年七月號）

風流劍客走天涯

憑甚麼可以得獎呢？這是看完本片的許多人這樣在問的。想像《夢斷城西》，大家就可以找到答案。但是《夢斷城西》和本片完全是不同的，一個表現現代，一個表現古典，但兩個電影都是走了同一的路，《夢斷城西》立異於前，《風流劍客走天涯》標奇於後。

本片把古老十八代的東西全搬出來了：

a. 古老的電影是以默片開始的，片中的人物並沒有對白，只有動作，稍後，才有旁白，才有配音，本片就照煮了一碗，湯鍾斯和女朋友戀愛中的一場，彼此處身於花香鳥語中，那一連串的畫面就沒有對白，只有音樂，但那畫面，那情景可真美。

b. 古老的電影是從呆照開始的，就像幻燈片般一幅幅插映，本片就採用了這手法，當湯鍾斯為了捉鳥而掉下來，畫面突然停了。

c. 古老的電影常犯了一個毛病，就像神經六[1]的默片一般，片中畫面人物全會跳跳蹦蹦，連車子也蓬蓬蓬地跳，本片在「捉奸」一場，那小酒店中的追追逐逐就用上了。

d. 古老的電影常有旁白，旁白源自舞台，可溯源到希臘悲劇（出現旁觀之神明預言），本片也用上了，湯鍾斯的身世就由被人以為是他母親的女人來說明。

其實，本片的得獎就因為導演的有腦袋，他能劃出節奏感（全片有快有慢，快時如噴射機，慢時抒情如流水）

1　神經六即哈羅德勞埃德（Harold Clayton Lloyd），默片三大笑匠之一。

和《夢斷城西》式的衝力。不過，導演的本領並非只在取，而是能在運用，組合之佳，鏡頭運用之純熟，確是一絕，（湯鍾斯用帽子一揮，拖了銀幕實是集幽默、電影過場法之大成）。

故事夠諷刺，本來是很悶的公子哥兒紳士淑女小說，但演員佳，湯鍾斯之阿爾拔芬尼，沒有人可以演得更好。上流貴族那兩女性也招數高超，人像法國人，連法國風味，口音都演像了。本片的語音全是英國式的，這是英國最應保持的良好「傳統」。

倫士（一九六四年八月號）

勝利者

我喜歡本片的許多演員。

我喜歡《碧血長天》的許多結構。

本片的攝影很有本領，角度取得新穎但穩健，所以頗有點氣勢，（像槍決逃兵，最後一幕的戰爭都是）。剪接上也花了很多的功夫，（加插了不少新聞片），但導演的沒把整個的重心組織好。說得適當一點，本片是拍攝後的工作遠比拍攝前的工作為多。而這，就可以看出伊力卡山的不同，伊力卡山的作品（以《偷渡金山》為例），完全是拍攝前的工作比拍攝後的工作為多。

計劃是非常重要的，這片的計劃走歧了路。那些一片斷一片斷的處理，是在嘗試多方面反映戰爭勝利者的面貌，但不夠深入，而且取不得時空的一致，這也就是看完了有「散收收」的感覺的原因。在這方面，我們大概可以設想導演的是在把本片一開始時就當大片看待（用了那麼多的歐洲演員，用了那麼嚴肅的大題目），而且是要把它拍得「好」，「好」是怎樣的呢？既不是《碧血長天》的翻版，也不能像普通片一般，於是為了「好」，而想起了法國的「新潮電影」，英國的「新電影」，意大利的「新寫實主義」，於是模仿了些，可惜，這個導演不像《風流劍俠走天涯》的導演的才華，也欠缺了點幸運，本片沒有達到預料中的成功。不過，像這樣的電影，從康莊大道上出發的，我們稱之謂「成功」。——嘗試的成功，效果的失敗。

幾個演員，尤其是女的，都盡了責，而且一樣光芒萬丈。美國的幾個男明星，彷彿也有了點演員的「格局」，但要成為演員的「實質」，倒還得沉着些，深入些。

音樂是最差的，作曲的不該頂上作曲的名字，他那裏是在作，而是在抄，既有聖誕歌，又有進行曲，全是抽大音樂家的血，貝多芬的「Me Me Me Do」好像凡戰爭片都少不了它，也太 Cliché 了。

我一直以為電影應是傳達（作滲透作用），而不是說教（作灌輸作用），本片的結局就是說教，俄人與美人來個兩敗俱傷，做給世界今日的當權人看看，但想想詹森、赫魯曉夫、戴高樂、依莉莎白之流會有甚麼感想，一笑置之罷了。

倫士（一九六四年八月號）

俠盜風雲

很少有些銀幕上的鏡頭可以令人刻骨難忘，但《俠盜風雲》，那導演的，直把我們重重地刺了一箭。起初，起初大家嘻嘻哈哈的，彷彿碰上了謝利路易，但忽然在最後，大家笑不起來了，大家彷彿進了教堂，大家都鴉雀無聲，有的人甚至哭了。

CC 死了，彼蒙多把她放在桌上，拉下了貴族的珠環、項鏈，鋪在她的身上，然後，用金馬車載着她的屍，然後靜靜地在深夜把馬車推下水中海葬，岸上的火把熊熊哩。這麼的鏡頭，直一下就插進了我們心的裏面去了。

電影本來是不可愛的，甚至導演除了一點簡潔之外也就再沒甚麼，可是，在一大個網裏把破鞋和沙草蟲蝦扔掉之後，居然找到一個蚌，而裏面居然有瑩瑩的一顆珍珠。《俠盜風雲》竟是這麼的一樣東西。

CC 實在是美人，她的風格不是 BB 的，BB 總是一副「泰山崩於前而不驚」的樣子，好像世界是個玩具城市，但 CC 可成熟多了，她的眸子多厲害，嘴巴又不倔強。在本片中，她甚至只穿一種顏色（紅，和女神般的只穿藍色的夫人相比）已經很適合她了。

彼蒙多的頑皮一向是著名的，也有孩子一般的臉，笑起來老是怪有趣，實在的，看這片的動機還是想知道這個人在 *Breathless* 裏面那麼吊兒郎當，在《戰地兩婦人》中那麼深沉可愛，演起一個強盜來會變成甚麼樣子，但他又沒給人很大的失望（失望是有的，彼蒙多多少有點大材小用），他到底很忠實地演出一點史超域格蘭加的塵氣，演了點愛路扶連的身手。

看到了那兩幕的用刑逼供，法場劫人，傻兵升官，雖然手是在拍，或者是手在遮眼，但心裏頭在罵導演的蹩腳。

一切的電影都是要給人看的，但就不能光為了給許多人看就故意來幾個三傻表演，老是呆呆的，胡鬧一下的，多沒意思，把看電影的人的胃口都弄糟了。

的確，這片實在是很淒涼的，導演的用快樂和淒涼的對比，使本片的主題很突出，賊說：「喂！我們把脖子留給斷頭台吧！」響到現在，也將會一直響下去，試想想世界上有過多少的羅賓漢呢？梁山泊一大群人還不全橫死了。

倫士（一九六四年八月號）

山歌戀

我時常看電影，有一半電影是自願看的，有一半是給逼着去看的，上乘的電影當然要排長龍去買票看，劣等的電影為了要寫點人家謂之影評自己稱之感想的東西也得要看。看《山歌戀》是我的自願。

那次看《花木蘭》，片頭介紹了《山歌戀》的一場打鬥，那一片沙地，一大夥人穿着一大片藍色，十分吸引我，就快快樂樂地也擠進電影院去坐着了。

不去講故事，因為這故事中學生也能編出來，就算不，看過一兩本小說的也可以那末地來一下有情人終成眷屬，加插一兩段恩恩怨怨還不行，不過，這電影給大家看的並不是故事。（我一向認為電影故事是不重要的，一個蘋果也可以拍成一部電影，電影重要的是銀幕建築學，要不然畢加索的名畫《絲維亞》那麼著名，而絲維亞本人這小馬尾小姑娘一點也不著名呢？）

這電影不是給人看的故事，看的是甚麼呢？我看到了這些：

秀秀回家找爸爸，爸爸不在家，秀秀說：「爸爸一定賭錢去了。」秀秀剛說完，鏡頭一割，把賭台給接上了。這是我看見的，是剪接的精彩處。

找不到一點黃色的影子，全片都是以青色為主，青山綠水（其實是綠山青水）、藍衣、紅土，幾乎完全是沒有黃色的，一般的色彩設計上常常以為彩色片最好以紅和黃作強調，但此片爭取了藍色，很配合中國鄉土風味，中國的農村一向少用黃色，黃色是帝王之家的。

人物的選配十分適當，葉楓之典型，時下是沒有女星可以演她這一類戲的，她的活潑潑的神態，只有鍾情還能比得上，但作為北方姑娘，鍾情還欠缺那份英氣。

特別要說的是關山，原來他的樣子在這片中如此可愛，國語片中的小生總是叫人討厭的多，不瞞大家，《花木蘭》的那個，一看上去就彷彿配不上千嬌百媚的「凌波」，而現在，秀秀和大龍那麼相配，大家都從心裏喜歡出來了。

關山我還得再說，他在本片的頭髮，起初有點「狂人」裝，後來飄呀飄，很夠風采，要向設計髮型的致敬。歐陽莎菲差點忘了她，如果她演得不好，誰好呢？

倫士（一九六四年八月號）

三野狼

照我看，這樣的電影實在可以打沉希治閣，用不着唬人，可以把人緊張得要死，用不着故弄虛玄，可以使人感到曲折離奇；用不着花團錦簇，一樣可以多姿多采。這是個電影。

故事甚好。頗好。像《天國與地獄》一般，既有偵探片格局，又有大篇大道理，還可以讓人回到家裏還在想呀想，甚至和一同去看電影的爭呀爭辯。是的，兩個人犯罪，卻找到了三個賊，而結果，三個都被釋放無罪（因為寧願為一個好人而放縱兩個罪人）。但結果三個都被燒死了（因為兩個罪人拖累了一個好人）。

說那個是好人，實在不對，因為照三個人的往事，都不是好，就算死，也是活該，但法庭找不到證據就沒法判罪了。其實，這個電影的片名先聲奪人，尤其是英文的，說是「二個人有罪」這才叫人人想爛了腦袋，如果像中文片名一〔竹〕篙打一船人的《三野狼》，則三個都該死。

不過，這電影的成功卻在於編劇的把整個故事切開後縫合得很細巧，一幕一幕的追憶，很富戲劇性；導演的又頗能別出心思去描述一些細節，在這麼拉得緊的氣氛中，他居然去特寫三個人的連在一起的六隻白鞋，又利用審問口供時頻頻說：「後來他們兩個來了，就被捉了……」等。

電影對法國的飯桶大大諷刺了一頓，算得上是一種調子，然後又着意譏刺那群陪審員，婦女界。那伙人一起開會時，越說越遠不去提它，就單看一桌子的汽水，餅食就令人全「感」到了。

黑白是對的。這類的電影講氣氛，小孩子死的時候只露了一雙鞋和足，決不去賣弄伸舌突眼的恐怖鏡頭，如果換了希治閣，怕不又來一次浴室現屍直點觀眾的怕穴。

三個野狼都是獨樹一幟的大明星，香港人對安東尼柏堅斯較熟，其實在歐洲，那兩個更厲害。這部影片成本低，但由此可見，拍電影有一個可以吸引的題材，靈活的場景轉變，活潑的演員已經完成了一大半了。也可以很面無慚色地賺錢了。觀眾也甘心情願地捧場了。

倫士（一九六四年九月號）

不了情

首歌是不錯的，如果講故事，也有了一個很結實的故事，但奇怪的是這個電影一直在要人哭，好像如果觀眾不哭，就算不得了好電影一般，所以，也有很多人哭過了。林黛總算是盡了力，對於國語片明星來說，她的確是最活的，不僅僅是眼睛會轉來轉去，人也會跳跳蹦蹦，有些地方明知她在作狀，然而，導演的既沒告訴她不要太過作狀，又沒告訴她好好地怎樣怎樣演，所以，不苛求了。

取角是集中的，就以林黛演唱的一組鏡頭就頗不易取，但她唱了好多次，每次的背景，姿態不一樣，就難得。分場法還是十分直敘的，使我們有看通俗小說的感覺，而通俗小說還喜歡「花開兩枝，話分兩頭」，本片本可以不那麼「呆」，只要穿插一些倒述鏡頭。

最後一場實在是多餘的，把電影的戲劇性大大減弱了，本來女主角染了不治之症，為了避免危害他人幸福而悄然離去，應該是一個很有力的結局，可是編劇偏偏拖了一條長尾巴，要一而再，再而三地演下去，結果，演到女主角死而甘心。明知要死的，明知是完的了，何必「畫公仔畫出腸」呢？大不了是讓男女主角見見最後一面吧。而這，就是我們中國人最喜歡的「有頭有尾」。

《醉鄉情淚》結局時李明薇走了，完場，多好。留下的可以讓觀眾自己去想像！實在犯不着演出來。但《雄才偉略》稍不同，觀眾以為演完了，忽然高潮再起，一反原有的結局，這樣便不算拖尾巴，《不了情》的最後一場並非反面的高潮，故此生不了多大的作用。

蔣光超演壞蛋自有一手，似乎定了型，將來他一在銀幕上亮相，相信沒有人信他是好人了。這個人演戲全憑演得多，就像「多讀唐詩三百首」，演得頭頭是道。很穩，缺乏一點點兒深。

關山不及《山歌戀》，他的典型是靜態的，「木」了些，沒見過留學回來的大學生這等「薯」的，至於《山歌戀》自然不同，是搖船的鄉下人呀。

顧媚唱的歌動聽，林黛的嘴型配得好，沒有破綻。

倫士（一九六四年九月號）

金蓮花

有些人演大鬆辮的姑娘演得很可愛，這些人是葉楓，《山歌戀》中的她就不錯；鍾情，《採西瓜的姑娘》給人印象很深，然後就是林黛的金蓮花。林黛演得很活，比《不了情》更活，我寧願看她在樓梯上跑下跑上，也不願看她站在歌壇上扭。

不過，這個故事真差，中國的女孩子一向很道德，也很有犧牲的精神，決沒像這位大姑娘一般明搶別人的丈夫的。也沒見過民初的人連妻子將死也毫不動心的，做妻子的林黛起初和歌女的林黛聲音笑貌都一樣，不可取，一個人演兩個角色本來是多餘的，又不是沒有演員，何必召徠一番。

雷震人長得高，穿這種服裝，圍上一條絲巾是最適合他的一種衣着，可惜，他來來去去都是木然的，木然的笑，木然的愁，木然的步伐，連憤怒也是木然的，沒有一點男子氣，他又不是演秋海棠，為甚麼弱成那個樣子。

佈景是室內的比室外的真，那些酒肆，唱班，土坑都有點樣子，街上沒有甚麼特色，彷彿凡是這種片都是這樣的，那些樹木在電影中從來沒有位置，不存在，不活。

王萊了不起，我在別的報紙上已經提過，她是目前最會演戲的一個女星，但卻從來沒演過主角，老實說，主角常常不會演，會演的又常常不是主角，天下都一樣，荷里活不比香港好。反而歐洲會重視一下老前輩，那麼紅的阿倫狄龍，在《械劫銷金窩》中還是葉格賓的配角。

劉恩甲在這片中比《南北兩家親》扮像成功，喜怒哀樂都表現出來了，只是戲少。有幾場是值得一讚的，王萊陪女兒往台口一坐，那樣子，沒人可以演，林黛在台上唱小調，也帥。最不行的是兩個人喝毒藥，真是「做戲咁做」。

同場看了陸運濤的圖片，這人死得可惜，香港的電影界需要這樣的人。電影不是一個人兩個人的工作，不像小說可以一個人寫，死了一個陸運濤，大家都很難過。

倫士（一九六四年九月號）

花都喜相逢

忽然叫人想起謝利路易啦。因為像這樣的糊糊塗塗，亂鬧一通的電影，實在就像足了是謝利路易的招牌戲，尤其最後那場拍電視，大概是老導演想不出甚麼八寶法寶，只好熱鬧一番算數。當然笑的人還是很多，我也蠻開心的裂大了嘴巴，但看完想想，嗯，這還不是新式的蛋糕蓋臉、掉進游泳池……等的那一套，笑完了再也沒法再嘻嘻哈哈起來。有的電影的好笑的場面是很精彩的，叫你回到家對別人說起來時自己還忍不住笑得捧住了肚皮，但這片就沒有啦。因此，這片實在沒有甚麼大道理大意思可說，就是叫人笑笑，就和喝一瓶汽水沒甚麼分別。

這部片的彩色卻是很柔美的，不刺眼，不像《好女十八嫁》一大片紅、一大片黃的花花綠綠。這片選擇的地方很配合要用的彩色，像巴黎的夜街，黑得朦朦朧朧，充滿了睡意似的。而白天的公園，又清新可喜。酒狗的家裏的花園也是充滿可愛的春天的風味，氣氛實在是不錯的，連後台也很可愛，連東尼寇蒂斯的家也叫人捨不得離開。（那玻璃露台般的房間，一列的雜物架，把巴黎的古色古香都表現出來了。）酒店也是有趣的，天花板上有畫，大大小小的酒瓶畫面點綴得晶瑩閃亮，有點發光的樣子。

姬絲汀嘉芙曼沒甚麼好演，她還是一副討人喜歡的樣子，楚楚可憐的一種樣子。在片中還是第一次見她穿漂亮的時裝，那衣服，女孩子都喜歡的，只是結婚時的那套還不夠美麗。

狗很會演戲，換酒的那一幕沒有割，所以全是由狗自己搬的，決不是剪接工作者的功勞，可知那頭狗實在會演戲。我家那狗和這狗一般大小，爬椅子伸前足都是拿手好戲，叫它換酒杯可沒這副大本領了。胭脂狗以漂亮愛打扮著名，臉是不怎麼好看的，所以也不去苛求了。

實在是很輕鬆的一部電影，其實，應該找和路迪士尼想一個好劇本出來才好，如果有一個比較不那麼散慢的不那麼亂來的劇本，就可以叫許多小朋友都有電影看了，現在，小孩子當然還可以看，但那狗那麼壞那麼頑皮，叫小孩子看了，就沒甚麼教育性了。

倫士（一九六四年十月號）

朱門蕩母

真的，看電影是一門學問。許多人都不知道看電影也有學問，但那是真的。像看《朱門蕩母》，就要牽涉看電影的學問了。（這不是讀書多少的問題。而是看法，而是常識。）

看電影的小常識是甚麼呢？這裏講二點。就是：做觀眾的不可以一天到晚向電影去找尋道德。電影是一面鏡子，有時反映一個好人，有時反映一個壞人。我們決不能說好人照鏡子可以見到自己，壞人照鏡子時，鏡子中居然會沒有自己那麼荒謬。

《朱門蕩母》就是一部沒有叫你去找道德倫理的電影。母子相戀當然是不對的。（其實他倆不是親母子，照藍辛的劇本，母親比兒子還年輕，所以才愛上了他，那樣更合理些吧？）那麼這片要說的是甚麼呢？這片有一個較深的意思，照古希臘的看法，人是神的玩物。因為希臘人相信神。母子相戀是由愛神擺佈出來的，因為做兒子的曾經藐視愛神，不尊敬愛神，說愛神並不偉大，愛並不重要，於是愛神才懲罰他。後來，人們不相信有神，便把母子相戀歸之於人與人之間的愛情，那就是說，愛情是不分界限的，雖然母子相愛的罪名是倫理上的，他們的愛情卻是真摯的，不虛偽的。因此看電影不可以有一面的看法，倫理道德也不是重要的問題。

其次，看電影要注意電影文法。一朵花很美，畫家用線條，音樂家用音符表現出來，電影就用攝影機，用光，表現就是手法。《朱門蕩母》給我們看到的是剪接的靈活，鏡頭一個匯入一個，一個融入一個。又採用了水與火之對比，但最強烈的還是這部電影的畫面的黑白對比。悲哀的人穿黑衣，只有菲特娜穿白衣，這就是使這部片成為了不起，但為了題材不夠出類拔萃而還沒法偉大的緣故。看那數百的蠟燭和女主人的珠寶又是何等出眾的描寫。全片呈現一種荒涼感，壓力很重，這是已把氣氛散播出來了。叫人們可以呼吸到的佳作。全片對白少，精警，全部有伏線。汽車運來時，一個碼頭上的人（他就是導演朱理士戴森）說：「這是棺材嗎？」就是一個例子。

倫士（一九六四年十月號）

妲己

還是多了些故事的傳達，少了些電影的重心。拍《妲己》，要說的可就是一本厚厚的書了，因為要說的是那麼多，而熟悉妲己的故事的人那麼多，編起劇來就難了，刪起來也難極了，入宮啦，酒池啦、刺心啦，這些要呢還是不要呢？當然要；因為一要，電影就又變了在講故事了。

所以，這部片表現妲己這個人的內在很少，還是把她放在故事的進展中居多。以一個人物作為電影的中心的話，有時候我們實在不必把所有的鏡頭都對準她，也不必以所有的膠片去描寫故事的發展，如果用陪襯、烘托、旁敲側擊也是一樣可以收效的。《妲己》一片的弱點便在於仍然是被籠罩在直述的陰影下。

但和以前的作品比，《妲己》是進步多了，這進步，是指電影文法。剪接的多變，角度的攝取，都叫人想到很像西片，這「很像西片」四字實在是可喜的，並沒有一點諷刺的意思，因為以前像一些話分兩頭的事情，可以在銀幕上藉攝影而交叉重現，或老是很遠的一些景忽然一拉拉到眼前來（西片《夢斷城西》有之），都是西片中才有的，現在，國語片中也有了，那就是說，我們自己也會了，有人或者會說，學人家有甚麼稀奇。這倒不是學人家稀不稀奇的問題，而是我們也有電影文法，我們也獲得了製片 ABC（雖然還不夠），如果連這些也不學會，我們就沒法再跨進一步了。

《妲己》的表現能力不夠，但技巧正在改進，作為喜歡電影的人實在應該歡喜快樂。因為《妲己》給我們突然見到一個建屋子的人居然在打地基，而不是光顧着買甚麼傢具。

《妲己》中最弱的是丁紅教林黛的一場，這就不是電影，而是小說了，甚至小說也不必糟到要說一大套理論的。演員中，蔣光超輕浮了些，說甚麼他都仍是個大官，陰謀不足。南宮遠未戎裝時的扮相好極了，尤其是身背行囊，一手提劍，一手扶琴，在田陌中走過，叫人想起他實在可以一演荊軻。申榮均不算最了不起，也不過是穩一些。不知他演別的戲如何。此外，此片彩色和服裝是經過心思的設計，上選。

倫士（一九六四年十月號）

黑森林

很好。這個電影才像是電影。故事很簡單，也沒有曲曲折折複複雜雜，就是一段簡簡潔潔的故事。一部電影如果要複雜不妨複雜，要簡單就得盡量簡單，現在是做到了。手法是直敘的，這麼簡單的故事既不必牽涉過往，也不是十年廿年那麼長，就犯不着加插甚麼倒數回憶等等的橫的描寫，以一氣呵成實在是對的。

場面也不多，一個一個交代得很清楚，但最重要的是這部片拍出了氣氛來。氣氛是最難得的，《妲己》甚至也不過是壯觀而無氣氛，《山歌戀》有一點，但很炒冷飯。本片題材所得適當，古典中帶現代，粗中帶細，剛中帶柔。人物的出現像西部片的俠士，如果把這部片和外國的比，我們可以見到有《狂戀》那樣的風格，只是《狂戀》的節奏更緊，結尾更有力。但寫一個外來人數天生活都像。

本片是頭大尾小型。開頭的格局極佳，運木的氣勢，黃沙、綠林、高的粗木，比賽爬樹那兩場就達到世界水準的攝影和表現了。我對於本片的特別喜歡是因為它並不着重在表現講故事，而是以光在描述事情。全片不說教，長篇大道理的理論是沒有的，也沒有人在告訴你愛情要怎樣怎樣，做人又要怎樣怎樣，它只在反映生活一貌，對不對，好不好，你看電影的自己去想。《黑森林》的確是做到「動作多過一切」，那片名也不錯，一洗近日那些娘娘腔的情調。

後半部自美甸娜結婚起就戲味弱了些，但，有一場大火和打架填充，整個電影高潮掀起，控制得宜。演員方面，這片給唐菁搶盡了鏡頭，他演那工頭，並不像蔣光超一臉流氓小人像，而是發作是一副臉，不發作時完全很討人歡喜，照我看，這戲人才不少，朱牧是其一，唐菁也是可造之材，他甚至可演小生。杜娟在這片中稱職，她實在是很努力的了。金小姐演得穩，反而張冲呆呆的，還不夠瀟灑豪放。

片中的佈景不俗，那條街就搭得很合用。拍這一類的電影是「邵氏」可行的，我們實在也應知道電影公司不是不想拍好電影。這片的風格不是很新麼。

倫士（一九六四年十月號）

黑俠恩仇

阿倫狄龍，真是個叫人一見就着了迷的演員。難怪把歐洲的人弄瘋狂了，連日本也瘋狂了。可以這麼說，這部片不是阿倫拍電影以來最精彩的一部，但是，在純粹「展覽」阿倫狄龍的英俊瀟灑的，卻是最成功的一部，因此，這部片你根本甚麼都不必看，甚麼都不必理，就去看一個阿倫狄龍（我就去看了三次）。

法國片。輕鬆得可以，老是對警察作弄，老是當官兵是飯桶，配上阿倫不很精彩的英語（他是法國人呀），把電影弄得很有情趣。我特別喜歡配音，好幾次重複用一個旋律，甚至連那口哨，也反覆以伏筆式來出現。說到阿倫的演技，當然是瀟灑自如了，他雖然在許多方面的本領都不精，劍術比不上貝蒙多（看過《俠盜風雲》了吧？），騎術也比不上女主角，但是，他倒是十八般武藝件件皆會，演來頭頭是道。說到扮相，他演兄長比演弟弟精彩，尤其是打敗了警察總監，贈他一條縫後回到石屋時的一連串演出都很穩，很有俠士的氣勢。

看這部片除了看看阿倫狄龍外，有好幾點要佩服導演的高明，像環首台上吊死聖帕伯爵時，那個鏡頭快，但是卻非常真切，明知那是假的，但可以亂真，因為阿倫狄龍總個人從頭至腳都在銀幕的畫框內，而且畫面沒有割斷，拍這個鏡頭並不容易，一般的電影都沒試過，通常都是人身不全的。再說，在這片中阿倫狄龍一人飾二個角色，當威廉第一次見裘連時，他們擁抱了一下，這時首對觀眾的裘連是假的，甚至劫獄時，裘連從獄中出來，旁邊的威廉也是假的，可是，當這兩人出現在同一畫面上時，卻是真的兩個人，威廉還從桌邊繞過裘連坐的椅子後面走過，像這樣的重疊法，黑房的功夫頗不少，可見導演的也花過一番心思。還有，阿倫狄龍人並不高，但穿起一身黑衣，（站在門邊，打同伴下水時）人顯得很高，這些都是攝影角度取得好。至於官兵攻打木屋時，鏡頭拍攝天空的雲，是非常聰明的，這一個過場，手法大膽，起初，一些觀眾還莫明其妙。

西西（一九六五年一月號）

密碼一一四

許多人看得悶也悶死了。甚實，這是個好電影。這樣說吧，聽一首你根本不熟的交響樂，你照樣也會悶也悶死的，但是，你不能因為覺得悶，就說那交響樂不是東西。

這部電影的悶；只因為說得太多，而且說的又是那麼專門的東西。可是，這部片的成功，就是這些，這些對話，像五角大廈（國防部）中的高級官員們的對答，都是富於意義的，那些飛機上的情況也是富於意義的，每個人說的每一句話都是重要的。因為這情形會發生，這些都是放在我們眼前的事實。

如果你看報紙，你當然知道，除了美國總統之外高級司令官有權下令發動核子攻勢，如果真有一天有那麼的一個軍官做了，這時美蘇如何呢？我們坐在銀幕下面所感受的正好是那種危機下的急逼的情況。許多觀眾在戲院中哄笑，以為這電影悶、無聊、神化，實際上，每一個看電影的人的心中都在被一塊大石壓着，這部片，實在是有電影以來最令人透不過氣的一部電影。

殭屍片，《碧血長天》都不會嚇倒你，但看這片，你從頭到足都會冷起來，因為核子戰是隨時會爆發的，也許就在現在。當你面對世界末日時，你的感覺如何呢？

這部片，題材新，新得逼人，而且那麼現實。透過了彼得斯拉的演技（他一人飾三個角色，精彩極了，人人不同型，聲音笑貌手勢都不同），加插了飛機，五角大廈和空軍基地三處的輪迴式描述，過場上簡潔有力，但導演的為了免得觀眾太悶，還故意加插了打破汽水機這樣的毫沒破綻的笑料，實在是上乘的手法。

製片的其實可以拍一部《碧血長天》或者甚麼「戰士」片，但他偏拍了這樣的一部電影，難道他不想賺錢，沒有題材，沒有腦袋麼？這部片的工作人員全可愛極了，他們是在為一部電影工作，像這樣的一部電影，無論在題材上，風格上，都是有史以來所無的。

別說其他了，散場時那一幅幅核子塵的「花」。攝得多美，可是，這美，直使人恨到了心裏，但又愛上了它們。

很好的電影，電影史上將會有它的名字的，而我們都會死去，默默無聞！

西西（一九六五年一月號）

金鷹

這部片，如果是日本出品，就是《武士妖魔》。如果是荷里活出品，就是《神龍劍俠》。老遠老遠地跑到蒙古去，拍一部這樣的電影，呸！（學《黑俠恩仇》裏的威廉一樣。）Idiot。

蒙古，這麼一塊可愛的土地。這塊土地上難道只誕生這麼一個英雄美人的老套故事嗎？為甚麼不去拍一些有血有肉的題材呢，像蒙古的獨立，中蘇邊界的紛爭。這些題材多現實。（人家彼得斯拉就敢來一套《我如何學會了停止憂愁而愛上了核彈》。）

好吧，就算大家喜歡，大家偏偏甚麼都不愛就只愛擠在井底下面繞圈圈，而且這部片還有個很叫觀眾喜歡的故事，打打鬥鬥，恩恩仇仇，只要導演有兩手，戲就完全不同了。一部電影和繪畫沒甚麼分別，儘管世界上的牛自古以來都是一個模樣，不同的畫家可以畫出不同的風格來。所以，儘管英雄美人是千古的老套，也可以從風格中創新的。不錯，本片的攝導都是很努力的了，要不然，那些馬群羊群跑起來不會那麼好看，那兩個搖鏡頭特別描寫了塞外的風光不會那麼浩蕩，陳娟娟的一場舞也不會那麼出色了。這些都是好的。

但是，朱虹為甚麼化妝得像香港小姐呢？蒙古姑娘當時畫不畫眼線最好能找上帝解答一下疑問。國語片許多的作品都不濟事，甚至《妲己》，《花木蘭》都也很糟，但是，色彩的設計很悅目。藝術是求真的，但藝術是自然的加工，本片的色彩配合得很粗劣，胡亂把紅黃藍綠一混實在並不聰明。

《烽火霸王》並不是了不起的電影，但我佩服李湯遜，他的手法大刀闊斧，清楚伶俐，畫面高潮無一不佳，（一個尤伯連納增強了不少氣勢），而《金鷹》卻在跟人家尾巴走，那一場良駒過隙，就算拍火箭也趕不上人家。其實，趕上又怎樣，趕上了，還不是一部《烽火霸王》，《烽火霸王》並不算是好電影。

喂喂，導演，喂喂，製片，走錯路啦。

倫士（一九六五年一月號）

雙鳳奇緣

想來想去，我給自己下了個結論。凌波不是一個應該上銀幕的人。甚至近來那些《梁山伯與祝英台》啦，《血手印》啦，都是不該拍成電影的，我當然承認，這些作品已經進步了許多，但是，電影不是這樣的。就像你用鋼筆寫揮春，字寫得天那麼好，就是不是揮春。

有一種東西無論如何不能算是電影。

《雙鳳奇緣》的雪景頂好看，拜堂後新房的景緻也好看，公主演得叫人着了迷，凌波還是「梁兄哥」般可愛，但是，這東西不應該是電影，凌波不該演電影。我想過了，凌波應該演舞台劇，我們不是有那麼大的一個大會堂麼，只要找凌波啦，方盈啦，江青啦，王萊啦，李麗華啦，李湄啦（對不起，不分附屬於甚麼公司了）跑到舞台上，一起演舞台劇，那豈不熱鬧？世界各地都有劇團，偏是香港少之又少，凌波會唱會做，上舞台演多好，這，就像徐玉蘭、王文娟適宜演舞台劇不宜拍電影，〔和〕梅蘭芳適宜演舞台劇不宜拍電影是一樣的。

我以前提過：最初的時候，人人寫劇本，有了劇本找演員去演，劇本是最重要的。後來，寫好劇本的人少了，演員，沒新劇本演，就演舊的。因為舊的是許多人看過的，觀眾便不再是看戲，而是看演員。（這是希臘發生的。）現在，我們也不是看戲，而是看演員。凌波為甚麼不演新的劇本？為甚麼她演了梁兄人家又演梁兄，而且世界上有多少人已經演過梁兄？這樣的做法是沒甚麼意義的，這樣只在製造明星制度，我們應該敬重愛戴好演員，卻不能讓電影掉過來隸屬於演員。

看《雙鳳奇緣》不是在牽就凌波嗎？所以要有黃梅調，所以要有女扮男。電影的特色發揮不出來了，舞台戲扼殺了電影的發展。所以，還是讓舞台戲回到舞台上去吧。凌波上舞台，一定會有更多的觀眾的，當年越劇、京劇瘋魔京滬的情況，都是有目共睹。

我寧願看《情人石》，寧願看《黑森林》。寧願看《一江春水向東流》。甚至寧願看《金鷹》。

倫士（一九六五年一月號）

雄霸天下

除了那一大堆要命的對白之外，這部片實在是好看極了，可是這部片如果沒有了那一堆要命的對白，又不知失色多少，像那種「用我的御腳踏你的御臀」這樣的對白，豈不是非常精彩麼。

一般上說，大片有大片的型。大片的構成因素似乎必需人多多，聲大大，這部片人並不多，《萬世英雄》、《錦繡山河烈士血》那些片中的兩軍對壘的戰鬥場面是欠奉的，因此，《雄霸天下》便來得十分難拍，彷彿是一部大型文藝片，既用七十米厘，又以兩個人演室內戲為主，更加難上加難。

不用說，彼得奧圖一亮相便叫人喜歡透了，其實，他並不是阿倫狄龍那種足以叫人一見鍾情的人物，不過，每個人都應該越看越喜歡他，他演得真活，照這樣的成績看，照這種從舞台上大磨特磨後產生出來的演技看，格力哥利柏無論如何及他不上，至於去年的那枚金像獎，他是倒了運而拿不到，事實上《沙漠梟雄》的確是一部已經拿了「最佳電影」的獎品的作品，如果彼得不行，絕辦不到。

李察波頓的角色十分難演，在故事中，他絕不能超過他的亨利王子，在劇情上，下半部全要收，不能放，不像彼得奧圖，可以像匹野馬跑個夠。不過，李察波頓還是保持水準的，他在彼得奧圖的面前毫無怯色，沉得穩重稱職，至於演大主教時還不夠沉練，完全是因為貝克特本來是遊蕩慣的人，並不是修道院出身的，和演技純不純無關，這一點倒應該是演對的。當然比較起來，他並沒有值得特別叫人刻骨的場面，除了一句「可憐的亨利」。彼得奧圖的機會較佳，他那兩句「湯瑪士」直打進人的心坎，叫你愛上這麼的一個壞透了又不是，好透了又不是的風流獨裁皇帝。

規範是有的，攝影鏡頭兩次重複唐特伯利的大鐘並沒令人討厭，字幕方面我十分反對把地點也寫明，英國、法國，或者聖馬丁修道院，這些地點，如果觀眾會想不到，他實在是不配作為一個觀眾的，電影中本來也沒有英文字幕標明。

倫士（一九六五年二月號）

名花有主

我寧願看這樣的電影，不寧願看甚麼《埃及妖后》。這部電影雖然是屬於叫小姐太太看得嘻嘻哈哈的開心片，但是，題材倒是蠻新的，就是新得可喜可愛。現實生活中真是不乏好題材哩。疑神疑鬼是人類的通病之一，世界上的確有很多人像本片中的洛克遜，例如我的媽媽就是那種人，一天到晚說「病啦病啦」。於是街也不上，戲也不去看，見了人多說頭昏，見了人少說心跳。嗳，這樣的人世界上頂多，現在搬上銀幕叫人看看，很受益。總比一般的愛情故事瀟灑得多。比一些強逼你哭的電影要延年益壽。

明星陣容可不弱，桃麗絲黛在這片中又展覽漂亮的睡衣、晚禮服、新髮型，她雖然越來越老，卻有自知之明，所以一直以動制靜，讓人少看她的臉，多美她的新裝。洛克遜很賣力，這次沒演大情人的模樣，而是一個平平凡凡的人，使很多人都感到舒服。湯尼蘭杜走的是積林蒙的路線，他實在可以成為保羅紐曼一般；保羅紐曼酷像馬龍白蘭度的翻版，但自成一格，湯尼蘭杜也可以酷似積林蒙而自家打天下的。他演得不壞，小人物是最適合他的。

全片的人物都選得好，高頭大耳的男朋友，臉紅耳赤的醫生，幽幽默默的墳場主理，都是典型的配角，這批人使本片生色不少。全片的佈景實在漂亮，花園鞦韆，屋宇擺設〔，〕這些景色和其他的一些「豪華」型片專取大廈為對象的佈景已經相異了，因為大廈看得多了，看看這些小屋宇，小花園，心裏覺得另有風味，導演的也算是有腦袋了。城市人是最渴望見到草地和園林的。

小動作也是可取的，桃麗絲黛和湯尼蘭杜吃早餐時吃得之之聲，增加了不少生活味。桃麗絲黛一頭髮夾出現銀幕也是現實的手筆，這些細節掌握得好，電影便活躍生動，有真實感了。片頭的設計據說極佳（我看試片，到時已開幕，沒見到。但知道那是利用藥瓶來點綴的。）喜劇的片頭是佔了很重要的位置的，像《八十日環遊世界》，那片頭至今沒叫我忘得掉。對於這一類的電影，沒甚麼可苛求。純粹娛樂至上的電影，值三粒星的便是這種了。

倫士（一九六五年二月號）

假鳳虛鸞

東尼寇蒂斯沒有戲做。他其實是可以演戲的，但像這樣的劇本，叫他演甚麼。不談他。全片沒有值得提起東尼寇蒂斯的地方。如果有，就是他借出來的二部勞斯萊斯着實漂亮就是。連這部在內，加上《花都喜相逢》，他這個人已經演了兩部無聊片，如果再演下去，他就完了。快些找部好片演演，甚至是《烽火霸王》也好，給人一些好印象再說。

這部片大概是給德琵雷諾演的，她在《瓊樓飛燕》中演了一陣子的「男人婆」後，居然演上了癮，現在在這片中橫手橫腳，又抽煙又舉手「瓜」，演得雖然不錯，但無聊之至。這無聊，是因為題材不行。本來，這樣的「鬼上身」故事可以處理得十分有趣，甚至十分恐怖；恐怖起來可以像《古堡魅影》，有趣起來可以像《迷魂記》，但是這片甚麼都沒有，男鬼上了女人身上後，一切就散了，如果加強故事性，這部電影將會完全不同。至於到了後來，鬼又上了狗的身，真是「越來越離譜」，荒謬之極。

序幕和上半場都頗有戲劇性，尤其是序幕，查理被一槍打死掉了進海中，以後的片頭設計畫的大魚，大海馬，色彩和動作都上乘，但白潘的家，那些酒窖，屋宇都屬於過分誇張而成為空中樓閣，不能使人感到親切。

實在的說，能夠變是好的。荷里活的題材翻不出甚麼新的來，既不愛拍「文藝倫理大悲劇」又不愛演「劍俠宮闈片」。於是，想不花大錢拍歷史鉅片，便只好走輕鬆的戲路，但這些戲路又給洛克遜和桃麗絲黛搶去了。荷里活還有甚麼好拍呢？近年來，荷里活似乎不拍文學改編的作品了，像《蝴蝶夢》，《雙城記》這類片沒有了。其實，新的文學作品那麼多，荷里活實在應該再從這方面下手的，只要手法新穎就行了。莎岡的《玉樓春劫》不是不錯麼。

《假鳳虛鸞》是劇本不好，如果製片的想拍一部同類的好片，他實在應該取卡夫卡的《變形蟲》，那是一個人變了一隻甲由的故事，諷刺深刻，對人的描寫比《假》片好上不知多少倍。可惜要拍那樣的一部電影不知要到何年何月了。

倫士（一九六五年二月號）

白鯨戰海盜

這個電影很有點意思，有點看頭，內容是說海豚費力巴及少年仙弟原為好友，常在水中嬉戲，但有一天，因為人們要將費力巴送去水族館，所以仙弟帶了費力巴及一些食物，乘坐小艇出走，逃至一樹木繁茂的小荒島上，當時有三個越獄匪亦在附近一島上，後來劫得一豪華遊艇，除艇主外，他的妻女都被趕上破艇，後來破艇沉沒，因得仙弟遣費力巴暗中幫助，得以救上小島，此後仙弟不斷幫助她們母女三人，使能在島上生活下去。長女雲恩當費力巴是惡魔，每見之，則欲殺死之；但次女萍妮則心腸好，因緣得知仙弟曾幫助她們，兩人結為良友，仙弟教以各種生活方式，數日後，遊艇復回小島，將萍妮母女三人亦一起擄走，當時各人皆束手無策，幸得仙弟用計及費力巴的協助，卒將三賊擒獲，但費力巴的尾巴則受傷，艇主何爵士即電告水警來援，先將費力巴送往水族館救治，並且因為他們擒賊有功，費力巴傷好後不必再送往水族館，而可以與仙弟長期居於佛羅列達州的海濱——他們的原來居住之地。

這是一部老少咸宜的電影，尤其適合一般兒童的觀眾，彩色固然不俗，內容亦不差，飾仙弟的陸夏本，演來不甚突出，平平凡凡的，反而是彭美拉法蘭克琳的萍妮卻演得很好，一喜一怒都充分表現出來，常常將從仙弟處學來的本領如生火、捕魚、爬樹採椰子、剖椰子等在母親面前表現出來，卻謊說是從某一部電影中看來的，因此常與其姐雲恩抬訌；法仙嘉安飾其姐雲恩，很美麗，有點像印第安人，但演技平平，其餘各人亦無甚突出，最引人發笑的則為白鯨費力巴，常常跳出水面「巴」「巴」的叫兩聲，又潛回水底，最好笑的還是大戰海盜那幾幕，將海盜引至水中卻撞他們的肚子，將海盜們都弄得頭暈暈的，便利仙弟將他們押回小島。

這部電影最大漏洞則為仙弟遣費力巴用罐頭引海盜下海一幕，因為觀眾都清楚知道仙弟所帶的罐頭都早已在海上漂流時吃清光了，又那來罐頭呢？其餘也沒有甚麼大漏洞了，總而言之，這部電影值得一看。

舜（一九六五年二月號）

瘋狂世界

哎呀，哎呀，史丹利克藍瑪，我服你了。

我當然佩服偉大的荷馬，他並不是一個了不起的詩人，他甚至不是詩人，不是了不起，也不是一個人，（許多人）。但是，他把希臘一串串的古老的詩全攬在一起，編織成蠻可愛〔的〕《伊里亞特》，蠻堂皇的《奧特賽》，他就了不起了。現在，史丹利克藍瑪居然把有史以來嘻嘻哈哈，哈哈嘻嘻，嘻哈絕倒，不笑不妙的東西全編在《瘋狂世界》裏了，所以，那些笨飛機會在地面作蚱蜢跳，那些太平梯會在高樓邊一邊倒，那些救火梯又會表演高空舞蹈。至於利用女人潑辣刁蠻，耍倒栽葱，耍扯破衣等，都是古典得很可愛的。這個故事很完整，給人的印象就是很古老，但是古老得有趣極了，因為古老的東西都跑到現代來了，那些飛快的摩登車有時笨拙得和走兩碼路放一次屁的老爺車差不多。大家就喔喔地笑個不停了。

史丹利克藍瑪沒有耍技巧（不像《夢斷城西》，標榜新玩意，不像《朱門蕩母》，展覽攝影術），而是在集大成，像個收買佬，找來了大批爛銅爛鐵，但結果給他造成了一個大圓爐，可以烘大大的甜香餅。在這片中，笑料是古老的，連很多很多的電影手法都是古老的。剪接是，發展也是。剪接是格里菲斯的，東邊說兩夫妻關在地室，西邊說三母婿在車上分分離離，南邊說四眼先生的汽車掉進河，北邊說米奇兩友駛飛機。這種交叉剪接 Cross-cutting 的手法也模古，畢竟是史丹利的聰明。他一點新東西都不搬演，就拿舊的器材砌屋子，偉大偉大。整片的發展的節奏全是《八十日環遊世界》的翻版，色彩也用得像，尤其是幕頭設計，也是「八十日環遊世界式」的。(那設計真帥。)

史賓沙德利西和尊嘉賓這一寶貝，叫人一見了就覺得是自己的爸爸，慈祥仁愛。尤其是那頭白髮，美極了。他這個人用不着演戲，他就是戲。片中的每個角色都配合得好，能夠盡量發揮才能，又各有各的特徵，這是喜劇的偶像人物造型的善用。

最有趣，最可圈可點的是罪犯跌下山臨死的一剎絕招了，人家斷屬歸西是 Kick the bucket，他呢，卻 Kick 了個大鐵桶，鐵桶滾滾下山，此人也一命嗚呼。差點叫我的嘴巴笑得和蘇菲亞羅蘭的一般大。

西西（一九六五年三月號）

殘酷生活

也沒有甚麼殘酷呀。

這種電影，就是老沒法子叫你可以像看《瘋狂世界》，《密碼一一四》般的一見鍾情，就是多喜歡一下也是喜歡不起來。片給剪得很短，前大半時間塞幾個愛爾蘭小子唱歌給我們聽，歌並不好聽，小子又不漂亮。這方面倒頗殘酷。

因為片子給剪得很短，本來大概是十分精彩緊張刺激的斬手指就沒得瞧了，宣傳畫中的一個越南僧人甚麼的引火自焚的畫片竟連半點影子也沒有了，這部電影全部一共是多少，我們看了的約值幾分之幾，倒是天曉得。總之，銅板是跑進別人的口袋裏去囉。

這部片實在是一種風光集，送給旅遊協會放映放映一定十分過癮，說起來，殘酷的生活畢竟不多，劏一條蛇有甚麼殘酷，我們又不是蛇，替蛇那麼仁慈幹甚麼。倒是許多應有的材料這部電影中卻沒有，日本的剖腹，非洲的獵人族，甚至香港的一家八口一張床，都是現成的題材。

看過這部片後，雖然裏面還是有不少片斷的，卻因為並不是一部刻骨銘心的作品，既沒有一種聲音可以叫你念念不忘，也沒有一雙眼睛可以叫你去找尋，於是，甚麼也配不起來了。所能夠回憶一下的只是瑞士的小孩子們頸下的一條鎖匙，和恆河上空的食屍鳥。

印度的描寫似乎特別多，牛佔了很多時間，但是關於牛，我們知道得太多了。恆河也佔了不少時間；這一段的描寫比較抒情，很能透露出這個民族的宗教思想。

但本片依然有它的可愛的地方的，它到底還能夠真實地給我們看到了一些剎那現象的本來面目，像劏蛇，那是看着它被人活劏的，削髮為僧的鏡頭也是真的，恆河上的葬禮也不假，這些，才是看電影比看書本可愛的地方。

拍這部電影的人，對日本似乎也很捧場，紋身，柔道並不常見到，至於浴室和殘酷生活到底有甚麼關連，真是叫人想不通了，難道沐浴也是殘酷的生活麼。怪誕。

倫士（一九六五年三月號）

沙漠梟雄

我把這個電影的功勞全歸給那群了不起的攝影師。要不是他們，大衛這夥人在約旦呆了三個月就會白呆了。他們拍攝的是彩色片！一共分三卷，每卷三個鐘頭，拍完了得送回英國沖洗，這麼的一來一回要花多少時間呢？這麼的一來一回，如果菲林拍得糟透要「割」，又要花多少時間呢？那麼瘦小個子風也吹得起的彼得奧圖又要捱多少的太陽的焚灼呢？約旦的陽光，差點就可以把一群人曬乾的。而攝影師都很好，都極好，電影是給拍出來了。漂亮的沙漠的輪廓是給描出來了，感是給我們感到一點自然的威力了。

不去講電影的背面，講它的前面。給我印象極深的居然是那些駱駝，我想，所有的學生都應該跑去看這電影，一切的都不重要，就去看那些駱駝。我不是說大家沒見過駱駝，只是，這電影裏的駱駝似乎真的有點駱駝的存在的本質在。因為牠們活在沙漠，在家的時候，人像人，駱駝也就像駱駝了，當然，當然，彼得奧圖演得好極，他不在家，不在家而演得像在家，那就到家了。他扮起勞倫斯，着實和相片中的奧倫斯（阿拉伯人那麼稱他的）十分相像。他就是演得好。

我仍不喜歡大衛連，因為他是英國人，他不敢描述出真正的勞倫斯的精神，要不然，他豈不和勞倫斯一般叛國麼？政治、政治、不談、不談。但大家必需知道，勞倫斯背叛英國，替阿拉伯人爭取自由。大衛連也沒有依照阿拉伯的風俗處理許多場面，像大馬士革克服前的一役屠殺土耳其兵，依照阿拉伯的鬥士的精神，勝利後是要穿了敵人的衣服的，當時，全營的阿族兵全換上了土耳其軍服，如果電影上透露這一重戰爭的影子，效果當然會更深沉的。

電影上的中文字幕譯得不夠力，本片中勞倫士殺死了蓋幸而扔了槍，走過安東尼昆面前怒氣沖沖時，安東尼昆問:「那英國人怎樣了？」安東尼奎路答:「這人是他自沙漠中救出來的。」於是安東尼昆說:「然則，那是註定的了。」但中文卻譯了「由得那英國人去吧」。在影片中，註定是很有力的，因為勞倫斯才說過「沒一件事是註定的」。

倫士（一九六五年四月號）

神仙・老虎・狗

一部重映的電影，由杜娟、丁寧、丁紅、范麗、陳厚、金銓等主演，劇情普通，並沒有甚麼特別之處，大抵喜劇、鬧劇，或招笑的對象總離不了王老五的身上。陳厚飾一個白領階級的王老五，與金銓同居於一間公寓的一間房內，整天只顧交女友，上班時也寫徵友信，看裸女照，工作交金銓代作，金銓還成為他借錢的對象，往往一個月的薪金就在短短的兩三天內花個一乾兩淨，放着一個賢賢淑淑的丁寧不去追求，偏要追求一個飛裏飛氣的杜娟，後來又把范麗的撈女當作一個不愛使男人錢的千金小姐，最後在金銓與丁紅的婚筵上與丁寧誤會冰釋〔，〕重歸於好。

陳厚向有喜劇小生之稱，演來當然不差，不過，總覺得有點苦口苦面的，金銓也不錯，可惜有時顯得呆一點，還不夠靈活，四位女角可能戲分不多，未能充分發揮演技，杜娟的飛女，未能盡露其飛氣，如果將長髮都散下來，相信較好，丁寧的賣貨員沒有甚麼表演，平平凡凡的，丁紅的工廠女很像樣的，范麗的撈女也很稱職，對於一個撈女的浪勁，對顧客的手段都充分表露出來。

一個大堆頭的電影是很有看頭的，這個電影有六個主角，但戲卻集中於陳厚身上，使其他各人都變成陪襯品了，本來陪襯品有時也很會搶鏡頭的，像王萊就常常是一部平凡電影的突出者，但因為這個電影不夠緊湊，陳厚的女朋友就像是排隊似的，一個跟着一個的來到他面前，前面過去的一個很少會再出現，像杜娟和范麗就是如此。而這個電影還有不少矛盾的地方，例如一個工廠女與一個賣貨員的房子，就不應該太華麗，但丁紅丁寧所居的卻是一個大大的梗房，如果我有這樣的一間梗房，我也去做工廠女或售貨員了！還有，她們的地方居然是蘇屋邨的廉價屋，但當鏡頭轉至她們的房門口時又變成了是酒店的走廊一樣的了。我還不明白究竟林黛在杜娟樓下出現的那一場戲有甚麼作用，難得的是她還對陳厚拋媚眼哩！難道一個高高貴貴駕着大房車的少婦是應該這樣的嗎？

舜（一九六五年四月號）

窈窕淑女

你說，這個電影有沒有點《夢斷城西》的味道？如果單看那些唱歌舞蹈，攝影剪接，室內加工等等的結構，甚至連那段愛情小說，也是很相似的。但是，我們一眼看上去覺得《夢斷城西》那麼瀟瀟灑灑，出落得另有一番風姿，一愛就愛上了，《窈窕淑女》呢，因為它美得很隱，大家被蕭伯納（故事）迷住了心，就把導演（技巧）忘得一乾二淨了。其實，《窈窕淑女》的確是部很好的電影作品，你能稱這樣的東西不是藝術嗎？

我仍是不喜歡蕭伯納，也許，這也是使人不怎樣喜歡這部電影的緣故，對了，那麼膚淺的一種愛情，那麼傳奇的遭遇，我寧取莫泊桑的〈項鍊〉，甚至王爾德的〈人魚公主〉作題材也不會選上它。但導演畢竟是盡了全力的了，分場分得很仔細，分場分得仔細是因為從舞台上影響過來的，但是像菜場清晨的那一幕，居高臨下拍攝，就勝過舞台了。

記得力士夏里遜在舞會中最終的一個鏡頭是大笑起來嗎，當他們回家後，一進門，便是他的笑聲，畫面已經轉位，但在音帶上，他的聲音根本沒有停頓過，像這樣的剪接是對了，也是懂得電影術 ABC 的。電影可以在時間上配合得比舞台更緊密，這也是個最好的證明。

應該要注意這個電影的彩色的設計的，你能感到電影裏充滿了春天的氣氛嗎？一般上，用來透露春天的色彩多半以淺藍粉紅為主，片中舞會那場，用的主色就是粉紅、白和黑，看上去一片春天的氣息，很可愛。而且這一場是以超現實味來刻劃的，簡直有點像童話的境界。

也應該注意這個電影的舞蹈場面的設計的，自從《脂粉七雄》後，大家對歌舞場面已經另眼相看了，但有很多的歌舞場面都不過像夜總會節目，不怎麼生活化，但《脂粉七雄》裏砍樹一場卻是把生活與歌舞連在一起了，《夢斷城西》也是，現在，菜場那場就是了，柯德莉夏萍在菜車上跳來跳去，才是這一類的可愛的寫照，也是音樂劇最成功的處理方法（加插得才順情順理）。稍後的一個人幻想比起來，顯然弱了些。

作為一部音樂片，舞台的氣氛還是很濃的，這，從舞台景色的濃烈，可以看得出來，當然，我們〔不〕可以拿希治閣的片來較量，更不可搬第昔加的來比，希治閣和第昔加給我們看的往往是人，但《窈窕淑女》的面目只是一具美極了〔的〕石膏像。

柯德莉夏萍當然活潑可愛，但上帝是仍公平的，她畢竟不再是《金枝玉葉》中的她了。

倫士（一九六五年六月號）

萬古流芳

嗯，明知故犯，就是不對了。那隻飛呀飛的雁，居然用卡通來畫，把我笑也笑死了，本來也不算太壞的一部電影，偏偏要遷就劇本，遷就觀眾的知識，一點也不肯藏拙，那有甚麼辦法，那有甚麼開心。

李麗華很漂亮，到後來就漂亮得不合理了，就算身為公主，養尊處優，但十五年含悲憂國的日子，居然沒叫她老起來，倒是怪事。凌波在片內也不知道有甚麼可演，照這麼看，「邵氏」是在活埋她，趙氏孤兒這個角色其實用不着出凌波，找個蕭芳芳已經夠了，相信蕭芳芳還會比凌波演得好。說起來，凌波到底是個獨當一面的明星演員，由她扮演荊軻刺秦王的荊軻，《紅樓夢》的寶玉，走越劇徐玉蘭，尹桂芳的路比較適合。

駙馬自殺一場應該可以演得可歌可泣，但到了最後關頭，卻見李麗華眼睛一瞪，駙馬便倒地嗚呼了，這是不行的，像這樣的一種場面，最好還是拿日本片慣用的懸疑手法，如果由我來導演，我就會這樣：鏡頭對準侍者捧上來的寶劍，鏡頭交叉替換寶劍的鋒芒和駙馬的眼睛，然後鏡頭由劍柄搖鏡頭影到劍光，再搖回來劍柄，這時，劍柄多了一隻手，鏡頭停在手上，一會兒，劍柄從劍身瀉下血來。這樣子，觀眾根本看不到駙馬刎頸，但完全可以明白他已自殺。日本片有的對剖腹也不是正面演出的，但重要的是觀眾可以感，而且感到。

除了這些，《萬古流芳》給我的印象很好，嚴俊演得很到家，雖然有時像在演京戲，但演京戲也自有好處，演技是不含糊的，電影中的茅舍的佈景極佳，難怪「邵氏」如此費心設劃，臨水伴山的小屋很具中國風，樸實可愛。陳燕燕演這角色也適合，她和歐陽莎菲都可以分道揚鑣，自己打天下了。我還是欣賞片中的室內設計較多，古色古香的，各人的服裝也十分得體，如果不去像專家般諸多挑剔，大家應該可以得意。

近日看了一下子粵語武俠片，相比之下，才覺得「邵氏」的影片的確水準高了許多，總之在可能的範圍已經做到不馬虎，對得起一下觀眾，這，實在是可喜的。但是「邵氏」的電影目前似乎是嚴肅的居多，古裝的居主，我覺得「邵氏」很可以嘗試拍一兩部類似大會堂放映過的《我的舅舅》那類的喜劇，或者《昨日今日明日》式的人間怪事，香港多的是法律罅，多的是街頭巷尾，題材不難，就算生意，也不會虧本。

倫士（一九六五年六月號）

喋血街頭

節奏真好。調子真好。那些轉位的手法，真好。狄龍有兩次張大了眼睛，小吉蒂爬上來替他蓋上了眼皮，然後，銀幕的畫面就黑了。唉，尼路遜，你這個導演很有腦袋。

警長說：「我記得他的眼睛。」然後，銀幕上就特寫了亞倫狄龍的眼睛。狄龍最邪的是眼睛，最神氣的也是眼睛。尼路遜，你這傢伙有腦袋。你是這電影的上帝，上帝說讓那裏有光，光就有了。

但我想起了《流浪者》。史提夫麥昆坐在荒涼的郊外的一間木屋前奏他的結他。「雨是一定會落下，風是一定會吹打」，唱呀唱，淒涼死了。神呀，你把我們人類困到甚麼時候呢？淒涼死了。神呀，我們甚麼時候就反叛完結，或者用不着反叛甚麼，快快樂樂地美得像《運財童子》中的BB呢？淒涼死了。很好很好的一個電影，《喋血街頭》真像《流浪者》，都有那麼的一個妻，一個小女孩，一個淒涼的結局，一頭困獸。就是一種淒涼死了的感覺，叫你想呀想，想破了腦子。我們活着做甚麼呢，活這種淒涼死了的活做甚麼呢？

只有亞倫狄龍的風姿叫許多人開心，他當然很神氣，他一直是那麼神氣的，如果《喋血街頭》再站個 BB 出來，BB 的孩子氣加上 AD 的神氣，要命要命，戲院會給擠扁了。

狄龍的英語，好多了，但仍是說得很少，他只好仍是扮意大利小子，但那份俏皮，吊兒郎當，小流氓的氣質，還是要往《怒海沉屍》中找，尤其開始那一段，是全天下最好的。

總不能叫這樣的電影是偉大，狄龍的電影在香港放映過的沒有一部可以讓大家深一層去認識這個人的才能，你們這些電影院的先生們，為甚麼不把《羅可兄弟》找來放映呢？《羅可兄弟》中的狄龍才是狄龍。

剛才說，不能叫這電影偉大，偉大的電影除了形式外（像這部片的技巧）還得有更好的題材，這不過是部「文藝偵探片」，情節實在給不了觀眾甚麼刺激了，而且，還有甚麼叫你感動的呢？

我喜歡那些段落，不瑣碎，像一篇文章，起承轉合，簡而短而精，片頭的設計當然又是屬於高手的，它重要得已經成為電影的一部分，已經不是一件毛線衣上掛着的招牌，而是一顆鈕扣。

安瑪嘉烈只會大叫。叫起來哭笑不分，我一直不愛看她的眼，到現在，我還是覺得她像一個由男人變形為女人的女人，她的演技也只是明星的而已。

倫士（一九六五年七月號）

盲俠聽聲劍

很熱鬧。這是我的感覺。

我常常看武俠小說，這電影使我覺得，有點兒看出了些英雄氣概的過癮的感覺。此外，就沒甚麼了。

讀小說時，常常覺得有些人了不起，看電影時往往覺得電影不及小說那麼傳神，《盲俠聽聲劍》傳了些，總算叫許多人開了心。

作為一篇文章來看，這是篇流水文章，通通順順，文筆流暢，像是小學生應付老師而寫的，老師把故事一講，小學生記住了寫下來，交了卷算數，所以，內容很好，文字絕不傑出。

長長的一個故事，有點萬花筒式，幾場打鬥但求熱鬧，所以拍了個夠，單打群鬥、木車戰、水桶戰甚麼都有了，所想描述的不外是兩點：這個人很好打，這個人頗有俠士風。

說到打得，片中出現過的不過是三名武士，死得不見玲瓏，一下子就全嗚呼了，劍是怎麼掃的，鬼影也瞧不見，活像現代詩，看不懂的，不明白的就是了不起。其他的一群人，也不過是無名小卒，玩過下兩手三腳貓把戲的嘍囉，盲俠勝之不武，把這群人斬瓜切菜，是大英雄所不屑為的。

至於俠士風，盲俠也沒有把人家小姐送佛送上西天，半路就跑掉了，關雲長就沒這一套。

電影文法不怎樣精彩，看起來走馬燈一般，看完一場又一場，看完一景又一景，熱鬧是熱鬧了，但包你不到一星期，會把它忘得一乾二淨，而且，你會把戲中的情節牽到別的日本片上去，除了記得那個盲人打得不壞，演的不是三船敏郎。

《喋血街頭》中好些轉位叫人永誌不忘的，那是一篇文字推敲得很下苦心的文章，雖然故事不精彩，但談起來，另有一股氣勢。

天上的月亮，提起的人何止千千萬萬，但有關月亮的描述叫人永誌不忘，拍案叫絕的能有多少。《盲俠聽聲劍》的故事本來甚好，不像是一個月亮，像新的人造衛星，但導演給出的力，要給出的太少了，他只是老想收入，這方面，他這商品倒是成功的。

古老的日本我們是看厭的了，從《盲俠聽聲劍》，我們也知道日本是在以新來吸引我們，但是，為甚麼不讓我們看看今日的日本？《天國與地獄》那麼有成績，《流芳頌》又是傑作，除了仿「新潮」的電影外，日本應該送些像樣的時裝片過來，古裝片的市場一跑上高峰就會掉下來的，《盲俠聽聲劍》不是說明了觀眾愛的是「變」嗎？

倫士（一九六五年七月號）

寶蓮燈

可熱鬧啦，大家全都在嘻嘻哈哈，一會兒大家看到了個林黛就全院咦起來，過一會兒，大家看到了杜蝶又呀了起來，於是於是，氣氛十分怪趣。真的，這樣的一部電影才怪誕，好好兒的一個林黛住在華山上，一會兒變了個杜蝶在看着寶蓮燈。好好兒的一個沉香和二舅父打仗，打打打，居然又變了個杜蝶的沉香。其實，這真是一個研究一下電影的好機會，大家就可以明白，拍一部電影可不是從開頭一直拍到結尾的，拍電影一定是會分場拍，假定先拍聖母廟那一場，那末有關這一場的都可以先拍，於是鄭佩佩這書生跑進廟和後來沉香跑進廟都可以同一天拍。拍完了以後把次序分別剪接好就是我們看到的電影了。而且，一部電影就算拍完了也常常有點鏡頭要補拍，就像一個人化完了妝，但忽然瞧瞧唇膏塗得不好，要再修補一下一樣。平時，我們看電影不怎麼看得出那一場先拍那一場後拍，看《寶蓮燈》卻有這項額外的收穫，凡是有林黛的，大家都知道是先拍的，沒有林黛而出現杜蝶的，就是後來拍的了。如果有人以為上半部全是林黛，下半部全是杜蝶，那麼這個人是連一點電影的常識也沒有呀。

有人覺得杜蝶不像林黛，但這是沒辦法的了，導演其實已經很努力了，有關杜蝶出場的地方已經盡量利用遠景，背部拍攝，像沉香大戰，仙子們拜賀那場都是。杜蝶撲蝶，跌倒時也沒有特寫她的臉，而讓她垂着頭，杜蝶手捧一束花轉交李菁時，也用的是背影較多。當然，在不得已時，導演還是必需特寫杜蝶的臉的，像她和二郎神吵架，不然的話就得花許多菲林才可以補充一張憤怒的臉的表情。

這部片的音響比較顯著，也是這部片的特色，利用磬聲的一個音響轉位，把聖母廟的畫面轉向天庭的剪接法是聰明的，尤其是鏡頭向上攝，然後沿着崖壁橫搖入聖母的山洞這一段氣氛很好，磬聲嗡嗡，洞壁寂寂，很有點仙境的神秘感。其次，二郎神的袍甲聲也是配得適當的物音，增加了天將的威勢。書生拍門求助時，打門聲是太響了。劈華山，拉風箱，狗的慘叫聲都用得準確，可惜的是這部電影缺乏了一種一貫的背景音樂，如果在聖母每一〔次〕出現時即配以一種清絕的樂聲來描述她，效果可以好些，那麼當哮天神犬追逐書生後，風聲中夾着代表聖母的樂聲，大家雖不見聖母，但知道她的行蹤已至，總比由李菁斥責哮天犬有效。為了誇張神的個性，代表主角的出場音樂是適合在這片中採用的。

象徵是電影中主要的比喻，本片中也用了一個，就是沉香哭泣時，窗外的母雞和一群小雞，鏡頭短短，但很有力，是對的。至於整片中好多鏡頭拍攝天空，則是多餘的，一場與一場間利用空間作轉位用得不夠力，全片中只有一個天空的遠景用得最適當，就是沉香仰臥在草地上時的主觀看法，因為沉香看天是懷念母親，而且他正躺在地面。寶蓮燈升天的一節也可以說得過去。

電影中有兩場是描寫聖母廟的，其中沉香進廟時可以作主觀拍攝，把鏡頭當作沉香的淚眼，看出去時廟中的景物全帶點模糊感，這樣就不會和劉彥昌入廟時的景緻色調相同了。

編劇的編得很合理，打死縣官兒子，朋友忠義等等都不錯，只是，二郎神應以嚴父的姿勢性格出現，而不是一個甚麼玉帝的走狗，他代表法律，並不是鷹爪。哮天神犬乾脆用犬就可以，實在也不必變人，如果要人，隨便找一名天將也一樣，電影可以改編，不必遷就觀眾的知識。

輪到那個寶蓮燈了，畫那一條條光幹甚麼？神神化化是可以的（像大仙跳入熔爐），但要畫卡通就棋差數着了，難道除了這樣就沒別的辦法了？

差點漏了，李菁演得好，鄭佩佩不好；怎麼好，寫不下了。怎麼不好倒有格子一說，她實在不像個老頭子。

西西（一九六五年八月號）

最長的一夜

我一共有五大點要說。

兩點是說導演很行的，給了我兩點電影感：

一、畫面轉位手法。Transition

二、交替剪接手法。Cross-cutting

三點是說導演不行的，是電影文法的有三處弄得糟透的：

一、關於特寫 Close-up

二、關於肌感 Muscular Sensations

三、關於平角 Angle

現在，我就一點一點的來說。

一、畫面轉位手法——這就是指一個畫面怎樣〔轉〕為第二個畫面的方法。大家記得不，王萊老把記者當作自己的兒子，就一張一張畫塞給他看；這是阿秀抱着鴨子，這是她自己唸經；這時呢，寶田明打開了畫，第一張空空的，第二張就是樂蒂抱了隻鴨子。本來，這是幅圖畫，但是，銀幕畫面一跳，接到樂蒂真的抱着鴨子，站在樹下。像這樣子的跳接，是很成功的，我們自自然然不會感到突兀，我們叫這樣的剪接為流暢，流暢是好電影的必備條件之一。

二、交替剪接手法——就是指鏡頭有本領話分兩頭，一邊寫東，一邊寫西。大家記得寶田明睡在屋子裏不？樂蒂一跑跑了進來，這時，鏡頭一邊拍她的臉，一邊拍攝一把刀，然後，臉呀，刀呀的交叉拍，我們就覺得很緊張了。交替剪接是最可以引起觀眾緊張的，也是造成電影高潮的一種手法，這裏的用法是對的。不過，在這部片中，導演的手法還不到家，交替剪接是應以節奏蒙太奇做效果導引的，如果交替剪接的速率和人體的脈搏的節奏相呼應，則可以達到更好的效果。

現在，我說後三項。

一、導演有兩次用錯特寫。第一次是寶田明爬上山崖。畫面上是一塊大石，突然出現了兩隻手。特寫的作用之一本來是在引起懸念，即電影三 S 之一的 Surprise，但這個特寫毫無用意，石背後爬出來的不過是寶田明，我們明知是他在逃難呀。如果，這石後攢出來的竟是國軍，便不同了。樂蒂手抱鴨子的一個特寫也是錯的，雖然後來曾說鴨子被煮熟了，但特寫並不重要。鴨子不值得一再被誇張。

二、肌感是一點一點也沒有被重視過。一部電影除視覺外，應該給我們感到味覺，感覺，嗅覺和肌覺。在這部電影中，吃鴨子是味覺，握刀是感覺，攝草泥是嗅覺（雖然很微）。但肌覺卻失敗了。肌感在這部電影中應該是可以大大發揮的。起初，寶田明受了傷，他爬上山，這時，導演的應該讓他盡量爬斜坡，讓我們感到他出的力，他的勞苦，但導演卻居然讓他從山上奔下來，輕輕鬆鬆，這個錯誤犯得很大。《偷渡金山》中起初上冰山運冰的那一段的肌感充分表現了人的勞力，可以作示範代表。

三、平角，我是指高角低角拍攝外的視平線角度拍法，電影和舞台是不同的，在戲院中我們無法爬上院頂，居高臨下，所以，舞台上的人物不可疊場，但是電影是利用攝青鬼式的偷窺，應該把觀眾當神，無處不在，不必叫演員給我們讓路，也不必怕他們阻擋視線。在《最長的一夜》中，趙老爹到張鎮長家中報喜，說大良回來了，於是，一群人都來聽他，但是這些人居然一字兒長蛇陣排開；照情照理，他們應該團團圍着趙老爹才對，怎會像拍〔全〕家福相片一般排排站呢？作為導演的這時應用高角度俯攝一群人把趙老爹圍在核心，這才是上策。

還有，意識蒙太奇的運用也是糟的，我們觀眾只能聽寶田明一番教訓，甚麼日本人中國人原也是同文化的等等。電影要靠講，那麼瞎子也可以去看電影了。對不？

王萊，吳家驤做了演員了，恭喜他們。寶田明不知算是甚麼東西，至於樂蒂小姐，她穿的三套衣服十分漂亮。（新娘子裝還沒算在內。）

倫士（一九六五年八月號）

天涯歷險記

總之，和路迪士尼很會做生意就是。《瑞士家庭魯濱遜》啦，《天涯歷險記》啦，這樣的東西，叫大家腦筋動也不必動，心靈感也不必感，只要張大了嘴巴，拍痛了手就天天滿座。

其實，逗小孩開心是最容易的，給他一粒糖和給他一個玩具熊，他一樣是會對你笑的，小孩子懂甚麼，他們只會笑。但叫小孩子笑，要他們好好地笑，就是大人的責任了。和路迪士尼怎樣叫小孩子笑呢？來一場山崩吧，於是整塊山岩裂開了，一夥人坐在上面轉轉呀打圈圈，穿過冰路，搖過冰洞，然後你有你倒栽葱，我有我打跟斗，全部自有神仙打救。這樣，小孩子當然開心。然後來一頭大麻鷹好了，來一個本領像武俠小說的土人好了，於是小孩子又開心了。小孩子當然開心極了，洪水會浸大樹，一頭豹會好心腸地肥人也不吃一口，土人困着的囚徒會全部逃個清光，火山爆發又專會向壞人方面爆，好人都好，壞人都壞，小孩子當然開心。

這樣的一部電影有甚麼意義呢？找爸爸，那是對的，但電影裏面沒有說父子間的親情，沒有寫尋找的艱辛，有的只是遊戲式的胡鬧，如果尋親記果然這般好玩，這般容易，相信散場後許多小孩子一定會說：「爸爸，最好你失了蹤，遇了難，讓我去把你找回來。」小孩子那裏懂得天高地厚。其實，和路迪士尼也不是沒本領拍好電影的，以前的《寶貝歷險記》、《小飛象》，在描述親情方面，反而更深入些。照和路迪士尼目前製的如《天涯歷險記》和

《瑞士家庭魯濱遜》這樣的路來看，他實在太匠心了些，想想，美國的電影也許真的只剩下一個伊力卡山足以站得堅固的，和路迪士尼居然和希治閣入了一黨，一個專騙大人，靠嚇，一個專騙小孩子，靠囈。

電影中許多的鏡頭倒是用得不錯，洪水、山崩、火山爆發這些，如果沒有技巧，是不能增加氣氛的效果的，只是，很漂亮的衣服，穿在木偶身上，木偶還是木偶。比起來，《童話世界》感人多了，像最後一場格林兄弟從火車上出來，四野一片靜寂，突然四面八方擠來了孩子，滿滿的，滿滿的，這氣勢，這情景，才是叫人想起世界上的確有偉大的兩個字在。至於《天涯歷險記》，全片最可愛的地方大概就是能夠描述一名土人的友善，因為在小孩子的心目中，紅番甚麼的人總是壞人，現在卻有一名成為大家的朋友，不過，另一群土番還是凶神惡煞的，代表了次一級的人類。

誰會相信一些頭髮和破布會束成一條那麼長而堅固的繩，誰會相信坐在一塊岩石上會一點也不受傷，和路迪士尼可甚麼都想到了，就是差點沒把一夥人坐上火箭送上太空去。商品也有多種，弄成這樣真沒意思。

司花利亞，他一向愛演為老不尊的傢伙，比起史賓沙德利西，差了許多，不過他自有一點長處，演戲不像演戲，自自然然的，叫許多人鍾意，而且他那張古古怪怪的臉，使銀幕活了不少。希莉米路士是近朱者赤，近墨者黑的類型，好劇本，好演員，她可以演得好；差劇本，差演員，她就演得差，她是每部片的成就不一的，要看導演的或者製片的要她方或者要她圓。這次，和路迪士尼沒給她甚麼了不起的工作，所以，她也沒有怎麼了不起，照樣是瞪過一下眼睛，裂過一下嘴巴。

迪士尼對兒童很努力，但他並沒有進步，他的故事照樣是很注重橋段，花心機去想些古怪的新鮮的事情，是對事，而不是對人，如果他能真正地描寫一個人，也許會叫人另眼相看的。以本片來說，我寧願看蕭芳芳早年演的那套苦兒，那種世上只有媽媽好的感情無論如何是深多了，而且，又不胡鬧，又不神化。

倫士（一九六五年十月號）

誘惑

（一）費里尼。他是一個操萬花筒的人。所以你知道，他的電影總是充滿了好多好多的東西，叫你目不暇給，連腦也不暇給。如果你看過《八部半》，你就明白這個人是個喜歡超現實味道的人，他處理場面老是又熱鬧（人多多）又整齊（排排走），且看一開場，噴水泉邊一群小女孩穿了一般的裙子跳呀跳，一群穿紅袍的教士操兵地操過，這就是費里尼了。

這個人施的電影文法行不行呢？行。那一下劃過太精彩啦，就是吊大廣告牌的時候，銀幕一黑，半截銀幕露出了一群仰望的臉，這樣的劃很到家。用黑紗蓋住眼幕說不給大家看那一個鏡頭雖然被《風流劍客走天涯》裏的湯鍾士用過了，但還是很新鮮的。

聲音行不行？一個人站在那裏演說，背後一架車子開來了，吵呀吵，演說也不行了。彩色行不行？廣告底下一群人多熱鬧，花花綠綠，夾着一堆氣球，漂亮極了。但這些都是「木偶」，費里尼創造的亞當夏娃的裏邊是有靈魂的，雖然是個神話，是篇故事，是首寓言，是隻小說，卻是很真實的，大家會用心地去想，過了一年半年還在想，過了十年八年還記得。

過了十年八年還記得的電影，如果不是最差的，那就一定是最好的了。

（二）維斯岡第。他是個操顯微鏡的人。所以你知道的，不愛看一片葉上的細胞的，或是不慣看一隻蜻蜓的複眼的模樣的，就悶死了。其實，我是頂頂頂頂佩服維斯岡第這個人。你一定會看過他的《氣蓋山河》。你明白他為甚麼老是叫一群人在大府第樓上婆婆媽媽地唸經，為甚麼叫阿倫狄龍和CC兩個在大空屋子裏上樓梯穿過空房間，為甚麼要男男女女一起跳舞跳了個不亦樂乎。啊，維斯岡第是個銀幕上的室內設計家哩。他是生活在戶內的，生活在牆與牆之間的，生活在一個另外的國度，不屬於陽光空氣和水的。看見室內的奢華的陳設嗎？維斯岡第傾家蕩產為拍一部電影而搜集一件古董，讓自己貧窮一輩子。

不怎麼容易看裏邊的電影文法，不過，看得出的那些開門關門的轉位節奏，摘一朵花的節奏，衣服索索響的節奏，那些恆久的中景，這些都是維斯岡第。他的人物很少，動感很少，幾乎是靜止的一個中國花瓶。

為甚麼呆滯得像一塊蕃芋，晦暗得像一首現代詩呢？啊，維斯岡第的作品是堆着很濃烈的象徵主義的味道的，他熱愛古銅色，作品很古典，精神很現代，這就是他的長處。還有，大家一定看得出維斯岡第很有法國新潮的味道，當然，他以前在法國跟從過雷諾亞的呀。

（三）第昔加。他是個操鏡子的人。所以你知道，世界是甚麼樣子，第昔加就給你甚麼樣子。別的不說，你應該看過他的《昨日今日明日》，其中倒翻一地的橙子就夠你嗅到他展示的意大利了。第昔加不超現實，不象徵，他是個徹頭徹足的自然主義者，所以，一頭牛跑到彩攤前來了，一夥人圍着車子追了。

顏色當然很好看，紅色最鮮艷，你知道不，第昔加罵了我們一頓，他把我們都當牛，蘇菲亞羅蘭就是西班牙場中的一紅披肩。意大利是怎樣的，他們愛唱歌，所以蘇菲亞老是「搖你搖你搖你」地唱。他們愛管閒事，所以大夥兒死也不肯走，追去看一個水落石出。

他們愛誇張本領，所以幸運獎主拉鬆了領帶，亮着一臉唇印走出來。

第昔加的每一部電影的面貌都是相似的，別忘了，他和羅沙里尼都是意大利「新寫實主義」的創始人，他是以人為本身出發拍電影的，不像法國那麼文縐縐。

還有，第昔加給我們的最可愛的是甚麼景色？他愛給我們一種破爛的美，彩攤車子就充滿了，尤其是車中小架上那個西瓜，哈哈哈，你說有趣不有趣啊。

倫士（一九六五年十月號）

想入非非

不用說，最後那一場才精彩。是這樣子，鏡頭拍着 CC 在打電話，大家看得見她懷中躺着一個男人，於是，大家聰明起來啦，哼，那個人一定就是醫生了，那個人一定不會是別人的了，但是，急甚麼呢，鏡頭那麼地來了一下上下搖，咦，呵，不是醫生，原來是 CC 的丈夫。但是，但是，他還是看到醫生留下的煙盒子了，大家是看見 CC 笑得那麼邪氣了。你看過《意大利式離婚》，當然明白意大利那群該死的導演絕不會那麼正正派派，讓你稱心稱意收場的，只要看看 CC 笑得那麼邪，大家是甚麼都明白了。這一下子，真像《意大利式離婚》中小妮子在遊艇上用腳鈎住水手一般，比起來，這一部電影還要含蓄些，要大家自己去想爛腦袋。

意大利導演幾乎是無孔不入的，他們喜歡加插許多花花架架的文章，使人看得很開心。記得那個疑心鬼丈夫在皮裘店裏洗手嗎，有一個修電視的工人（他可是個壯健的傢伙，導演一早想好選他演的）跑來對老闆說他家中的電視老是壞了，於是，疑心鬼丈夫在老闆的「我家中有兩個電視，一個在廳，一個在房」後立刻說：「我想，壞的一定是房中的那個。」像這樣子，菲林花得很少，但是，意大利人的風流可就諷刺得很夠了。

疑心鬼帽商的新居入伙場面才熱鬧，草地上全是燈盞，稍後，女主人帶來賓上樓上參觀，忽然畫面古古怪怪起來，疑心鬼丈夫就在幻想太太被一群人拜倒裙下的情形，這一個幻想場面和草上點燈那個場面原來是導演抄襲來的，抄的是新潮電影中的，我們知道，意大利電影近幾十年來，一直自高自大（是值得自高自大的哩），但是忽然殺出了法國的新潮，文學味重得很，於是意大利給他們搶了不少風頭，現在《想入非非》的導演便故意諷刺一下。但是因為其實也沒有甚麼惡意，所以反而有點可愛。

這部片的導演很能利用聲音轉位，開始時，疑心鬼的情婦只不過口述幽會酒店的情況，畫面立刻就轉了過去，當她說，門外可以停車，畫面已經是汽車停泊的鏡頭，然後是寫信的地方，送信的人，聲音是上一場的，畫面已連接下一場，這種手法十分經濟。而且，酒店的每一個地點的故意誇張也是暗示性的伏筆，後來在幻覺中由 CC 出現一次。當然，CC 穿的那兩套衣服真嚇壞人，相信歐洲版的還要暴露。這也是意大利拿 CC 去和 BB 開戰的理由，還是不要再說了。

疑心鬼丈夫幻想如何捉姦也是一場有趣的插曲，首先，他幻想自己斯斯文文，大大方方，毫無所謂，居然去拍拍情敵的膊頭。第二次可不同了，召了一群警察來，把兩個要不得的人捉將官裏去。第三次呢，自己出手，砰砰砰，一陣亂槍把兩個同床人一起送上西天去。這些插曲的畫面都有點漫畫化，像默片，稱得上短而精。

導演的剪裁與結構十分到家，例如啟幕時已經不浪費菲林，拍攝裝修新居的情形，而且已下好伏筆。全片的進展次序井然，轉位流暢是可取的。加插的緝私場面，和偷偷地睡在屋子牆外的場面也是喜劇式的，氣氛都用對了。導演的處理這部電影彷彿容容易易，論豐富，論精純當然比不上《意大利式離婚》，但也足稱為是一頭小小的麻雀，肝膽俱全了。

CC 歌狄亞嘉汀娜的演技，早說過了，要像珍摩露般瀟灑自如還不行，我們可以看到導演的痕跡，看過《黃色香車》中的珍摩露的表現，便知道就算演貴婦，CC 也是沒夠功力。這部片中沒有馬車路，但一群男角都自有一種風姿，性格鮮明，意大利也不是只有一個馬車路的。啊啊，忘了告訴大家了，我說的馬車路，就是指那個叫做馬思杜安尼的馬西路，也就是《昨日今日明日》，也就是《意大利式離婚》，也就是《八部半》中的馬車路。《想入非非》中沒有他，沒有他也站得住，意大利是可愛的。

倫士（一九六五年十月號）

彩鳳游龍

這部片叫人想起和路迪士尼。和路迪士尼最愛弄這類的電影的，好人總是快快樂樂地過日子，壞人總是不會成功，而且，電影裏邊的世界好像是個神仙世界，一切都和童話相仿，樣樣稱心，事事如意，叫人看得很開心。就是因為沒甚麼波折，開心是開心了，彷彿是做夢中了馬票，醒來還不是一無所有。

這部片又叫人想起《深宮怨》，那時候珍西蒙絲演年青的伊莉沙白一世，她的倔強和自負比這部片深沉多了，而且，那部片不是童話式的，倒不像中馬票。雖然《彩鳳游龍》這種電影實在十分幼稚，但把它當作一種歌舞片的音樂劇就會好過些，對於那些愛上白馬王子的十五十六歲的小姑娘們，這部片才是她們的。

羅美雪妮黛實在不壞，尤其是穿着闊裙子，背後結一個大蝴蝶，活潑得很。在電影中，她也的確像一隻蝴蝶，穿的衣服又多又漂亮，黃黃的舞裙，粉紅的睡袍，都很可愛，女孩子們一定更會注意到她的頭髮，一下子是兩邊髮髻，一下子全是鑲上絲帶的小髮辮，連她穿起大木履也惹得大家笑嘻嘻。

最有趣的是那位女教師，她的臉十足和羅美雪妮黛一模一樣，眼睛的距離相差得那麼遠。（是不是和已故總統甘納第的夫人積克蓮相似？）她最演得討人好感的便是在小客舍中看女王和阿爾拔王子跳舞了。她看了看，不禁皺起了眉：「這種舞似乎不怎麼雅吧？」（當然，新興的華爾茲實在嚇壞了她。）但是當老教授笑嘻嘻問她：「你肯和我跳一隻嗎？」時，她一臉不屑的神氣，答案卻是那麼出人意外的一聲：「跳的。」哈哈哈，大家全笑起來了。

阿爾拔王子爬露台唸羅密歐朱麗葉那一場加插得不壞，不但可以藉以襯托女王和王子的愛情，還足以證明了這兩個人都是出身富家，因為只有上流人家的小姐少爺才請專師授課的，他倆你一句我一句地背莎士比亞正好說明了大家原來的身份。在表達兩個人的身份上，生火倒是加插得天衣無縫，其實兩個人都從沒生過火，你教我我教你的，居然誰也沒露破綻。

史勞斯奏琴的一個鏡頭表現得聰明，起先誰也不知道為甚麼要花那麼多的膠片給這個人特寫，後來知道他就是華爾茲大王就明白了，他一共露兩次面，但出現得簡單有力。小人物喬治也是個不可缺少的人物，他給本片加插了不少笑料，傷風啦、搶餐具啦、鋸椅腳啦，讓人看着他一副傻傻地的動作，又是氣又是好笑。其他的御林軍宣傳報紙，三個八婆吱吱喳喳，賣報小童都很能搶鏡頭。

阿爾拔王子實在不能算漂亮，他老是傻笑，雖然，那三套衣服着實不壞，但比起來，甚麼的阿力山大王子比他還威風，如果這個角色換了甚麼阿倫狄龍、佐治查格里斯，那麼戲院就會滿座好多天了。但是，當時誰知道阿倫狄龍、佐治查格里斯在哪裏。

雖然是個愛情故事，但開頭的兩段很夠氣勢，維多利亞接見大公爵時，請他繼任首相，維持內閣，及以後登殿時，放下誓紙，自己發言，都是朝大處着手，電影中諷刺力也夠，例如抹窗子一節，很有意思，把政府罵了個夠。這一點，就很有點日片《流芳頌》的味道。導演的明知觀眾要算算維多利亞女王的家族，所以他聰明地由女教師教歷史時講出來，來龍去脈，十分清楚。本片彩色最成功的並不是甚麼大舞會大登殿，而是小客舍中的一片黃色，羅美雪妮黛自己在樓上舞蹈的情景又會叫人想起《夢斷城西》中瑪麗亞在裁縫店中。其實，這部片的可愛仍是在它的古典，主要的場數不過是家中、殿前、客舍、舞會、宮中幾章，結構算得上緊湊，構圖並不故作驚人之舉，完全是因為這部電影並不很「近代」的。

西西（一九六五年十一月號）

花落斷腸時

導演的：有電影文法，但沒有電影手法。

阿倫狄龍和人家決鬥，人家砰的一槍，他就死掉了，這時候，配音上面用了貝多芬的命運交響樂，這當然是一種電影文法。用命運交響樂來點題當然是一種嚴肅的配用法，但這樣子實在太誇張了啦，阿倫狄龍又不是甚麼英雄。

羅美雪妮黛最後跳樓死掉了，她是死不眼閉的，這一場，和《野貓痴情》終場時，BB 墮樓後飄呀飄那氣氛相差很遠，但是導演的懂得呆照了一陣，這算得上是聰明，至於最後幻景的一場，活像我們的那些《梁山伯與祝英台》電影，偏要在最後加上一條尾巴，搬兩隻蝴蝶出來飛一陣子，安慰一下觀眾，老實說，像這般過分歌頌愛情至上的觀念，防止自殺協會就該第一個站起來打倒的。如果導演的想一下，他應該把小酒肆的一帽一手套，一帽一花束那一場提早剪接在羅美跳樓前，作為她個人心底的幻境和觀念，實在比導演的觀念為強。

美術設計的：彩色的確十分悅目，我最喜歡羅美雪妮黛住的那個家，廳子固然陳設得溫溫暖暖，古色古香，睡房更充滿了活潑的氣息，那座露台，彷彿真是春天的。

喝咖啡吃點心的露天茶座也美極了，很有古歐洲的風貌。豪華的伯爵夫人府第，上流的劇場都很適合他們原來的樣子。糟得很的是那個拍照的地方，一點氣氛也沒有，划艇的樹蔭也是銀幕上的陳腔，太熟口熟面啦。

編劇的：據說是個名著的改編，大概這種名著我們已再無法尊重他多些，最愛寫這類東西的普希金，隨手可以拋一個更好的劇本出來，不知道為甚麼到了一九五八年還有人愛找這種故事拍這種電影，一九五八年，嗳，人家加謬已經拿了諾貝爾文學獎啦。

配音的：他的錯處不大，電影的背景是維也納，多用一些音樂是對的，現在的台灣滿街都是詩人，當時的維也納滿街是音樂家，這沒有甚麼不對，但故意搬命運交響樂、聖母頌，那就太過了。酒肆裏弄的華爾茲甚麼的跳跳舞還說得過去。由於是太注重主題音樂，背景音樂反而給忽略了，真是可惜。

羅美雪妮黛，她很會作狀，但那樣子還是十分可愛，不過她是會演戲的哩，狄龍的死訊傳來時，攝影機的眼睛一直對準她，我們看得見她〔完〕整的表現，由懷疑到焦急，由焦急到恐懼，由恐懼到悲哀，由悲哀到傷心淌淚，這幾下表情難極了，虧得她是個羅美雪妮黛，難怪她當時紅呀紅，紫呀紫。和女朋友一起時討論對付男朋友，也是有趣的，這個角色容易討好觀眾，許多觀眾都喜歡她。

阿倫狄龍：唉，見過這般飯桶的阿倫狄龍嗎？雖然死板板的片頭設計上用一個呆頓頓的鏡框只寫着「介紹阿倫狄龍」那樣的字，也用不着像個飯桶的。狄龍真像木頭一般，像頭企鵝。本來，阿倫狄龍最可愛的就是到處跳，裂開嘴笑，瞪起眼兇，但是哩，在這部片裏甚麼也沒有，好像是個被導演一推一下走一步的木偶，難怪當時的影評罵了他一大頓，他自己也只好說，「如果下一部片還是這麼糟，我還是去賣報紙」的話。當然，狄龍以後就可愛了，所以他也不必去賣報紙了。

整個電影十分講究曲折動人，所以電影時間和空間的利用沒有加以誇張，因此，本片是圖畫味濃，電影味淡的作品，也可以說是故事味〔重〕，電影味輕的東西。不過，整片中給人印象極深的是那父親，他真是個可愛的父親，我們中國所以常常不夠可愛，就是因為我們缺乏這類的父親，他們似是只是歐洲的特產，在東方生不出根的。

當軍官的布拉里現在是一名獨當一面的演員了，在本片裏，他演得實在比狄龍好，而狄龍所以當了男主角，還不是羅美雪妮黛對他的另眼相看，現在他倆唯一可以叫人相提並論的，只是兩人都喜歡養狗而已。

西西（一九六五年十一月號）

武林雙俠

武俠片當然是以英雄俠士為主，所以，在整個電影中圍繞着描寫武士的事跡是對的，盲俠片寫的是盲俠，占士邦片寫的是占士邦，這一部片重心落在丹下左膳身上，也出落得十分搶眼。

寫人物着重描寫其風貌，這一點〔，〕丹下左膳一現身便已給人一個新鮮的感覺，在造型上，他一身花斑斑的衣服，少了一條臂，面上一個大疤，這個形象很鮮明，以後大家只要遠遠見到一片衣角也早有心理準備，知道來者乃丹下左膳是也。

寫人物着重描寫其個性，丹下左膳是個浪跡天涯的人，喜歡喝喝酒，唱唱小調，登上古廟自得其樂，在這方面，電影中把他描述得很透澈，這個人平日又好言談，不拘禮數，很有遊俠之風。

寫人物着重描寫其環境，丹下左膳是住在貧民區的，由一般市井之徒的擁戴，〔到〕出入坐小轎，前呼後擁，甚為威風，平日又和街坊同樂，很得人心，像這樣子的描述，一個遊俠的面目，大家都可以辨認了。然後，最重要的便是刻劃遊俠的本領，如果一個本領高強的人而不露兩手的話，那麼觀眾對英雄崇拜的心理自會大大減低，在描述丹下左膳的武功方面，導演的所特別強調的一點便是丹下善攻，以快取勝，所謂鬼影劍大概是拍其身隨劍走，人劍一到，對方已陳屍當地。在這方面，導演的曾無數次設計大場面人多的戰鬥，讓丹下左膳單刀赴會，這時配合的攝影術如果不是高角俯攝作居高臨下欣賞狀，便是來一個迅速的左右搖攝，讓觀眾和丹下一齊飛跑。只看搶寶刀救小姐的一場，丹下在戶內和眾武士會戰的一場，直到得地板登登登作響，門戶嘩啦啦散裂，果然好一場大仗。

其實像這樣的一種電影無所謂電影藝術不藝術，攝影技術稍備，編導常識稍具，演員活潑生動，便可以熱鬧半個鐘頭。做到這一點，商品的意義已盡了。不過從《武林雙俠》來看，我們實在佩服日本片商的眼光和頭腦，別人拍武俠片常常慢吞吞的，高手相對，都是互相走位，然後呼喝一聲，交一回合，這是處理高潮的手法，但本片的導演並不，決不走《穿心劍》的路，也不仿傚盲俠片，又是靠快靠狠，真是一言不合，廢話少說，便打將起來。這種爽快利落的作法，才有武俠片的味道。也是生意眼瞧得準的。

演員方面，由丹波哲郎一個人飾兩個角色，並不像《黑俠恩仇》中阿倫狄龍分飾兩人般可愛，源三郎雖然和丹下兩人個性完全相反，但出場少，刻劃得不夠，如果因為這位小姐的緣故而使孖生兄弟發生一場誤會或甚麼的，那麼情節一定更為緊湊。目前這樣的結局也不差，遊俠還是回去做他的浪子，舊酒壺依舊連着一個舊茶壺蓋。

丹波哲郎扮丹下左膳唯一的缺點是他的一隻手假得不真，導演故意要誇張其殘缺感實在可以讓他穿一件布質厚些的衣服，或者不用白色作底色，效果會不同的。至於那頭亂糟糟的頭髮，卻很相襯。

全片大廟放火一場處理得很好，導演一早有伏筆在廟上垂下繩子懸酒壺，到後來救小姐就很順利，而丹下左膳自己縱身躍下，也十分能夠呈現英雄本色。千金小姐頂禮拜佛的一幕暗示力也很強，丹下左膳靜靜地偷去了小姐的衣物，但銀幕上始終沒有讓丹下露面，後來丹下闖武館，奪寶刀也就合情合理。

戲並沒有甚麼了不起，但日本電影的可愛，就是他們無時無刻不透露出地方性，人物，風俗，風景，行徑，都叫人一看就懂得是東瀛的，這一點，就算荷里活也辦不到，荷里活除了西部片尚能描述一個遊俠外，現在的電影中根本就找不出行走於橫街陋巷的英雄了。相反來說，日本的《天國與地獄》，《流芳頌》寫的都是現代的英雄，到表現上，日本的古代俠士和現代英雄都一樣出色。

倫士（一九六五年十一月號）

大刺客

那個鏡頭叫我想了十日十夜。到現在我還是沒有想通。三船敏郎一刀刺下他劇中父親的頭顱時，銀幕上濺起一片血。然後銀幕就白慘慘地，顯出一個木偶，腦袋和身體分了家。這一個鏡頭，做導演的實在敢作敢為，也可以說是導演的藝高人膽大，電影是求真的，《大刺客》是一部以真逼人的作品，全片手法高超，過程精彩，但忽然地就弄了那麼的一陣子把戲。

大家都知道，如果木偶身首異處那一個鏡頭不出現，電影的流動絲毫沒受影響，觀眾的知識足以明白三船敏郎這一個動作，可是導演的偏偏硬生生加插一段畫蛇添足，來一下畫公仔畫出腸，倒大大地嚇了我一跳。

普通的導演是不敢這麼幹的，偏偏是《大刺客》是那麼出色的一部電影，就像一個一流的書法家，敢於在任何字上加多一點，也就像人家的莎士比亞，公然讓凱撒大叫一聲：Most unkindest cut，這種人公然擺着差錯出來示威，真叫人拿他沒辦法。

我們知道電影中有一種叫隱蓄蒙太奇的東西，例如一個人沒父沒母十分淒涼，電影上可以利用小雞也有父母等等來比照（《寶蓮燈》中就有的）。《大刺客》中的其實就是隱蓄蒙太奇的運用，通常，一般導演會用大樹倒塌甚麼的來比喻，決不會用上木偶，但現在，好好的一個電影，為甚麼要硬湊一番。這情形，就和《天國與地獄》中黑白片的煙囪冒紅煙一般，它們都是又可愛，又叫人大叫犯規的。但是，我們實在不能不佩服人家的膽略和才氣。

《大刺客》，最了不起的當然是銀幕的建築法，每一個構圖都十分搶眼，不管人多人少，一點也不凌亂，畫面取的又多是險角，重心擺在一角啦，一大片白襯着一點黑啦，攝影的和導演的都存心在那裏耍絕招，向〔觀眾〕介紹三船敏郎出場時，房中一地人，鏡頭直從人間穿出去，抽出三船來。雪地大戰一場的構圖也是濃密有致，嘩啦啦地一陣大打，然後個別描寫，讓觀眾息一息，然後又是嘩啦啦一陣。本片在節奏蒙太奇上發揮了極大的效力，那種簡直配合了人的脈搏的節奏，那種暴風雨的寧靜的單調，偶而發一兩聲傘的碰擊聲，把人的神經拉得很緊。

本片是採取奏鳴曲式的發展的。一開頭就是那麼的小茅舍，黨人的靜待起事，於是緊張的氣氛中用一張傘的碰擊聲，一對木屐的步過雪地，一個人在疾書而喃喃自語，一個人的回顧暗示等等來呈現電影時間的緊湊，而這幾下的鏡頭簡單、乾脆，果然氣勢不凡。

此後接着是調查三船敏郎和小林桂樹事，在這時候，攝影的盡量表現構圖之美，小轎的步上石級，喪禮的進行，三船敏郎的拿着日本拖鞋涉泥，都是佳畫。然後奏鳴曲之第三節出現了，第三節的起始實在就是第一節的重現，那些傘，那些木屐之後，迅速導引了一場大戰。

大戰一場是頂重要的，重要的不是要讓觀眾看到如何廝殺，而是一種混戰的氣勢，這一點，導演是做到了，雪花紛飛中不但黑白分明，而且一大伙人的走位有層有次，不能不佩服導演的功力。演員方面，人雖多，但個個很穩，三船敏郎和小林桂樹比較突出，都是劇情使然而已。本片是個要顧全大局的電影，所以導演的並沒有橫生枝節去細細描述三船敏郎和小林桂樹在武館之會和以後的誤殺，這一點是對的，否則就會變成了喧賓奪主，也就變了盲俠片了。

故事甚佳，有戲劇味，想深一層，恍然還悟到一些希臘悲劇的精髓。不錯，這是一部很上乘的作品，但導演的太賣弄啦，以致，在任何方面看來，它只是接近偉大而不是偉大。但以這等的功力，攝影、演技、導演來看，的確是電影界的一支大軍，這並不算偉大，但也足夠我們敬歎不已了。而商品之品質之佳一若此者，實在值得我們大量選購，細心研習。

最後，該記得，本片導演並不是黑澤明。

倫士（一九六五年十一月號）

瀟湘雲夢

我多喜歡這個電影。如果不是導演的居然傻傻地來一陣「後勁不繼」，如果不是要李察波頓嚕嚕囌囌說上一大套教，這部電影真是荷里活近來十分出色的可愛電影。

有的電影叫人喜歡它的電影文法（像《誘惑》裏費里尼的那段），有的電影叫人喜歡它的腳本（像《意大利式離婚》），有的電影叫人喜歡它的氣質（像《童話世界》），但，《瀟湘雲夢》叫人喜歡的不是那些，迷人得很的竟是那一份思想。

伊利莎伯泰萊的畫家，頂有意思的，她是那麼深深地看透了世界。喜歡不等於是愛，沒有父親的孩子還是孩子，大自然的教育不等於課室的書本，這些，她都懂。她的心目中另有一個世界，她看得見愛的另一種面目，於是，她就走向她所見的地方去了，別人怎麼看怎麼想，她是不理的。因此，她愛得多純。

電影裏面伊莉莎伯泰萊和李察波頓在山邊吵架一場最有意義，女畫家說：像這樣的事怎麼能對第三個人說呢，難道這不是最神聖的事？就像神父和告解的人。在她的心中，純粹的愛是最崇高的，愛根本不是罪。整部電影所描述的女畫家，她實在是這個世界的藝術份子的縮影，她愛大自然，愛真的感情，她的生命就是真。因此電影利用大浪灣的小涉禽做主題來象徵。小涉禽是生長在無拘無束的世界的。小涉禽從來不上學校接受書本的教育，動物自有適應環境的本能，而經驗是累積的。女畫家忠於這些，她是在那裏生活，生活着一種美好的生活。和女畫家相處在一起的一群藝術工作者也和她一般，遠離扳起臉孔的世界，遺棄那些粉飾教堂門面而不真正行善的人們。

電影的故事實在太好了，很少人敢於那樣生活，很少的電影願意向我們這樣透露過。導演文尼里是個吹無定向風的人，他的作品常常美得驚人，但總是即興般地閃過，然後留下的又多是沙石了。《瀟湘雲夢》的景色的確入詩入畫，最美得出奇的是女畫家那間木樓，一窗一門，一爐一架，無一不充滿了性格，彷彿把女畫家的靈魂隔了在裏邊。我們一比較大浪灣的屋子和學校的建築，立刻可以意味到這竟是兩個完全不同的世界。

服裝設計在本片中功勞極高，伊莉莎伯泰萊那幾身服裝，粗豪放浪兼備，而且色彩鮮明，紅紅的披肩套尤其搶眼。甚至在狂歡會上諸色人等的衣著也各有風韻，這方面，使本片生色了許多。伊莉莎伯泰萊，我相信這是她從影以來演得最好的電影，角色是那麼適合她，她彷彿一團火似的，靜靜地但又迅速地在燃燒，她演得很沉着，但卻又彷彿要迸裂開來。當她憤怒的時候，聲音清晰但又發抖，以前，她從不曾這般可愛過。伊莉莎伯泰萊還是美的，美得很濃，臉的輪廓，頭髮的披散都是她自己，電影中她坦露了許多，而這是對的，她是一個那麼成熟的婦人呀。

依華瑪利聖的功力也出來了。當她和李察波頓發生意見後，鏡頭停也不停地瞄準她，這就夠她演了，她一下子交叉着兩隻手，一下子放下手，一下子把手擱上壁爐上面，來回地走着。她總是穿淺色的衣服，臉像冰塊刻成的，她的光芒完全蓋過了李察波頓。李察波頓呢，他還是以前的模樣，《靈肉思春》裏的他和這裏邊的他，並沒有甚麼分別。

攝影機很靜，那種冷眼旁觀的態度很有表達的力量！在構圖方面，不時也出現一下新的畫面，像把整個伊莉莎伯泰萊橫的放進銀幕框（在大浪灣灘頭和李察波頓一起時）〔，〕實在是少有的銀幕構圖。

很好的電影，是可以讓你看也可以讓你思想的電影，如果只看而不思想，看了就沒甚麼用了。

西西（一九六五年十一月號）

十命冤魂

好奇怪的背景音樂。這部片一直在誇張物音，不時那麼一陣幽幽梆子聲，然後奇慘慘的烏烏烏，但這樣子真好，那麼東方的聲音，那麼東方的情調。

分場分得很詳細，但是畫面從來不會用老的，就算仲代達矢被鬼迷時躺在床上跑起來揮劍大斬四方那一場，他一個人在房間裏劈老鼠時，房中的景物有限，但每個畫面的景物和構圖都不同。細心想想，原來攝影機最不喜歡遠景，全景遠景都是必要時才用用，否則，專以近景特寫來描寫。特寫之多是全片的特色，當然，這樣做是聰明的，特寫一直有一種強調的力量，而這部片正是千方百計叫我們去掉下緊張的陷阱的。

血真多，死了好多的人，所以，就要想出各式各樣的方法讓我們看看流血的樣子。仲代達矢死時，剛好是下雪，雪地一片白，血就從白雪中滲起來了；富家小姐身穿綾羅綢緞，所以她死了，血從衣服中湧出來，有時候，血給塗在紙窗上，有時候，血被抹在板門上，花樣頂多的，導演的費了很多心血。

攝影的費了最多的心，他除了一天到晚大特寫大特寫，想出來的畫面都是頂奇詭的，仲代達矢去見岳丈討妻子時，他一直站在一角，大半個銀幕空蕩蕩的，聲音從幕後配出來，搖搖的鏡頭緩緩地橫過去，在室內演戲，橫搖是可以叫人去搜索人物的存在的，結果，我們就看見了那個岳父。然後，畫面盡量利用屏隔來做主線，大銀幕遮着屏風，只剩下一條窄縫露出岳丈的臉，要不就是仲代達矢的臉從屏風後面升上來。最美的畫面也許是任何人都忘不了的，就是圓傘密密麻麻中站着的妻子，她是那麼美，彩色是那麼柔和。兩姐妹在對話時，我們看也看不見姐姐的臉，她的哀愁是用背面來表示的。

老鼠是鬼怪故事中的象徵，像西洋鬼怪的蝙蝠，但是老鼠偷梳，木桶出手這些不怎麼好，如果沒有了這兩場，故事會更真實些。仲代達矢生病而做夢那個境界很好，荒野的小閣，垂着竹簾，兩人一起吹籥，是很典型的日本的神仙境界，和《四谷怪談》的暮色四起，點點螢火一樣懾人心神。

最後一場大雪中的觀魂是佈景失策的地方，雖然妻子的美得很，但是大雪紛飛的景色太狹窄了，如果改用一大片原野，像《大刺客》那麼空曠，氣氛也許會好些。

寫分鏡頭劇本的編劇一定最辛苦，本片分鏡頭之多，真可以和默片時代的愛森斯坦他們媲美，黑澤明的電影也是以分鏡頭細微出名的，但黑澤明的作品卻是長的場數多，事後才加以剪接過，這部片長場面頗少，喜歡話分多頭去描述，因為肯於到處跑，畫面的姿態就多了，場所也就廣了，這是採用累積的方法，也就是聚沙成塔，剛剛和《十二怒漢》的架構完全相反。而這，也正是費里尼所最喜歡的。

仲代達矢的型很不錯，他無論那方面都比三船敏郎瀟灑，電影中的他穿來穿去一兩件和服，正好表現出他的貧窮，主角並不需要整天換漂亮衣服的。以仲代達矢的演技來說，他是游刃有餘，而且因為鏡頭以近景特寫居多，他走路也不必多走，除了末後一場外，所費氣力不大。但也因為這樣，他實在像一枚棋子，任人放在棋局中，沒有甚麼可以發揮了。本片動用了仲代達矢不過是因為他是仲代達矢，而不是其他，其實，如果真要放一個很瀟灑的人而不必叫他演甚麼的話，則我寧取加山雄三，他的外型則又勝過仲代達矢了。加山雄三也是個高手，也許他不及仲代達矢的是因為仲代達矢畢竟和阿倫狄龍相彷，多了一股殺氣。

《十命冤魂》是以技勝，如果我們的《聊齋》由他們來執導，愧死目前的炎黃子孫。

倫士（一九六五年十一月號）

鐵金剛賭城擒諜

起初，誰也不知道有這麼熱鬧的一部電影，起初，因為有個賀滋保荷斯，大家就去看看賀滋保荷斯。賀滋保荷斯，他這個人，臉很怪，怪得有點類似珍摩露，一忽兒瞧瞧很順眼，一忽兒瞧瞧很討厭，但是，你就是拿他們沒法，看多兩眼，自自然然地也就喜歡了。賀滋保荷斯演的電影總是給你很深的印象的，《七俠蕩寇誌》裏他老是在發脾氣，結果是誰也不去理他；《春江花月夜》裏他照樣發脾氣，拿了把掃帚橫也掃豎也掃，李絲莉嘉儂還是不理他。到了《玉女風流》，他演東柏林的小子，更有趣了，說話一連串一連串，結結巴巴的，也是一天到晚發脾氣，這樣，賀滋保荷斯就給大家記住了。記憶中的賀滋保荷斯是從來不威風的，可是，現在，隔了那麼些的日子，他一下子竟然變了個鐵金剛，鐵金剛，鐵金剛。

鐵金剛現在的模樣是怎樣了呢？打嘛打他不死，汽車輾不死，撞車撞不死，子彈打不死，這是鐵金剛的好命。至於鐵金剛的本領，他是赤手空拳的，只要有一輛快車就行，如果在陸上打，他可以拳拳厲害，所以在塔上殺人，在屋中利用自來水窒息敵人，都是用不着武器的（雖然，在塔上殺人是同黨的滅口，但是鐵金剛已經佔了優勢）。在陸上能夠威風是不夠的，所以鐵金剛就要和敵人在水中死拼一次，鐵金剛能夠游水也是不夠的，所以最後又要坐直升機追火車，這一來，海陸空都出齊了，還有甚麼不威風。但是，鐵金剛的威風還不止此，女人都應該愛他，而他應該一點也不把女人放在眼裏，把女人當作飯桶，關在櫃裏啦，抛在一邊啦，這樣子，就威風了。有了一個很威風的鐵金剛了，導演的把氣氛和情節拉得怎樣了呢？

氣氛和情節都是要特別的，既然鐵金剛是一個很特別的人，所以電影的氣氛也該特別，情節也該特別。整部片介紹賀滋保荷斯介紹得頂好，好熱鬧好擠的一條橋上，車子都突然停下來，一位漂亮的小姐走過，小姐閒閒逸逸的這邊一瞧那邊一瞧，瞧見了紅跑車，瞧見了戴太陽眼鏡的鐵金剛，於是熱鬧的橋又熱鬧起來，小姐過後，車子又嘟嘟地穿梭了。這一個開頭又簡潔又明朗，並且是在片頭字幕展開後用砌圖式拼成的伊士坦堡的風景，設計的人實在很有心思。以後，全片以一種快速的速率進行，整片瀰漫着一片奔跑的節奏，五角大廈來的小姐在跑，鐵金剛在跑，汽車輪船全在跑，但是在一切動的節奏中，靜場的加插十分鮮明，塔上的敵人跌落了滅聲器，輪船上間諜眼上的眼鏡的反映，都是靜止得合情合理的情節，而氣氛又足以扣緊觀眾的氣息。像這樣的一部電影，導演的如果缺乏了幽默感也是欠佳的，導演的幽默感放在那一面呢？

結尾的一段是最適合的，鐵金剛跑回火車卡，正準備和美國小姐溫柔一番的時候，子彈轟轟的射穿了玻璃，鐵金剛只好趁此伸個頭出來向觀眾道聲拜拜。導演的實在很機智的。導演的也知道為了要讓鐵金剛多出風頭，所以他的敵人都是木口木面的。導演的知道像這類的電影女人是不可少的，所以他三番四次叫女人不穿甚麼衣服。導演的還知道，鐵金剛賀滋保荷斯本人並不高大，所以配的對手也不是巨無霸。在其他小地方，我們都可看出導演的心思，鐵金剛脫衣脫得快，說話直截俏皮，都配合得對。全片畫面轉位多而且快，是最佳的間諜片的剪接法。此外，讓賀滋保荷斯在片中不斷戴太陽鏡，穿運動衣也是明智之舉，以他的體型，決不適合演紳士式的大英雄。

電影是夠熱鬧的，如果賀滋保荷斯現在窮得無聊，那麼，演演這樣的電影換換麵包我們應該原諒他，可是，這小子現在根本是個大富翁，偏偏跑去湊胡鬧，毫沒骨氣，遲早會給影迷罵一頓。但願賀滋保荷斯是玩玩而已，以後不再頑皮就行。不過，賀滋保荷斯應該很開心，他居然打敗了正牌鐵金剛占士邦。

西西（一九六五年十一月號）

西廂記

岳楓居然叫攝影的先生們發了一下神經，可把我樂開了心。當和尚啦，小姐啦，夫人啦等等的在廟裏拈香焚拜的時候，寺外嘩的吵了起來，孫飛虎跑來了，於是，廟裏一團糟地亂將起來。這時候，岳楓就叫攝影的先生們發神經了，那些鏡頭在院牆上，寺頂上搖出去，然後又搖回來，來了幾下子的俯衝搜索式，一下子把人物拉遠，集中在寺院中奔跑，一下子把人物拉近，集中在一個人的身上，畫面因此轉位得十分靈活，唉，能夠發發神經真是好主意。唉，能夠發發神經真是好現象。

許多的地方都弄對了，全片呈現一片濃陰的墨綠色，攝大佛像和孫飛虎時用仰角，攝影機捨得繞着人轉（讓大廊柱劃過鏡頭也不怕），這些都對了。雅緻的幽徑、庭院；書香的齋房，繡閣；服飾的精純；色調的諧和，都是這部片的特色，雖然用上土黃，深紅而全無霸氣的畫面色彩，實在十分足以取悅人們的眼睛。

凌波、李菁、方盈的演技應該是現階段最好的了，導演要她們所表現的，她們都表現出來了，我們也沒法再向她們要求更多的了。這部片是黃梅調的，但我們發現黃梅調也有黃梅調的進步，忽然沒有人毫沒理由地唱起小調來，就是進步的特色。在這部片裏，老是先有一群人的合唱，唱兩句，才有凌波甚麼的接下去，這樣子不怎麼單調，也不怎麼異相。

有的地方還是不行。為甚麼凡是一個說話的時候，鏡頭就要對着這個人呢？一開始的時候，那組鏡頭幾乎「對」

得叫我想打它一巴掌，是這樣子：李菁說我不是會算命啦甚麼的，於是，鏡頭結結巴巴地去對着李菁，然後，凌波說你家小姐常出來走走嗎？鏡頭又來不及地對準凌波，之後李菁生了氣，說把凌波拉上官去，鏡頭又追過去了，直把我瞧了個頭昏眼花，我明知道這不過是表演一下有兩副攝影機的威風，但是，我們不可以瞧瞧李菁和凌波的背脊的麼？

啊！記起來了，珍茜寶在《慾海驚魂》裏剪了一頭男孩子的短髮，頭頂心好看極了，攝影師也聰明極了，鏡頭老對準珍茜寶的頭頂心。《西廂記》裏邊呢，臉太多，頭髮太少。不很公平。丫環的頭髮有多長，我見也沒見清楚。

因為鏡頭老是追逐臉孔，所以，我們遭了殃，相國夫人罵起紅娘來，就等於罵我們，紅娘罵相國夫人，又是在罵我們。應該是由我們罵她們才對。這一點，鶯鶯小姐倒還好，她每次焚香默告上蒼時，臉孔總是側向左，然後側向右，我們誰也用不着當菩薩。

這部片一切都還好，就可惜發神經發得太少，如果多發發神經，就不會靜得像死水了。整部片來說，橫搖顯然過多，拍月亮的靜場太長（偏要等唱完一句黃梅調），人物的走動花了過多的菲林，影像仍感不足。其實，《西廂記》原是一個好得很的劇本，只要捨得發一下神經，可以這樣來處理：整片不用對白，純用音樂配合描述，誇張洞簫和古箏。畫面盡量增多，格數多但要不同，不可死纏一個景象，採取幻燈片方式拍出，動作盡量不要連繫，場面縮短，在讀詩時則配以旁白的清吟，如果這樣子來處理一部電影，則和以前的《西廂記》的呈現方式完全不同，也和《梁山伯與祝英台》的影貌相異。否則，除了色彩佈景華美外，和以往的《西廂記》有甚麼不同呢，尤其是李菁被拷一頓時，我腦子裏老是記得周璇的夜深深。

《西廂記》的故事是我們熟知的，所以，電影不應再注重情節，純以影像表現是對的。岳楓並非不明此理，凌波說要不中就不中，要中就中，中了個大喇叭，對於這，觀眾已經能夠接受，如果整部電影用的都是這一個方法突接突轉，雖然一下子可能嚇怕一些人，但說不定就可以嚇上康城去了。

一個湖和一潭死水都很靜，但其生命力是不同〔的〕。

倫士（一九六五年十一月號）

碧血自由魂

你覺出來了嗎？這部電影是個浪漫主義的作品哩。電影裏邊有很多都愛走浪漫主義的路，一般人常常把它們叫做文藝片，當然，文藝片有許多是哭哭啼啼的，《碧血自由魂》不是那種，而是一部不哭哭啼啼的很好看的文藝片。

序幕是採用抒情式的，小橋流水，紙船倒影，充滿了鄉土的風味，由那一群小孩子在橋上走過起，他們一起在野地奔跑，跑過紅漆的板門外，坐上小馬車，擲破大櫥窗止，這一段很活躍地介紹了一下愛爾蘭首都都柏林的風貌，在看這一段序幕時，我們忽然會很熟悉於那一連串的畫面，因為它們竟然和《夢斷城西》開始時介紹大街小巷的情況相似，也是講的一些窮小孩，一個城鎮，一個時代。序幕的運鏡和剪接都出現得很靈活流暢，比起《萬種風流一俏傭》的花招是上乘得多了。

寫景方面，除了序幕之外，當然以卡西地和挪拉交遊的一段最出色，戶外的草原，拱形的橋底，兩個人各自躺在岸上，洛泰萊用手撥弄河水，是全片處理不俗的場面，這一場比起《風流俠士走天涯》中在草茵上無聲舞蹈的一場，絕不遜色。此外，對於描寫挪拉住宅，葉芝住宅甚至卡西地本人住宅屋外的風景都各有情調。

不錯，風景是本片最出色的，不是因為它們美，而是因為它們入畫，於是，我們忽然就想起一個人來了。誰呢？尊福吧，他一直是擅長描述戶外景色的老兵，像這樣子的一幅風情畫，當然是尊福最慣常的筆觸了。事實上是這樣，坐這部片的導演交椅的人本來的確是尊福，但他病了一場，導演的責任交了給積加迪夫，自己做了個製片，可是我們是認得出來的，積加迪夫的藍圖實在是尊福的藍圖呀。比如說，那一場打架，打得人仰馬翻，把人推下河，把車推下河，這種場面，難道不是尊福的嗎？酒吧裏邊一場打架，打完了坐上馬車揚長唱歌而去也是尊福的。好吧，我們且不去管尊福（正如我們讀《漢姆萊特》不一定要證實是莎士比亞的作品），這部片，在大刀闊斧的作風下，的確給了我們一種爽朗明快的感覺。

洛泰萊演得實在不錯，《鳥》裏邊，希治閣沒有甚麼可以給他演，現在，他拿出他的本領來了，雖然他無論如何不能勝過劇中的母親和姊姊，但在母親死時，他一連串敲門，疊聲呼叫的表情〔已〕經叫他勝過許多人了。

挪拉的型很好，她並不美麗（白蒂絲，那個在暴亂中大叫的女孩子才美麗），但是看起來很叫人喜歡，她的眼睛老是倒八字型，但配上古銅色的皮膚，棕色的髻式頭髮，加上碎花的長袖襯衫，扁的草織草帽，使她十足成為一個讀過書的可愛的女孩子，而這類型的女孩子，甚至在電影中也少見了。

白蒂絲野得很美，她也有古銅色的皮膚，最可愛的是，我們在這電影中找不到任何一個女孩子具有現代女性的臉譜（《殺妻笑史》中的維娜麗絲，一臉的粉，一臉的藍眼蓋膏，哎呀），這樣很忠實〔，〕是戲中的時代，就算《窈窕淑女》吧，柯德莉夏萍的臉也沒有和她其他的作品中的不同。

但電影也不是沒有毛病，它落了易放難收之陷阱，上半場很順利，下半場不見了一大堆人物，死的不去說，白蒂絲呢，五個小孩呢，卡西地的弟弟呢？都不見了，如果在下半場要他們無緣無故失蹤，上半場乾脆不要他們出場的好，有夫之婦和卡西地胡混足以說明卡西地風流，白蒂絲的一場就可以刪掉了。

電影實在不是舞台劇，對白可以容納，台詞多就不能容忍了。這部電影，我把它當早年的和路迪士尼片看待（而現在的和路迪士尼片，我把它當謝利路易片看待），其中的人情味的場面還是很動人的。

倫士（一九六六年一月號）

烈士忠魂

好電影。不愧是佛烈辛納曼。

如果你看過《紅粉忠魂未了情》，便永遠也忘不了佛烈辛納曼。他的電影沉着有力，穩健堅實，而且絕不馬馬虎虎，他和伊力卡山，都是美國的支柱導演。

在這部電影中，沒有浪費一個「溶接」，佛烈辛納曼一直不捨得用溶，直到最最後，文華被亂槍擊中死了，這時候，溶接就出現了，溶上了一個皮球，小孩子正在那裏玩文華送給他的球，當然，這裏還有另一層意思。文華問過小孩子：「我可以給你一件禮物嗎？你要甚麼呢？」小孩子說：「榮育拉的頭。」結果，文華就去取榮育拉的頭去了。後來文華又說：「除了榮育拉的頭，我還有甚麼可以給你不？」他去買了一個皮球回來，結果，文華槍擊榮育拉，身死聖馬丁醫院，小孩子玩的皮球其實已經象徵榮育拉的頭，這是精神上的。這樣的溶接，了不起得很。

看這樣的電影是要很用心的，你總不能把它當作《救命》看，而且，除了用心之外，還要用腦。例如：文華的母親死了，他為甚麼還要回去呢？這本來不是甚麼秘密，但我聽見散場時有人說：「喔，原來是和他母親的屍體並列在一起。」這樣的看法把我嚇透了。這樣子看電影，還是去看《飛行大競賽》的好。

文華對神父的一場是最重要的，他們的交談是重心，所以後來文華決定回聖馬丁時說過：「要不然，我還有甚麼好作。」一個英雄就是一個英雄，他曾經膽怯懦弱怕死，所以母親病重也不敢回去，但母親一旦死了，他就想到自己存在的意義了，死是光榮的，但看他怎樣死。本來，灰色馬是指頹廢的意思，一個頹廢的活人其實又何嘗不是一個死人呢？

但重要的還是攝影指導很有力地帶出了佛烈辛納曼的影像，記得最初小孩子越過邊境跨過小溪的石頭後，畫面就全黑了。為甚麼不跳接，為甚麼要黑一陣呢？原來是一個婦人在打開窗子，黑的就是窗子，窗啟後，小孩子坐在外面。像這種電影手法，我們就想起：站着，是為了要坐下；躺着，是為了要起來；休息，是為了要走更長的路。

朝聖的一場是全片攝影最美的，黑白片本來就是展覽藝術攝影的好機會，這一場的打燈殊不容易，因為廣場上一列人走來走去，都附有一個影子，產生一幅美的圖案畫。

介紹安東尼昆也是別有心思的，他騎在馬上，用的是仰角拍攝，這種手法佛烈辛納曼在《紅粉忠魂未了情》中早已令我們敬佩過，這樣子描述安東尼昆高高在上，威勢權力集一身是省力而又簡單的表現，隨後，出現了哥耶畫中的那種牛，這種就代表西班牙，安東尼昆向西班牙的牛挑戰，那牛，豈不也就是游擊英雄的象徵麼？

轉位流暢是有目共睹的，安東尼昆在情婦家中獲電話後更衣時，一面穿靴一面和情婦談話，但下一個鏡頭跳過去，他已身〔在〕辦公室向下屬發命令了。中間的出入門戶，車上車落都省卻了。經濟得很的手法，才是電影之傑作。

法國境內的街頭也是和朝聖廣場一般拍得超卓的。其中文華在窗口扔下一個球那鏡頭十分有技術，那球一直在滾，不偏不倚，在路面中心直向前去，這一個鏡頭如何拍法，倒是一絕，大概可以和《迷魂記》中占士史超域的落帽鏡頭相媲美。

要說的太多了。不能不提提演員，安東尼昆這墨西哥人演西班牙人很對，他母親本來就是西班牙人。格力哥利柏很穩，不時戴眼鏡的造型很適合他，他是個性格演員。奧馬沙里夫演神父是個能收的演員，他們三個人是佛烈辛納曼的好幫手。小孩子也演得中規中矩，連配角也叫人喜歡。甚至文華的母親，幾個鏡頭給人的印象是何等深刻哩。

倫士（一九六六年二月號）

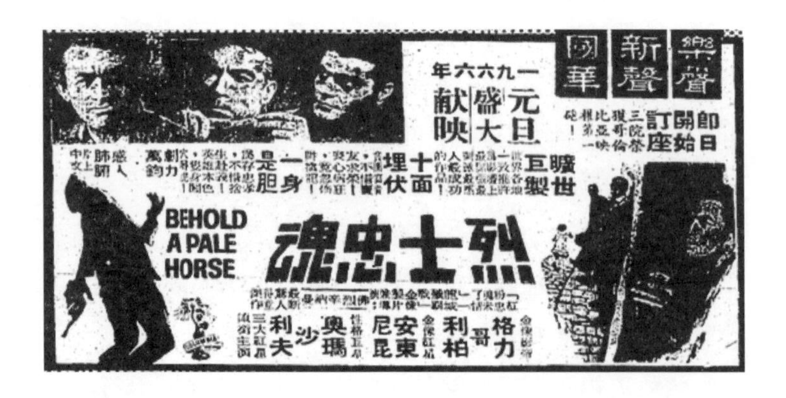

飛行大競賽

很有錢的人有時候很叫人喜歡，因為他們很能夠點綴這一個世界，漂漂亮亮的時裝展覽會，熱熱鬧鬧的聖誕舞會就是這樣。而荷里活，也有時候叫人喜歡，因為他們能夠拍《飛行大競賽》這樣的東西。

這個電影，本來應該是和路迪士尼應該想到搞搞的電影，但是和路迪士尼現在越來越糟，毫無朝氣，就給別人出盡了風頭。《飛行大競賽》所以適合由荷里活弄出來，當然是因為荷里活有錢，那些滑滑稽稽的飛機，實在比汽車有趣，而一些已經不算窮的許多國家，還連翻一輛汽車下山的資本也賠不起，所以，荷里活有錢自有有錢的可愛。

且說那個故事，一說起來，大家都想起《瘋狂世界》來了，但是，現在要刻劃的又是另一回事，《瘋狂世界》是諷刺一些人很正常的貪心，《飛行大競賽》諷刺的卻是很正常的一些國家的競爭，如果看得清楚一點，這其實也是一部《密碼一一四》。（誰知道你記得這部片不，原文是長得要命的一個題目：「我如何停止了憂愁而愛上了核子彈」，就是彼得斯拉一人扮演三個角色的那套。）可是，這部片子聰明，大家一看就喜歡。

是七十厘米大銀幕的電影，片頭設計全部漫畫，像個走馬燈，那些漫畫很好，在結尾又出現了一下，把整套電影夾在中間，很合喜劇的呈現方式。由於這是一部紀錄片形式的電影，所以無論在彩色〔或〕背景方面〔，都〕作了強烈的加工，因此，《夢斷城西》或《窈窕淑女》那種的畫面的濃烈色彩就沒有了，但是，正因為這樣，它又多了一種自然的色彩，整片水彩畫似的，以淡黃為主，綠茵藍天，自有一種清新的氣氛，美得很塵土氣何嘗不是一種風格呀？

描寫國際間的風風雨雨是本片的數絕，說得新派一點，就是頗有現代精神，這部片講的是我祖母〔的〕那個世代，但是國際間的冬瓜豆腐大事，芝麻綠豆小事還很搶眼，法國和德國是世代冤仇，你升旗致敬我也升旗致敬，你排隊操兵我也排隊操兵，英國人冷眼旁觀，有甚麼法子不心涼。日本人的本領更大，插美國旗的船換上日本旗就堂堂皇皇面不改容了。像這樣的場面，嬉笑怒罵皆文章，誰也不好意思生氣。不管甚麼國籍的人，總之不好意思生氣。

音樂方面倒沒甚麼，聽來聽去老是飛機響，響得居然和摩登飛機一般。倒是那一群技術替身的演員很值得敬佩，雖然這些飯桶飛機是真機假扮，但也不是好玩的。攝影師的本領也不壞，許多的畫面是跟鏡頭，搖鏡頭，不是靠純剪接來玩砌圖遊戲完成的。

還是替石原裕次郎可惜，日本是今日的電影王國，日本明星如丹波哲郎在《漫天風雨待黎明》中算甚麼，現在石原裕次郎又算甚麼？他在本國放風箏時露一次面，在飛機下露一次面讓大家訪問訪問，在酒會中握着酒露一次面，然後就完蛋了，而看起來，他十足一個深山大野人。

泰利譚瑪士，那個壞蛋的型十年如一日，他老是牙擦擦作紳士狀，和《殺妻笑史》沒甚麼分別，但他的英國鄉音是頂中聽的。史超域韋曼在本片中忽然很會令人鍾意起來，也許因為片中英國人法國人，德國人日本人全跑了出來，他這美國牛仔表現出美國獨有的爽朗豪放的新大陸民族風，很出眾。翟科比在《金手指》中了不起，在這裏，依然出眾。我不喜歡莎拉美露絲演這種十三點兮兮的角色，這應該由莎莉麥蓮那傻大姐去幹，此莎不同彼莎，唯一可惜的是，傻大姐竟是個美國人。

這樣的電影很好，喜劇是難求的，要不然，為甚麼古希臘出了三個大悲劇家才只有一個大喜劇家阿里斯多芬呢？而且這個喜劇很完整，他居然還諷刺了一下教會。像這樣的電影應該多拍些，世界就不會很淒涼了。現在，我們就快快樂樂地等一部也是這樣的電影《瘋狂大賽車》好了。

西西（一九六六年二月號）

救命

好了，好了，現在大家該知道甚麼樣的東西才叫做電影了，《救命》這種你以為是胡鬧不知所謂，沒頭沒腦亂七八糟的東西原來就是電影。要知道甚麼是電影，我們先要扔掉一大堆的垃圾。

先要扔掉故事書，連環圖，書本最要不得，自從有了書本，大家都把它捧上了天，到了電影降世了，大家還是把書本當作電影的老祖宗，故事呀，情節呀，橋段呀，起伏呀，凡是書本有的東西都往電影找，好像電影就是書本的播音筒。《救命》很好，它可不是書本的播音筒，《救命》裏面的故事不能編一本厚厚的書，只能寫成一節一節的分鏡電影劇本，《救命》也不是連環圖，它不是一步一步走的，是跳的，起點在倫敦，一跳就去了亞爾卑斯山，而且可以愛怎樣跳就怎樣跳，愛跳多快多遠就跳多快多遠，因此，《救命》就是一套不連環圖，不連環的圖，哼，了不起，世界上有一種東西，名叫電影，其實就是不連環圖。《救命》的電影感就是因為它是那麼的一串不連環圖。

扔完了垃圾，就要加進一些新鮮的養料了。

《救命》裏邊的新鮮的養料是這些：

和別的電影不同的，是那些色彩，彩色片是應該可以採用主觀的色彩的，是可以強調畫面的顏色的，於是，畫面一下子藍一下子紫的場面全出現了，這，不為了甚麼緣故，純粹是設計人喜歡，他認為這樣子的畫面才不單調，這樣子的畫面才多點變化，這樣子的畫面才不會使你睡大覺。彩色設計的指導是個大畫家，他給我們看的一大堆白

（滑雪）一大堆綠（草地坦克戰）一大堆藍（室內裝飾）都那麼顯著悅目，如果不是有了瑪蒂斯他們，後來又有了孟特蘭他們，這種色彩就沒有了，沒有了這種色彩，也就沒有了我們的這個現代了。

攝影指導也是個功臣，四個人唱歌的場面，分別站立的位置都不同，那種圖案，完全走不規則角度結構，但都是動的，動中帶靜，和建築物的結構都不同。像這樣的電影，我們是純粹去欣賞畫面的，剪接的人忙也忙死了，全部片子剪得那麼碎，彷彿許多人都說過的「打碎了一個花瓶，再砌起來」一般，但碎得很好，看也來不及看，比上大百貨公司還要好看，比看時裝展覽還要好看就是了。當然，道具的利用很高明，而且又老是不合甚麼邏輯，雪地上搬上鋼琴，我們明知那是毫無道理，但這電影又不是請大家去做大偵探，沒有誰會古板得去追究。

該提提片中的專尋觀眾開心的鏡頭了，一個大錘，打的卻是一面小得圓鏡子般的鑼，大家滿以為一定是打蘭克商標般的大銅鑼哩，很有幽默感的是不是？整部片子頂熱鬧，輕輕快快，大家用不着擔憂原子彈會從天上掉下來，也不必憂心甚麼存在主義荒謬哲學，夠開心的。

其實題材實在不俗，狂人都用本來面目上銀幕，靈高又是一個戒指迷。靈高演戲十分活，如果不當歌星，演戲實在也餓他不死，他呆頓頓的，很有氣質。他們這堆人唱的歌，聽不慣的只因為唱得快，字聽不清楚，但懂了字後，曉得來來去去也不過那幾句時，也就會很快朗朗上口，隨便可以哼樂譜了。

要緊的實在還不是故事、演員、情節，而是攝影，彩色設計的剪接，片中的許多鏡頭一再重複，許多場面一再穿插，但是沒有甚麼不好，在展覽技術方面，《救命》實在是達到電影應具備〔的〕條件了。

我們應該學懂看這樣的影片，純粹展覽畫面的電影（不必理內容的），我們還沒法子追得上，那麼還談甚麼欣賞人家的《去年在馬倫堡》和《廣島之戀》呢？

香港也應該嘗試拍這種電影，而扔開一些垃圾，既然還沒有本領建築萬里長城，還是玩玩積木的好。《救命》是不夠宏偉，但它不是十分精緻完整麼？

西西（一九六六年二月號）

石中神劍

我想過了，甚麼都在進步，就是卡通片沒有進過步。我知道，每年甚麼的舊金山影展，威尼斯影展甚麼的總有些非劇情片參加展出，其中多的是卡通，一些書上印出來過的，那些卡通人物很不錯，有太空人，有空洞人，各式各樣，可是，美國的和路迪士尼從沒有進步過。

《石中神劍》中的小阿瑟原來是翻版小飛俠，松鼠等等的白雪公主裏全有了，這些東西，我打從五歲就看到現在，而且，毫無新意。和路迪士尼很懶，童話其實沒甚麼古代現代，不能老是往泥土中掘，他的卡通片如果弄套《夢斷城西》出來，哈，才精彩。

騙小孩子是不行的，誰還相信世界上有聖誕老人，誰喜歡白馬王子呢，小孩子現在連一加一等於二的算術也不應該再多讀，三五年後，中學的學生也不必做他媽的甚麼幾何、三角代數，所以，小孩子應該有新的東西看看。

和路迪士尼只給了我們兩件東西：(一) 讀書是頂好的，有學問是頂好的，有了學問可以知道許多東西，可以像梅琳老頭子一般，可是，梅琳老頭子的本領卻是魔術，他的「碗碟自洗」的法術只能用今日的洗碗機來解釋。(二) 世界是進〔步〕的，進〔步〕是好的，於是，梅琳可以預知未來，這兩件東西已經不算頂有用，小孩子早已明白。反而是克服困難，找尋經驗那幾場較佳。

在卡通人物的活動上，彩色設計上，和路迪士尼仍然是個舊的和路迪士尼，在寫實上看反而比不上以前的《小飛象》和《寶貝歷險記》，鬥法的一場是為了娛樂小孩子而故意渲染的，從這點看，和路迪士尼常常不惜喧賓奪主地破壞了整個卡通的統一性。

和路迪士尼的卡通都出版了連環圖，書本和銀幕對比起來，除了動與不動外，幾乎沒有分別，因此，嚴格的說，迪士尼的卡通片已漸漸和「電影」這個意念脫節了，不過是一套活動連環圖。由於卡通是畫的，致命的地方乃是設計者拼命要使人物動起來（但目前的電影卻拼命讓動的靜下來），拉長了格數來描述這一個動作，其實利用單幅的不銜接動作的畫面又何嘗不可以剪接成一部有趣的卡通電影。我們實在期待見到卡通的新面目。

不過《石中神劍》也有可取的地方，由人變動物的數場中，色彩分得很清楚，人變了動物時，彩色不變，臉型也不變，正合了那句「行不改名，坐不改姓」的話，對於卡通，這是對的，小孩子一看就認得出來。

拍一部卡通是不容易的，人力物力比普通的電影還難，所以香港一部卡通也沒有，比起來，和路迪士尼的卡通片，我們拍馬追五十年也追不上，但看看他毫沒起色，很是難過。和路迪士尼是該動動腦筋的，畫四狂人其實也不壞。史高叔叔那鴨子的一套故事卻是不錯的，還很適合現代人的口味，但和路迪士尼卻偏不把它搬上銀幕，很可惜。

配音仍然也是古式的和路迪士尼式，很正統的，莊嚴的場面用合唱配，恐怖的地方用風聲配，至於大森林，大宮殿，不論形式色澤都不能超脫以前的典型。卡通片一般上都比劇情片短，這次，紀錄片又用上了，介紹黃石公園是個好主意，那兩頭小熊的體態和牠們母親的親情比較動人，在這方面，和路迪士尼不愧是個高手。

從《石中神劍》中，我們可以發現到和路迪士尼的觀察力，他對一些動物的動態的描寫都很逼真，這當然是他經年累月攝取生物動態的結果，而如果要重新收集另一類的紀錄，發展另一條大道，的確也不是一件易事。到《石中神劍》，我們只能給予鼓掌，而不值得喝采，至於鼓掌，也僅屬於一種禮貌。以後呢，我們對和路迪士尼還寄予莫大的期望，因為到現在為止，還沒有人在這方面可以比他偉大。

西西（一九六六年二月號）

鴛鴦劍俠

還是不行。總括一句，這部片給人的印象無非是：熱鬧，機關多於一切，從頭打到尾。在情節方面，故事是短得出奇的，但這並不要緊，能夠把三幾句話拍成一部電影（像影片《救命》一樣），並非要不得，重要的事是：如何把這三幾句話用多種多樣的方式表現出來。由於題材有限，故事的發展有限，所以整片必須側重在「打」和「闖」字訣上，而這，是要依靠電影的技術的了。

在技術上面，處理得較佳的不是沒有，一段回憶是用黑白銀幕出現的，這當然是電影的章法之一，而黑白銀幕是略帶啡黃色的，效果自然更好。開頭時的一段「前文提要」也是聰明之處，但連接處顯然不夠力，而且大家看得出，上集的衣服和下集〔的〕衣服在轉換鏡頭時已經變了色，變色的原因不在於風塵僕僕，也不是代表時間的過去。

介紹機關的一場，是要讓觀眾有見於先，然後替俠士們擔心，但是，這些機關有限，高來高去不過是斷吊橋，尖刀坑和大麻袋，加上鐵柵，頂垂石之類，後來一於上〔場〕打鬥，便一樣一樣來，俠士們也一節一節闖，在處理這些場面上，如果導演的聰明，便該來個快速如電，少寫感情，而且應該多用奇險鏡頭，大特寫，貼照式揭示，電影技術上的劃就可大大的利用了，但在這種場合，那麼多的刀劍揮過來揮過去，卻捨不得順便在眼幕上劃過。好多鏡頭又用的是遠景，群毆一頓算數，斬瓜切菜的打鬥是不值得恭維的。

也不能說這部片子缺少特寫，但是那些特寫每每着重在致命傷的描述，暴露死者的姿態和流血情況似乎是拿手好戲，其實，沒有觀眾愛看流血，大家愛看打，打得精彩，絕不是看流血流得精彩。（日本片《十命冤魂》採用的是誇張手法，自又不同。）

無巧不成書這種情節是下乘手法，大夥兒去救聯珠，馮寶寶又跟了去，還贈她甚麼寶刀，明明去故弄玄虛，讓她將來救人一番。在這部片中，講的究竟還是俠士的行為，俠士終有俠士道，也該有些仁義心腸，慈善為懷，但是老的也殺人，少的也殺人，小孩子殺了人居然面不改容，毫沒惻隱之心，這種菲林實在有禁剪之必要。電影可以熱鬧，但總得講講意識。王羽殺人的一場也是無巧不成書，在他離開聯珠出去求救時，為了增加劇力起見，實在應該讓他負傷才對。

藏經樓的機關極多，放毒氣就不高明了，到處都是刀劍，這裏搞甚麼婆婆媽媽的毒氣，又不是拍占士邦。

整片來說，對於高潮的處理是頗具心思的。特寫奔跑的足和傾聽的耳朵都不錯，羅烈勇救佳人，慷慨犧牲一場也描述得有點氣氛，當然，處理得最成功的是最後紅姑和大莊主比武的一段，這才像是打鬥呀，大家靜靜地看，心裏先準備好，然後看他們一招一式絕不含糊，然後，一下點穴就贏了，果然身手不凡。

《鴛鴦劍俠》是新派武俠片集之第二部，將來尚有第三、第四之類，可是每一部都應該是獨立的，在這部片中，如果為求整片的完整性，就不必故意去描寫一張琴的瑣事了。

武俠片的節奏是宜快不宜慢，宜乾脆不宜拖泥帶水，故此，每場之間唱兩句小調實在不必，如果必要說明的話，直接用字幕打在銀幕上好了，字句方面就像武俠小說慣用的標題，來他兩句上下對，平仄押，豈不快哉，爽哉。打字幕無論如何比唱小調的節奏迅速。

最後那一個鏡頭算甚麼，謝幕嗎？拍全家福大劇照嗎？所有的英雄那麼一站，頂沒意思。王羽殺了殺父仇人，應該禱告上蒼，跪拜一番才是，大家似乎都忘了天是頂要緊的，要不然，俠士們何必替天行道。不過，這些倒是小節了。

倫士（一九六六年二月號）

鎖麟囊

最近幾個月「樂蒂迷」和「凌波迷」互相在各電影雜誌筆戰，你說凌波好，我說樂蒂好，這樣一鬧可鬧了一段不短的時間，其間，凌波的片子放映了不少，包括客串的，但樂蒂的片呢？真是少之又少，可把她的戲迷都想壞啦，要不是報章及雜誌常常有她的消息報道，相信她的影迷都要大失所望了，為了她向凌波迷開筆戰，結果自己喜歡的明星卻聲色沉寂，能不失望嗎？我不諱言，我是一個樂蒂迷（但我也喜歡凌波），西西是凌波迷（但她也喜歡樂蒂），我們倆才不像那些影迷，我倆從來不開筆戰，總是嘻嘻哈哈的談笑，你喜歡你的，我喜歡我的，有甚麼可爭的？

盼望了好久，總算有一部樂蒂的片子來了，於是我巴巴的趕了去買票子，一看只有十多張票子賣出了，我想一定因為是五點半的關係，進了場坐了大約十五分鐘，哈！奇怪，整個戲院就滿了九成，比尤敏的那部《深宮怨》還要多人看，由此證明樂蒂雖久沒有片子上映，到底還有號召力。

我說過我喜歡樂蒂，但我並不是因為她而說這個電影好，故事雖然老套一點，脫不了才子佳人，好人有好報，感恩圖報一類的題材，但是彩色，燈光，導演手法都非過去一些國片所能及，當然其也有瑕疵，樂蒂的薛湘靈許配給窮儒張揚的周庭訓，弊端出現了，庭訓的家境並非一個窮儒所能負擔的，其衣服，家中各物，佈置得如同一個富貴人家，這樣的窮儒可誰也願做，除此以外，獲樂蒂贈囊相助而貴為知府夫人的韓燕，她的兒子似乎不應該那麼大年紀，因為她和湘靈同一天出嫁，庭訓當日被捕，充軍，潛回，上京，衣錦回鄉，前後不過是最多兩年，可是韓燕的孩子可有四、五歲呢，樂蒂經過這些歲月可一點也沒有改變原來的年青，這可有點不太吻合，此外可就沒甚麼大缺點。

這個電影好像是專為樂蒂而編的，整個電影就是以她為中心，戲路也迎合她的造型，千金小姐，落難夫人，樂蒂是最能演這些角色的，因此她都能把握劇中人的個性，而盡量發揮她的演技，使整個電影生色不少，同時導演又能充分表露她的美態，給予大多的面部特寫鏡頭，衣服的穿着，差不多每一個鏡頭就有一件新衣，我可看得開心死了。

張揚，對不起，演得一點也不好，前後出場大約是十次，每次的面部特寫鏡頭，我所看到的就只是一對睜大的眼睛跟揚起的眉毛，不，不，是眼睛睜大了，肌肉把眉毛推上去的，雖然他跟我大家都姓張，又是單名，但是我實在沒辦法讚他幾句，假如把他換上凌波反串，戲場加多一點，那可真沒得彈了。

文愛蘭嗎〔？〕這個小妮子頂可愛的，演得很出色，和樂蒂演對手戲，一點也不輸蝕，面色紅潤，面孔胖胖圓圓的，和樂蒂站在一起，差一點把樂蒂都比下去了，稍加時日她實在能夠獨當一面的了。

韓燕的趙守貞，太作狀一點，除此以外就甚麼都好，跟隨王萊的戲路當然能有所成就。

田青〔，〕難怪他能得到金武士獎啦，演得比張揚好得多了，老老定定，雖然出場不多，但好演員出場一兩次就看得出來了，正是名家一出手，便知有沒有。

此外知府的尤光照，老夫人都不錯，就是夫人那件衣服不好，連續穿了三次；歌曲方面，黃梅調也應該轉換轉換了吧，每次一開口就是歌，也太煩了，還有哪，樂蒂，文愛蘭，老夫人所唱的歌出自同一個人，都是嬌滴滴的，前兩位還沒有關係，老夫人嗎，可得改一改了，這個電影我上面說過燈光和導演手法都好，不是嗎？在龍珠樓上樂蒂的一段回憶都拉了回來，不是看見樂蒂自說一番，王天林把以前的鏡頭都重影一次，這很好，燈光的明暗把樂蒂襯托得更美，還有許多好的地方，太多了，你還是自己去看一次吧，別忘了樂蒂坐牢那一幕，很少明星肯把自己化妝成那個模樣的。

張舜（一九六六年二月號）

柔道群英會

黑澤明寫劇本不太行，不錯，他是個第一流的導演，但，這次，他的劇本十分十分〔不〕太行。我們還是喜歡他的導才多過他的編才。

又和許多好看的電影一樣，這部片又一剪剪去了一大堆，姿三四郎跳進蓮花池浸在水裏之前時，和老師說了些甚麼，老師怎麼說，他怎麼說，我們甚麼都不知道，總之，我們一看，他已經一下子跳進水裏去了。後來，姿三四郎打敗了唐手的高手，他跑去取水，只見他拾起了自己的名牌，也沒見他救對手，字幕卻講故事般地說，他已經和對手和好了，然後，加山雄三那麼地裂嘴一笑，完場。

唉，看得我好不明白。也不知道那些拿剪刀的人如何裁的，如果不懂得電影，還是請一個裁縫來的好。

原名「姿三四郎」又神氣又漂亮，譯名也不壞，但不比正名瀟灑。開場的一景實在氣概萬千，加山雄三的一個背脊，一群小孩子在唱歌，這種主題音樂的運用（我們該多學學）很好，以後每到一段時期就會出現一下子，就比黃梅調的好。木屐在這片中很重要，起初是它被加山雄三捨棄了，春夏秋冬地被利用了來轉位，後來是加山雄三穿了它的的塔塔地跑石梯，以前的電影常常誇張三船敏郎的日本拖鞋，現在特寫加山雄三的木屐，效果一樣。

大家最喜歡的一場當然是姿三四郎結織女朋友的一場，階梯本來已經很好看，加上了溶的手法，餘韻裊裊，只見人上人下。對白也實在風趣，尤其是加三雄山說：我就是姿三四郎，然後登登登的跑下石梯，轉一個彎，跑了一陣，才說，我希望你父親得勝，於是，又登登登的跑掉了。這一段，可以說是一段很叫人着迷的「日本式戀愛」。

服裝的確是集大成，三船敏郎一下子和服一下子西裝，還有一個古古怪怪的，戴一頂洋帽子，拿一枝手杖。加山雄三的和服倒是頂漂亮，但叫人注意的還不止是他的和服，而是他的頭髮，日本武士喜歡把頭髮這裏一束，那裏一剃，現在，加山雄三的，卻是摩登之極的阿倫狄龍式，耳側的髮腳，誰都看了喜歡。當然，大家都知道，加山雄三是日本最漂亮的男演員，在《忠臣藏》裏演淺草城主，鏡頭不多，給人的印象是頂深的。下次，就得看他的《赤鬍子》了。

蓮花開蓮花謝那個鏡頭我實在不喜歡，看小說或者悟道也許不錯，但搬上銀幕就不好，應該不要拍蓮花開，就讓蓮花不開，也一樣可以悟的，靜態中的蓮花比動態的好，而要取的意境無非是「蓮出污泥而不染」，和開不開毫不相干。

攝影實在美麗，氣氛實在充實，最後一場的搏鬥處理得不俗，風和草佔了許多畫面，然後又反覆拍攝雪山和樹木，最後，就是淙淙的流水了。日本武俠片在處理決鬥的場面總是功力不弱的，很能刻劃雙方的一舉一動，本片中又另有創意，每次姿三四郎比武時（除了柔道場之外），總是先唱一陣歌兒，而且也總是他比對手先到，介紹人物方面這無疑是成功的。

三船敏郎手持酒埕演技一場，也有獨到之處，這一場的攝影及佈景均佳，暗沉沉的內室，灰麻麻的衣服，三船敏郎離開之後，加山雄三彎身致敬，僅僅一個鏡頭，就拉了好一段時間，誇張得很有道理。

不錯，導演是賣弄技巧的，像姿三四郎摔倒了戀人的父親，那一串鏡頭是遠景中景特寫大特寫地逼近進來，不過，這種賣弄不多，而且明知是賣弄，但對於劇情，電影感都有助，我們是接受的，並且認為用得很好。

這個電影還是屬於悅目的一類，我們不能要求每一部電影都偉大，只要電影不極力去嘩眾取寵，不求壯觀，而做到悅目，已經是值得高興的了。

倫士（一九六六年三月號）

雲海玉弓緣

這樣的製作很聰明。我們看電影的時候是喜歡把眼光投向一個英雄人物的，看占士邦片的時候，我們把眼光投向辛康納利，看姿三四郎時，我們把眼光投向加山雄三，我們是喜歡把眼光投向一個人的。現在，我們把眼光投向金世遺的傳奇。

當金世遺這個角色吸引了我們的眼光的時候，他必需以鮮明的形象，獨特的風格來穩定我們的追逐，現在，金世遺的形象很好，一身的乞丐袍，俏皮的對白，樂天的人生觀，整個的造型十分鮮明，我們可以在眾多的人中一眼把他發掘出來。

有了鮮明的形象之後，我們必需順序追逐圍繞着這個人物的人和物，於是就有了厲勝男，就有了谷之華。這樣，又重新建立了第二形象，第三形象，而以厲勝男為中心又旋出圍繞人物，以谷之華為中心也旋出圍繞人物。像這樣的佈置，是我們容易捕捉，容易追逐的。因此在編導上，實在比一大群的人物為中心的較優。

在電影手法上，本片並沒有創新之處，只是序幕的一段做了一個楔子，對於交待前因後果，這一段楔子是必需的，而且已做到了有力的效果，但是，有兩點仍可以加以參考：那段楔子是回憶的，因此可以捨彩色而取黑白，這是方法之一。那段楔子的一段是配以旁白的，既有旁白，則孟神通殺人劫書一幕可以刪掉對白，純粹以默片姿態出現，這是方法之二，兩種方法都是屬電影遠離書本多一些的。

介紹人物時以攝影機替代眼睛做得很好，金世遺偷聽孟神通說話時是身在屋簷，厲勝男找馬時偷聽金谷二人對話是身在樹梢，這種場合攝影機是最有用武之地了。呂四娘墳前大戰那場，孟神通的出現，居高臨下的角度也用得對。

特技的幾場比較出色的是谷之華練劍，和高手們高來高去的輕功。剪接較佳的是金世遺在茶亭接得了半隻雞，不久即坐在樹上啃。親嘴一景取意也對的。

服裝設計是值得提提的，這部電影中的服裝設計在色澤上是從舞台上模仿過來的，舞台上的男女主角通常衣服色彩相同，男主角穿紅，女主角也穿紅，現在，電影中用上了，所以金世遺穿橘紅衣服身披黃斗蓬時，厲勝男也穿橘紅衣服，谷之華則一身蛋黃色，後來，金世遺換了藍的，厲勝男也藍了，谷之華也白了。像這樣的配並沒有甚麼不好，但有時候會破壞劇情，一早就把金、厲的關係拉好了。除了色澤外，這幾套衣服的確是出色的，尤其是髮型，十分典雅，有些武俠片很怪，女的一扮就像賊婆，男的一扮就像大盜，大概是髮型上有些問題。谷之華的扮相當然是惹人喜愛的，兩條髮辮垂在背後，三四條小髮辮垂在耳側，裙子飄逸得很，薄底鞋又遠較靴子文靜。

兩件獨特的武器也很生色，重複的介紹和出現使人印象深刻。關於耍劍倒是對了，中國劍並非日本刀，橫手亂剁，斬瓜切菜是大忌。

傅奇果然是香港最可愛的男演員，靈活生動，大小動作和眼睛嘴巴表情都不錯，就算身型體態面目也是首選，在男演員如此缺乏的環境，傅奇的存在是值得高興的。

陳思思也是活生生的，但她的一雙大眼睛使人感到西洋味很濃，拍時裝片較佳，演技也不錯。王葆真才是中國風的，靜態的她尤其明艷照人，她倒是把整個谷之華演出來了，只看她臉上的化妝，沒有一點是時下香港的臉譜。

茶亭一場的氣勢拍得最好，呂四娘墓前一段最弱，後者的畫面設計頗有淩亂之感，沒有甚麼撼人的力量。一大堆人排隊似地列在一起，擠縮了些，反而大樹外大戰的一場，地方寬闊了許多。

以武俠片比武俠片，本片是出色的，但以電影論電影，不論電影的 ABC 或者銀幕建築學，要努力的還多着。

海蘭（一九六六年三月號）

播音王子

我所看的粵語片加上國語片的最可愛的一部電影。首先，我喜歡那個編電影劇本的，照這樣來看，寫電影劇本，尤其是電影分鏡頭的實在值得我們驚訝。這裏的一般電影常常少了三樣東西，一種是費里尼的，一種是安東尼奧尼的，一種是新潮諸君子的，而現在，這部電影因為在分鏡頭劇本上打好了藍圖，而且又打得十分堅固，所以，電影味道就出來了，所以，這也就配稱為一個電影了。

費里尼的電影是以豐富著名的，一分鐘內萬花筒那麼地天旋地轉一頓，眼前景物嘩啦啦地跑得很多，彷彿是「輕舟已過萬重山」那樣，現在，《播音王子》是有這種的模樣給你看的，起初，看這種電影叫人很不習慣，因為地點人物全像變魔術，長長的一場戲，會被斬頭斬尾，只告訴你中間一點點，交替剪接本來是兩個地點互相插入，現在卻徘徊跳躍在學校、播音室、「播音王子」之家、馬路上、課堂裏，這麼多，不過這是對的，講話以簡潔為主，電影的呈現方式也以點到為止，不必排隊般全給大家看的。由於每一個背景都是短短的一剎，我們的眼睛就覺得景物新鮮了，這樣子，我們就覺得畫面變化豐富了。《十命冤魂》本來不算是部了不起的電影，它就是以畫面豐富多姿叫人喜歡的。

安東尼奧尼的電影是靜態的，很隔絕的味道，彷彿是絕緣體，非導體，冷冷的不和你打甚麼交道，電影拍彩色，灌聲音，看演技都不算難事，從電影中讓你找到味道才是可喜的，現在，《播音王子》也有了一點點的味道了，這樣很好，一點點已經難得得很了。

新潮諸子的可愛是都有點神經兮兮，敢作敢為，甚麼花招都要了再說，不行的，讓它淘汰了，行的，就是創新了，現在，《播音王子》也頗有這種精神，別人不敢這樣拍，我敢，而且可取的地方都是有目共睹的。母親病重時眼花花的，看起人來人影晃動，這是敢，母親死後，配以旁白，純粹以畫面報道一切，這也是敢，雖然，我們從《意大利式離婚》或《英雄淚》中等等已見過，但這樣還是值得去取他人之長處的，作為研究電影技術，我們仍是不妨求變。

本片的攝影機固是做到冷眼靜觀的地步，畫面構圖中以中遠景最為出色，像花園中一場和下葬一場水準是有一定的，男女主角分別穿純黑或純白的服裝，在調子上也很適合。

我們不能不說剪接方面的功勞不大，本來，畫面轉位流暢是可愛的，導演可以用很多方式使畫面納〔入〕下一個畫面時不露痕跡，沒有生硬的感覺，不過，本片用是用了，卻用得多了些，似乎凡是場與場之間的接替都來一套音響轉位，女主角跳下海，嘩的一聲接上了開香檳酒，收音機接播音台，播音台接學校，像這種情形，一套電影，最多用二次就夠了，淡入淡出多是不好，偶爾用用，可以減少雕琢味。

故事我並不喜歡，題材我則接受，但這是不打緊的，有了這樣的電影技巧，大踏步是不難的了。只是不把別人的東西全塞在一堆。本片特別要說的還有佈景，一切的背景道具的確是花了心機的，就連鐘的樣子也有好多個，聖母像等等的設計，花園椅、燭台，都很仔細。無論如何，這部片使人最興奮的應該是製作的態度，一開始的時候，它就是從好好地製一部片出發的。

但對於男女主角相戀而遊玩的那節，都是短短的，雖然鏡頭推拉得很厲害而達成某種效果，卻不知道為甚麼不用溶來陪襯。

騎馬的一場，我卻在想，男主角穿白衣騎白馬，女主角穿黑衣騎黑馬是否適合，如果他們互換坐騎效果是否更佳呢？這一點我自己也還沒決定，還在想。

龍剛，這個名字我們記住了。我們寄很多的希望給他，我們寄很多的希望於《播音王子》之後。

倫士（一九六六年三月號）

特務飛龍

我寧願看這樣的電影。我們不能夠一天到晚看《烈士忠魂》，在這種時候，我寧願看《特務飛龍》。美國人有時天真得可愛，他們的電影老是很坦率，他們心裏想到甚麼，就甚麼都說的。

美國人很像大孩子，當他們心裏想，柔道是十分厲害的吧，於是，就把柔道搬上去了，飛龍那兩下空手道真有意思是不是？美國人也許也看看金庸的武俠小說，人是可以閉氣的，於是，飛龍就端端正正的躺在兩張椅子上假死了。

這種又魔術化又武術化的場面，加插在特務片中實在叫人精神百倍。美國人現在是對中國的某一種人十分怕怕的了，所以，他們就在電影中把這種感覺寫出來了，但是，美國人老是不甘失敗，明知沒辦法，結果還是十分樂觀，寧願來一次神仙打救，所以，神仙就來了。因此，《特務飛龍》實在是一種現代的神話，聖佐治武士結果就殺死了恐龍，救回了公主。

成人的童話是大家都愛的，而且，由於這個童話是這麼新奇，就在觀看的過程中使我們開開心心地快樂了個半鐘頭。別以為看完這部電影後就會甚麼都記不得的，那場洗腦甚麼的彩色盤真會溜進我們的腦去，飛龍住的那間屋子機關多多果然也令人印象深刻。最有趣的還是最終的那個電話，在一大片笑聲中，轟的掛上了，很令我們這些職員們，受氣份子揚眉吐氣。

飛龍這角色不錯，有點英雄本色，大英雄風流是一向被稱譽的，三妻四妾十分熱鬧。飛龍這個人也有點遊俠的氣質，整個人有一身勁，機警細心當然是他的特長，但出色的還是他也很有幽默感，鎮定而且勇敢。占士高賓當然不是一個漂亮人物，但他可以獨當一面，演演就行了。《七俠蕩寇誌》中的七個人，似乎都可以各行各路。尤伯連納就是個主角，賀滋保荷斯也已經紅透半邊天，現在，占士高賓也跑出來了，一連串不少特務片都由他主演，作為一名硬漢，他的戲路實在不弱，如果他在本片中再耍一陣飛刀，那麼香港的那些圓圓的木靶牌一定立刻會給搶購一空。

配音不算頂出色，但在必要時是盡了責，紅電話的傻聲音，機器的喧鬧，打鬥的碰擊都配得恰當。當然，漏洞是百出的，像飛龍破棺而出，既然賣個關子，何不等開棺後，再介紹飛龍在電梯外呢？太早介紹飛龍已經溜之大吉，到揭棺時，我們就一點驚奇的感覺也沒有了。這一下，真不夠到家。

現在拍電影，其實也可以說是一種鬥智運動，希治閣有一種智，所以他的電影很多人喜歡，鐵金剛的出現，又是另一種智，我們不但看到片商與片商鬥智，還看到電影中的英雄鬥智。人們是越來越聰明了，但人們喜歡英雄的心理則必需比我們先走一步，因此，編劇家筆下的英雄便是個超人。片中的飛龍所使用的武器就是令我們瞠目的，他的腕錶，一身的武器都不是俗物，飛龍的腦袋也特別，記得許多東西，辨物之迅速，的確不像個平常人，在這情況之下，飛龍人物的造型是成功的，而且，這個人運氣奇佳，充分表現了美國人的樂觀。

科學越昌明，人民越迷信，一個電腦，等於是菩薩，人們等於在求籤，結果電腦找出了飛龍。美國人還有一點是可愛的，他們從來不斤斤計較暴露自己的弱點，他們可以自嘲，可以取笑自己的國防部，可以罵自己混蛋，這些，是許多國家不敢的、不能的。

當然，《特務飛龍》絕不是我們希望把它列入電影史的作品，但它畢竟也是這批金剛人物潮流中的一份子，當潮流一過，它也會順流而下，大江東去，讓後浪來推前浪了。

所以對於這種電影，我們只要知道知道，偶然也看看就很對得起自己了。

海蘭（一九六六年四月號）

萬綠叢中一點紅

一開始的時候，一輛汽車發神經似地闖了一陣，尤其是在進了一個拱形門的當兒，我們只見拱門東晃西晃，大家心裏就想，這是導演在耍把戲，果然，導演是在耍把戲，他是想告訴大家，我們所看見的景象，就是當我們都坐在汽車裏看見的外界景象，汽車為甚麼會走得這麼怪誕，後來，我們也都知道了，是因為開車的是老得不能再老的保羅紐曼。所以，這輛神經汽車會好好的公路不走，開上草地，好好的正門不入，歪上了旁門縫隙去。

這樣的序幕很有點意思，雖然我們不頂喜歡強調保羅紐曼不會開車，因為他打劫過銀行，是自己開車逃走的，但我們會喜歡這樣的解釋，一個老頭子開車開成這樣是講得通的，老頭子當然老花了眼睛的啦。

導演耍的把戲不少，最顯著的就是蘇菲亞羅蘭的回憶，鏡頭一跳也不跳，就搖過去了，時間空間全不理的竟搖過去了，一個一個的蠟像院似的木偶呆在妓館裏，這一場的把戲耍得很明，但我們也不反對，無論如何，除了給我們一點新鮮的感覺外，並沒有甚麼害處，既然毫無害處，就也不錯。那一種主觀採用紅色的畫面也不錯，彩色片到了今天真是海闊天空了喲，一般上〔，〕局部彩色是恐怖片最愛用的，但現在喜劇片中也多起來了，這是好現象。所以《救命》中用局部彩色誇張，用得很聰明，大會堂放映過的一部法國片說一個人怕羞，他的臉立刻紅了一片，這樣用，也聰明。

彼得烏斯汀諾夫，論演員，屬於擠得上梁山好漢數字之一，但論導演功夫，遠遜奧遜威爾斯了。這部片是他導的，不是頂頂水皮，但也不算了不起，他牙擦擦地說，維斯岡堤沒有甚麼了不起。照我看，他才沒有甚麼了不起。大家記得維斯岡堤的《氣蓋山河》不？（演員是：畢蘭加士打、阿倫狄龍、歌蒂亞嘉汀娜，等等，等等。）《氣蓋山河》有一場長得成為全片三分的一的舞蹈場面，彼得烏斯汀諾夫老是說維斯岡堤沒甚麼了不起，但這傢伙，臉皮挺厚的，竟把老維的舞蹈場面抄襲了一大段過來。（就是：從大廳跳到走廊，從走廊跳到房間，從房間跳到門口，等等，等等。）

不過，彼得烏斯汀諾夫也有他的可愛的地方，他「扮皇帝」扮得十分有趣，和《瘋狂大賽車》的積林蒙可以一起坐翹翹板了。但這只是他的演，他的導呢，那一場雨傘大會實在美極了，畫面美，彩色美，角度美，不是水彩畫，不是油畫，而是印象主義的，像雷諾亞的作品。就只看這一場，那麼無論你有多少牢騷要發，也暫時宣告收回。

保羅紐曼不怎麼出色，戲路不對，碰上《牧野梟獍》他才神氣，蘇菲亞羅蘭也是，她在《昨日今日明日》或者《意大利式結婚》才叫人喜歡得和他一樣拍桌子，只是，這兩個人都很努力，只是努力而已，這是不夠的。好演員也是要朝最難走、抵抗力最強的地方走才放出光芒來的，像現在這樣，小孫子玩「煮飯仔」般地演，有甚麼意思。倒是大衛尼雲依然雄風不減，他是天生演大富翁的，紳士風放在他的手上如同把將軍帽戴在他的頭上一樣，他可以操縱它們。

故事也沒有甚麼不好，怪是怪一點，但不能說不合我們的口味，就算在外國，難道又很合外國人的口味麼？

重要的是：像這樣的一個電影劇本，題材早已訂定，拍成這樣，算很穩，當然，如果再加以剪剪裁裁，可以更緊密一些，可是，對於一個這樣的劇本，修改修改，改善改善又怎樣？如果誰有那麼好的精神，有那麼的興緻，乾脆另外編一個劇本開心些。這個電影，在各方面都是有限公司，演得好，有限，劇本，有限，它總是像個雞蛋，浮在鹹水中間，浮不上水面，但也不至於差得沉到水底去。

倫士（一九六六年四月號）

雲想衣裳花想容

看過《喋血街頭》之後，再看本片就發覺安瑪嘉烈實在不能獨當一面，在《喋血街頭》裏有一個阿倫狄龍扶持她，相信《喋》片的觀眾大部分是為了看狄龍而不是看她。雖然本片首晚優先獻映就賣了一個滿堂紅，相信是為了近來太多特務片子吧？而且同期的好片如《占勳爵》、《怪談》，笑片《貓兒叫春》及熱門金獎片《仙樂飄飄處處聞》等影片都還未上映；大約其中還有一部分觀眾是和本人一樣為了本片的廣告：「一九六六年法美兩國最流行的婦女新裝」而去的，於是本片首晚上映就全院滿座。

本片是屬於四毫子小說一類的電影，內容平板、頭重尾輕，而製片人大約也知道安瑪嘉烈的演技不足，於是就加了兩、三場阿哥哥舞蹈使安瑪嘉烈能發揮其舞蹈造詣，而全片也就只有這兩場阿哥哥舞最為精彩。至於廣告中的所謂法美兩國最流行婦女新裝，確比香港所表演的時裝為佳，值得一提的還是片中的時裝表演會中，模特兒拖了一頭長毛狗出場，此為香港歷來時裝表演會所無，安瑪嘉烈在片中的服裝則不敢恭維，不外乎那幾種配色：白衣配綠色外套，黑色配黃色，紅色配白色（片中所戴的兩頂帽子也難看死了）。而且每一件所謂晚服都像睡衣似的，難得她還穿了去跳舞呢？！

全片的劇情不外是時下一般流行愛情小說的形式，安瑪嘉烈演一女售貨員，被派去巴黎工作，一連串的劇情就在巴黎展開，假如你以為可以有點巴黎景色看看，那就大錯特錯了，因為全片除了在散場前「安」從記者家中跑出來追趕她男朋友時，你可以看到少少的巴黎街上咖啡座之外，其餘全部室內攝影，來來去去不外是「安」住的宿舍、記者的家，和幾間咖啡室，全部可在攝影棚搭佈景，那可很經濟，不必花太多的成本。

此片上半場還算不錯，後半部則可屬於草草收場一類，因此顯得頭重尾輕，序幕及片頭設計很好。攝影師大約也知道安瑪嘉烈的容貌不甚漂亮，故盡量減少她的面部大特寫，除了影片放映不久後有過一、二次外，此後就沒有了，並且還常常從適合的角度攝過去，因此有幾個鏡頭安瑪嘉烈是很漂亮的。還值得一提的是本片的色彩很美。全片毫無高潮，平鋪直敘，雖然未必每一個觀眾看後〔會〕後悔，但我可寧願看三次《喋血街頭》或一次《環球脂粉客》也不看此片，最低限度《喋血街頭》有狄龍，《環球脂粉客》有湯尼寇蒂斯在機場的樓梯跑上走下。此片除阿哥哥外，就只有時裝表演時及散場前在旅行車中的兩頭長毛狗是我所欣賞的。

在這部片中，安瑪嘉烈可能已盡了力去演，但仍未能使觀眾滿意，兩位男角：時裝店少東——泰特，時裝設計家——方丹都只是演得平平，後者雖和馬車路馬斯杜安尼相似，但演技則相差甚遠，前者在影片上半部演得不錯，下半部則演得平平。

本片可以猜想得是同期笑片中最差的一部，如果大家想大笑一頓而去看此片，一定會大失所望，片中絕沒有甚麼好笑的鏡頭，最引人發噱的莫如時裝設計家方丹去到安瑪嘉烈的宿舍時，他以為床上睡着的是以前那位舊售貨員，於是不管三七二十一就跑進浴室換上睡衣，出來一看床上人原來是「安」，嚇得他急急忙忙的進浴室換回衣服就走，這並不是甚麼新鮮的笑料，只不過是炒冷飯式的罷了。如果你因為想看看安瑪嘉烈的阿哥哥舞蹈，或是三、兩套所謂法美時裝的話，不妨來看此片，假如你想看紐約或巴黎的景色又假如你想看看安瑪嘉烈的演技究竟有否進步或者想看看那些在大堂陳列的巨型安瑪嘉烈時裝的話，我勸你不如在家睡覺或者搓其四圈還好，因為安瑪嘉烈的演技固然談不上，戲院大堂陳列的時裝，亦只限於戲院大堂，只有一套豹領大衣在影片內出現了一次。這片不看亦沒有甚麼損失。

張舜（一九六六年四月號）

殺人連環計

我寧願看《殺人連環計》。

我不寧願看《雲想衣裳花想容》。

我只是想找個電影看看，隨便甚麼的都好，不用太花腦筋，但也不要卡通。我只是想看一個電影，見到一些活生生的人在銀幕裏走來走去。在這個時候，我寧願看《殺人連環計》，而且很寧願，很寧願。

該死的荷里活，有時真想把它打入十八層地獄，怎麼會弄部《雲想衣裳花想容》出來的？《殺人連環計》才可愛得多。日本片並不一定都亮着黑澤明的大招牌讓我們震驚的，日本片照樣也有它的中庸之道，而且是上上的中庸。至少，日本片很正統，《殺人連環計》就十分正統。

正統之一：正正式式的有那麼些演員，而且是男演員，不管歐洲也好，美國也好，正正派派的演員一向是男的比女的多，在日本，正正派派的男演員都可以獨霸一方，不論三船敏郎、加山雄三、仲代達矢、大川橋藏、小林旭，個個都站得出來，《殺人連環計》就有一個像樣的石原裕次郎。石原裕次郎不是美的類型，但他會演戲，很有男人的氣概。

正統之二：電影有電影的手法，文法早就有了，進一步是有了手法，開始的兩下子沒一點含糊，一個人，活在大都市裏，每天擠巴士，每天忙忙碌碌，上石級下石級，這些感受，我們都市人都有，電影給拍出來了（僅僅這一點，就可以拍一部劇情片），在描寫這一個段落時，黑白畫面，流轉停頓，停頓流動，十分簡潔，過場的一段幻想又用主觀的紅色，然後接上彩色的正畫，這種拍法，是文法之外的，拍電影的 ABC 早就不必再去理會了。

正統之三：有很合邏輯的起承轉合，劇本不弱，情節扣得緊，但線索分明。高潮的處理和漸進式的推理，使這個電影相當紮實。結尾的一段和楔子互相呼應，配合得很好。

從《殺人連環計》，我們是看到不少模仿的痕跡的，甚至可以追溯到希治閣的顯示屍體的方法，不過，這部片在模仿之中並沒有忘記容納自己的思想而加以改變，因此在陳舊的印象中使我們也的確感到了一些新意。眼藥變了質，浴室的誤殺幾個短短的場面都自有可取之處。遊艇出海的一幕，顯然在各方面都模仿了《怒海沉屍》，但利用繩索揚帆的陰謀，卻又是《怒海沉屍》所無的。

占士邦片對本部的影響也在畫面中透露了出來，所以，我們才看到那麼特務風格的女間諜，色誘啦，炸藥啦，都穿插其中，連可怕的盲眼槍手也是占士邦片中的獨有人物。照這樣看，這部是集占士邦片和希治閣式電影的大成，而這，也許正是今日觀眾們所熱烈歡迎的，也即是製片公司努力去拍製。

片商是愛錢的，但難得的是，《殺人連環計》的賺法顯得很合理，它至少是一部沒叫你失望的電影，當你只為了想看一部電影，它並沒有叫你失望。

彩色的攝影做到了反映現代的城市和景物，其中喪禮的一場還意外地叫人喜歡它的氣氛。我們知道，電影是一組一組鏡頭去拍成的，懶一點的導演，省錢一點的製片家就不願意設計許多畫面和建設許多的佈景，偷工減料是製片最容易做到的一件事，因為一聲「濃縮」就可以殺死許多世紀。但《殺人連環計》沒有，整個電影很細心地給你看豐豐富富的畫面，一下這裏，一下那裏，景物不會重複，故事也沒故意拉長。嗯，是一個不錯的走馬燈。

日本的時裝片是進步了，日本早已不來甚麼夜總會唱歌，或者愛情老是最偉大那套了，這很可喜，電影的進步就是人們的思想的改變，當然，這已經是七十年代。七十年代的每個角落要描述的實在太多了，石原裕次郎在監牢裏那場鬥甲由就很新，把監牢描述得那麼別有風味，別的電影中似乎很少有。

倫士（一九六六年四月號）

菟絲花

相信很多人都看過瓊瑤這本小說，我在上個月剛看過，它是我妹妹從學校圖書館借回來的。在我沒有看這部影片以前，我就想：「李翰祥怎麼竟然給汪玲演憶湄那個角色？小說中的憶湄是既倔強又好勝的，但是汪玲看來則是那麼的柔弱，她怎麼能演得好呢？給她演皚皚倒是頂適合的，蒼白、美麗和冰冷，汪玲不是都具備嗎？」但當我看過影片後，我就發覺我錯了，汪玲雖然是第一次演戲，不過你不能看輕她，她不但能把《菟絲花》中憶湄好勝倔強的個性把握了，而且把憶湄那調皮的性子都演活了，難怪李翰祥果敢地起用她作為《菟》片的主角了。

李翰祥導演的影片我看過不多（因為我很少看電影）；《菟絲花》可算是我近數年來第一次看他導的影片，亦可說得上是較為出色的一部，導演手法極佳，他並沒有因為要力捧汪玲而將全部的劇情放在汪玲身上，反之，是將劇情分散，使每一個演員都能發揮其演技，雖然這小說搬上銀幕時已有許多情節被刪去，但他並沒有將其他角色的戲分刪改太多，而盡量保留汪玲所演的戲，這點是應該為其他導演或製片家所注意，否則是會收到相反的效果，其他的演員都成了活動佈景板，而且並不是每一位新星第一次任主角就能演得成功，牡丹雖好，仍須綠葉扶持呢！

「滾！滾！」「好，好，滾就滾，滾——」皓皓蹲下來把一隻蛋滾到門邊去，這種手法在香港電影中是很新鮮的，但外國的電影卻早就用上了，難怪人家說香港的電影拍得差，香港電影界實在太容易滿足了，只要有一點點的進步，就覺得足夠了，就停留在那個境地，而別的地方的電影卻在力求進步，永不滿足，這樣一來，香港的電影就如賽跑一樣的給別人丟得遠遠的，難以追上了。

全個影片我覺得演得最好的是汪玲和劉維斌，其次是李湄、朱牧、楊群和崔小萍。汪玲初挑大梁就演得不俗，給人一個好印象，她的外貌佔了極大的優勢，雖然看來有點單薄，可是根據本片看出她的戲路是很廣的，適合演學生、少女、古裝、時裝、喜劇、悲劇和文藝片，她那對大大的眼睛和小小的嘴巴也會演戲，論演技她該得一個「亞洲影后」獎。至於劉維斌和朱牧，只要一出場，整個電影院就充滿了笑聲，他們飾演的兩父子真是妙極了，尤其是劉維斌的皓皓，每一次看見他都是演得那末的出色，一副吊兒郎當，滿不在乎的樣子，常常把朱牧氣得肺也炸了，而朱牧呢？演技是不錯的，可是還欠缺一點火氣，不夠暴躁，在憶湄的眼中他應該是一個喜怒無常的老怪物，朱牧就未能將此種怪僻掌握。李湄的雅筑，一頭長髮，一對凌厲的眼，一襲白色輕紗，單就外型已具備了飾演雅筑的條件，何況她的演技還不錯呢！楊群的徐中枬演來平平穩穩，不過不失。艾黎飾皚皚，不夠美也不夠冷，記得小說中的皚皚是比憶湄還漂亮的，去年她來香港曾上過電視，當時看見她是蠻美的，在本片卻不甚美，可能是頭髮梳得不好，演得不算壞，也不十分好，普普通通，崔小萍的嘉嘉，一個只會說「花開了」的白痴婦人和李登惠的彩屏亦不錯。

這電影，我覺得人選配搭不錯，色彩的配合極佳，導演手法好，片頭設計尤佳，唯一美中不足的是有些鏡頭像是斷了一樣，兩個鏡頭有時不相連接，沒頭沒尾的使人摸不着頭腦，例如：原著中憶湄在書房差點為雅筑弄死，幸得嘉嘉相救，於是在嘉嘉的房中發覺嘉嘉所蓋的被鋪不夠，就把自己的送了給她，在電影就刪了這段，只述憶湄在書房為嘉嘉所救，第二天早餐就對羅教授說已把被子送給嘉嘉就算了，也不影羅教授親自為憶湄重新去買被褥，雖然這是很細微的事，但這就顯出他對憶湄的愛護，因為家中的用品他從沒有親自去買的。同時亦應注重嘉嘉對憶湄的感情。總而言之，這是一部值得一看〔的〕電影。

張舜（一九六六年四月號）

虎俠殲仇

真像是一部意大利片呵。

像一部意大利片，那不是頂了不起的麼？想想看，意大利有那麼頂天立地的安東尼奧尼，有那麼數一數二的維斯岡堤，還有那麼鶴立雞群的費里尼。像一部意大利片，那該是了不起了吧。

唉，意大利片又怎樣，意大利也是有兩個臉譜的，你是見過那種大力士舉大石，古裝妖姬住在山洞裏的意大利片沒有？我現在說的《虎俠殲仇》真像一部意大利片，對不起得很，我是指大力士那種。

意大利有個大競技場，我們看甚麼羅馬兵，《風雲群英會》或是《壯士千秋》這些電影時已經見過，競技場裏老是有兩組人在那裏捉對兒廝殺，一個提劍，另一個會提甚麼盾牌和鍊錘，現在，《虎俠殲仇》就是這樣，羅烈所持的武器就是那種怪物，羅烈和王羽兩個人比武的地方也怪誕，竟是個台，既不是擂台，又不是比武廳，其實，弄個梅花樁也許更有點意思。

意大利片中的大力士最喜歡表演肌肉的了，那些世界先生就是因為這樣子跟進銀幕去的，他們滿身滿身塗滿了油，古銅色一番，跑出來大戰，現在，《虎俠殲仇》又照辦，王羽是一天到晚穿半件上衣的，羅烈在比武時弄來了一襲泰山猿人裝，但兩個人皮膚白皚皚的，沒甚麼英雄氣概，彷彿大熱天在海灘遇上兩個粉藕也似的公子哥兒。我們是連意大利的大力士們也怕怕的，何況抄襲。

大概是因為一開始就沒準備拍一部了不起的電影，所以就用了黑白，所以臨時就又加插了一個秦萍。秦萍本來很會演戲，在「江湖奇俠」的兩部片裏演得很穩，[1]很盡責，但現在，胡亂出了兩下就連「戲劇性」也沒露一點的時候竟死掉了，這個角色的加插是不明智的。我不知道這個故事原來的情節是甚麼樣子，現在加多了一節秦萍，依然是像踏在玻璃上一般脆弱，這種的恩恩怨怨很直線，但如果在情節上拉得緊，人物造型上描述得夠，也何嘗不是上策，可惜，情節並不曲折，手法又不超卓，就悶死了人。

也不能說沒有手法，序幕裏王羽手起刀落連斬了好多人，每斬一名銀幕上就顯一下呆照！這是不壞的主意（但那繪畫並不值得恭維，難看煞啦），不過，除了這就沒有甚麼出色的電影花招了。本來，電影使花招是旁門左道，不過，看電影是有兩種趨勢的：一是看情節，二是看花招（說得好一點是技巧），情節不強要靠花招，情節佔優就可以不必賣弄本領了，《虎俠殲仇》呢？既缺情節，又乏花招，叫我們看甚麼？

王羽是一個很用心很勤奮的演員，演戲一向賣力，我們實在不能再要求他更多。羅烈也是一個好演員，在這部電影中，他的造型很鮮明，但描寫他的兇殘似乎太過，一個大殺人王的兒子並不一定也該是壞人的。有時候，世界不會簡單得那麼可愛，忠奸不會那麼分明。杜娟扮男裝十分出色，一頂大帽子，一身白長袍使她顯得個性盎然，只是，她也不過是這連環圖中的一個人物，畫框中的位置已被安置定了。

1　指《江湖奇俠》及《鴛鴦劍俠》，均在一九六五年發行，邵氏兄弟（香港）有限公司出品。

黑白片是要講氣勢的，這部片沒有，武俠片是要渲染英雄人物的，這部片欠奉。氣勢包括好多方面，配音、風雲、明暗，這些都重要，但這些都不行，沒有特別的配音牽引我們的脈搏的跳動，沒有鮮明的明暗去捉住我們的眼睛，也沒有浩然之氣可以移動風雲。像這樣，我們失望了。英雄人物是世界的，不是個人的，王羽所飾的虎俠，行俠仗義的事件並不多，仇來仇去都是一個殺父仇人而已。這種狹窄的復仇觀念，不值得大拍特拍。

很替羅烈不值，不要一天到晚叫他演反派。仲代達矢怎樣？他照樣在《十命冤魂》中演個殺人王。一個面目可憎的人而演一個好人，會收良好的戲劇效果的。況且，羅烈並非面目可憎呀。質諸高明亦以為然否？

海蘭（一九六六年四月號）

貓兒叫春

香港現在流行一種漫畫，叫做「黐線漫畫」。外國現在卻流行一種電影，就是「黐線電影」。《貓兒叫春》就是這種電影，是發神經病的。

這麼多的人，彼得斯拉、彼得奧圖、嘉寶仙……等等，都在發神經。他們大概覺得很開心，我們看的時候也開心了一陣，可是，開心些甚麼？回來問一問，實在莫明其妙。（是明，而不是名。）開心些甚麼呢，真的不明白。看《救命》也看得開心，《救命》的畫面又奇又豐富，構圖喜歡得叫你要去自殺，佈景美得，剪輯爽脆得，叫你開心死了。《貓兒叫春》呢？沒有。佈景不怎麼新，剪輯也不流暢，要看的話，只有那一群人。

導演的偉大了兩次。一次是做了偉大的抄襲家，一次是做了偉大的傳教士。彼得奧圖跑去見彼得斯拉，回憶了一大段，導演賣弄電影花巧，一段黑白，一段彩色，這本來是電影手法，但製片態度輕浮，變了花招。到彼得奧圖回憶徘徊於一大群女人間時，竟會持皮鞭大嚷，畫面全部抄襲《八部半》。後來一大夥人在酒店中追追逃逃，當然又是抄襲《風流俠士走天涯》。

一部電影所以要拿別人的東西放進自己的電影，除非是為了取他人之長，或者加以諷刺，一般來說，取他人之長時，必取其精神，捨其皮相，如果依樣畫葫蘆的，則多半是諷刺。意大利片《想入非非》畫了很多葫蘆，就是意在諷刺。現在《貓兒叫春》也在畫葫蘆，但並沒有半絲點兒諷刺味，導演的安插這些不過是意在好玩。

《風流劍俠走天涯》可以說是抄襲大家，但抄得上乘，形成了一種風格，這部《貓兒叫春》大概也以為這條捷徑好走，以為來個大拼盤就行，人家黐線它也黐線，真是黐線也矣。

羅米舒妮黛和彼得奧圖言歸於好時，銀幕上亮了兩個字，意思是作者信息。導演的以為很聰明，但這又有甚麼用，仍是一種噱頭。

本來是好演員，很聰明頭腦的導演，技巧熟練的攝影，卻胡亂搞了一陣，真沒意思。本片唯一可觀的是每個人物的造型十分鮮明，彼得斯拉是狂人裝，他太太一天到晚拉直了嗓門大嚷。烏蘇拉安德烈絲老是穿了「鐵金剛」片中的游泳衣，所以彼得斯拉摟着她碰上太太駕到時結結巴巴地說：「這是占士邦的女朋友。」

當然，攝影仍不失為一流水準，畫面清晰明朗，景物豐富，彩色對比強烈，但這只配給了很劣的內容。從這部電影，我們證實了一個事實，沒有內容的技巧，依然是沒有根的。我們常說：一部電影不必注意內容，攝影之佳便可以取勝，這裏，所謂沒有內容所指的其實是一般人所指的情節和故事性，看了《貓兒叫春》就可以明白，很好的技巧依然無補於事。作為一部電影，內容還是為主，內容決定形式。當我們畫一朵花的時候，我們可以採用不同的方式，點彩的，立體的，印象的，抽象的，超現實的，甚麼方式都可以，但主要的是，我們仍是要表現一朵花。形式不能包括花，而是為了花設立形式。

另一種現象是，這種電影喜歡利用電影院中的群體意識，讓大家在電影院中熱鬧了一陣，所以片中的對白都是直接而又坦率的，只求迅速的反應。這，正如在街道上煽動暴動一樣，嘩啦啦了一陣，到沒法收拾時才「作者信息」那麼地亮了兩個字。不錯，電影的好處是直接，比音樂還要直接：我們都明白，看畫的人很少哭，聽音樂的人哭的很多，看電影的人哭的最多，電影是最直接的，反應也是最快的，叫觀眾哭〔，〕關在電影〔院〕來說相當容易，觀眾會像中了魔術似地失了理性，散場後想想也許會大笑自己笨蛋，但當時又無法避免跌進陷阱。今日的電影，實在應該珍惜一下電影院中的群體意識，善加誘導。

倫士（一九六六年五月號）

大醉俠

我是覺得這部《大醉俠》有點後勁不繼。不過，我倒是知道的，這部片本來很長，越拍越長，所以，結果就剪成現在這個樣子。陳厚和金銓是客串了一場的，但因為太長，剪掉了。那些個別的人物如甚麼大和尚啦，大醉俠啦，本來也是描寫得很詳細的，但因為太長，也剪掉了。原來的樣子是怎樣的，我當然沒看過，現在這樣子呢？實在不好。實在不行，實在後勁不繼。

上半部頂出色，這裏的一切武俠片中，沒有一部可以和它比，上半部的金燕子客棧大會五虎，看得我眉飛色舞，因為最難得的是那種氣勢，這場本來很長，但看起來一點兒也不覺得悶，金燕子那麼地一坐，兩眼閃呀閃，一面喝酒，一面抖扇子，耍金錢，出色極了。一般的電影老是喜歡打得燦爛，以為打得落花流水就是了不起，其實斬瓜切菜有甚麼好，尤其是我們中國的武俠小說，一向是注重一招一式，對付三腳貓之類的小卒，照例是一兩個回合，露兩手算數，絕不用大開殺戒，這就是我們有時候喜歡看日本片的兩雄相峙的局面。《大醉俠》的這一場可以說是武俠片中的上乘手法，金燕子的沉着、鎮定、有勇有謀，把這個女俠寫得很出色。當然，整片以一種暗黃色的色彩畫面來表現，以特技來剪接耍金錢的處理，都是適當的。

我們看「盲俠」片集時常常可以看見盲俠耍本領，現在由金燕子耍，新鮮感一樣不弱，因此，學習別人的長處並不一定就等於抄襲。對於從沒有看過日本片的人，喜歡

《大醉俠》是應該的，至於看過日本片的人，就會覺得《大醉俠》熟面熟口了，那些服飾和持刀法當然不一定是日本人發明的，因為日本和中國一向很有淵源，不過，由於先入為主的緣故，我們可以避過倒是避而不用的好。

角色中最鮮明的是陳鴻烈演的玉面虎，中國的武俠小說中的有本領的人物除了甚麼乞丐、僧尼之外，大多數是文武雙全的書生，所謂風度翩翩，像個公子哥兒，而且這些人多半看上去文縐縐，一把紙扇，一管洞簫地闖江湖，現在玉面虎就是這種人，看上去，挺有中國味道，日本片的英雄老是以木屐，拖鞋為特徵，則中國的武俠持把紙扇做特徵是鮮明而強烈的。玉面虎的一身白袍是全片最出色的服裝設計；這部片是彩色的，如果換了黑白片，效果更不止此。奇怪的是，服裝設計只注重玉面虎和大和尚的一身紅袈裟，此外只有金燕子的大帽子。大醉俠的一身衣服，放在暗黃的背景中根本就顯得隱沒了，如果他穿一身黑漆漆的衣服，則可以和玉面虎的白對比一下。

自從大和尚一出，劇力就弱了，前半部有神氣的比武，到後來竟然變了神怪招數，甚麼掌風、穿心竹，都是旁門左道，不再是武俠片，反而變了神怪片。打得茅舍倒塌，簡直是西部牛仔片的招數。殺人時的血水濺臉一連用了三四次，用老了，而這種殘忍場面的一再誇張實在不值得繼續。觀眾對於金燕子耍金錢會大說厲害厲害，但對於血水濺臉的畫面都只有皺皺眉頭。

電影中配上謎語一節是不錯的，這是編劇之智。智是目前電影最缺乏的。而且謎語又很淺，三四年級的小學生也懂。佈景的設計可以稱得上豐富，外景不必去說，照例是山邊。藏經閣和大殿上掛了條白布子是最佳的設計，客棧內外也予人以好感。瀑布小亭就不怎麼行，很俗氣。

情節中以送死人一節最精彩，往後就又是公式化的私人恩怨。壞人死清完場。中國的武俠片似乎很少闊大「武俠」的廣義，老在轉小圈圈，如果拍一些浩氣點的武俠故事，大概可以好些。這部片現在拿去參加影展，可以展的，只不過是六分之二，參加影展，尤其是亞洲，今年可拿去展一展的而代表香港的，只有《播音王子》，《大醉俠》和它比可差得遠了。

倫士（一九六六年五月號）

何日君再來

秦劍的電影一直是很古典的。這種古典大概是十九世紀那種古典，很浪漫的。這種古典，也就是《雙城記》式的古典，也就是《傲慢與偏見》式的古典。十九世紀的古典是一種喜歡扔給你一枚催淚彈的古典，喜歡把你弄得混身感情，傷感一陣，歎息一陣，輕憐一陣。

《何日君再來》就是一部這樣的電影。它很古典，這不能怪秦劍，因為十九世紀的許多古典東西都是這樣的，而我們這裏的觀眾所命題為文藝的也是這種東西。

《何日君再來》的次序是由一粒種子到另一粒種子的次序。即是說，由一粒種子發芽，生根出莖，長枝拔葉綻花結果，到另一粒種子，這種次序的好處是有路可尋，容易跟蹤，所以觀眾依循劇情的發展走，不會困難。但是這種次序的壞處是太過流水式，也容易旁生枝節，胡燕妮和陳厚的故事如果依直線式處理，可以偏重他們的感情生活發展，旁加少少的牽連人物就可以了，至於那些外婆的死，病床的叮嚀，都是多餘的。胡燕妮穿古怪露臍裝大跳新式舞蹈也是多餘的，氣氛固然一點沒有，對劇情的幫助也甚少。

在攝影方面，畫面的入框入得十分謹慎，彷彿初學步行的嬰孩不敢大踏步奔跑似的，因此，銀幕框上老是兩個人，一人一邊，推鏡頭的運用也失了效，多數是推在中景算數，而這種地方，一般上是應該來一個特寫，起碼也是近景的。

節奏是慢的，一場一場的對白，一場一場的歌（整首整首的），都影響了整片的進展，節奏慢的時候，不一定說就是悶，但重要的是：節奏慢的時候，觀眾被逼在那裏等下一個畫面的出現，當胡燕妮在台上唱歌時，她一開腔唱第一句，觀眾已經迅速地看完了她穿的閃亮亮的晚服，看完了她臉的優美的輪廓，看完了背景，接受了顏色，但畫面在觀眾心中已經老去，歌還沒完，下一個畫面還沒有來，這情形，彷彿叫我們排隊輪入境證，由二時排到四時還蹲在路邊一般沒趣。節奏慢的時候，鏡頭的交替一定少，畫面也連續少了，畫面少，就是沒有甚麼看。

當然，製片上所遇到的困難是導演也無法解決的。佈景如果只有那麼的十多場，觀眾看來看去也只好徘徊於夜總會屋子，片場式的街道中了。在很少的佈景中找補救的方法不是沒有，而是《何日君再來》中沒有做到。我們是必需在平凡的事物中找到它的新奇來。僅僅是一張沒甚麼新鮮的椅子，我們如果花心血去拍，找最不為人所見的角度，還是可以叫人驚訝的，現在《何日君再來》沒有，它只是很盡責地很忠實地講完了故事。

胡燕妮是應該值得稱許的，大家都明白，對於一個新人實在不能苛求太多，她不是來自舞台上的，也不是來自大戲劇專校的。片中的對白和歌唱都不是她的，但她的確〔是〕配口型的天才，幕後的聲音和她的表情配合得使人根本分不開。李婷這女孩子既然有那麼好的國語和聲線，也不該老讓她留在銀幕後面，我們喜歡見見她。像凌波，不也是走到我們面前來了嗎？

新藝綜合體是難倒導演的，所以，秦劍其實已經很努力，畫面雖然呆些（是不敢放的緣故），構圖雖然凌亂些，色彩的運用，道具的裝備，已經有點有線。我們希望在用鏡上再衝刺一下就好。或者，因為這是一部「文」片而不是「武」片，製作上是以抒情音樂的節奏來替代了搖擺樂的瘋狂節奏，其實，一般爵士樂的節奏十分鮮明，感染力更深厚。快節奏的電影的劇力逼人並不一定只適用於偵探片和打鬥片上。

不要等觀眾們哭，不要讓他們在電影院中哭。在電影院中哭不過是逼他們一時感情衝〔動〕，忍不住了，有力的電影是叫觀眾回家後悲哀三日三夜的。利用電影院中的群眾意識還有別的更好的方法啊。

倫士（一九六六年五月號）

意難忘

火車格隆格隆的向前駛着駛着，車內一個少女，一個剛把父親身後事料理完畢的少女，哀傷的靠在車廂的座位上，窗外美麗的風景隨着火車的前進而後退，車內的少女在默默的流淚。這個序幕很熟口熟面似的，不是嗎？你有看過《菟絲花》嗎？《菟絲花》的開頭不就是這樣的嗎？汪玲不也是默默的坐在車廂中流淚嗎？所不同的就是一個喪父，一個喪母，一個投奔的是姨父、姨媽，一個投奔的卻是以為是陌生人的生父，在我看完《菟絲花》後，我很高興看到一部好電影，但當我看過《意難忘》之後，我慶幸沒有錯過一部比《菟絲花》更好的電影。

當《意難忘》上映時，我並沒有打算去看這個電影，雖然在去年此片女主角艾黎曾來香港為它預早宣傳，但我總覺得這部片的每一個演員都不是很為香港人所熟識的，尤其是艾黎，在《菟絲花》一片裏，她的演出並不能使人滿意，有點像活動佈景板，但在最後一天，我還是去了，我看了最後一天的最後一場，看完後我將它和《菟絲花》作了一個比較，覺得本片的情節比較緊湊，演員的戲分分配適當，全片雖然是一個很平凡的愛情故事，但兩位女主角和男主角的表演較諸《菟絲花》實在是好得多了，《菟》片情節太散，不夠嚴謹，而片中的戲分又多偏重某一、二位演員身上，所以我很慶幸沒有錯過這部電影。

這是一個可以說得上是愛情悲劇的電影，導演的就運用手法製造悲哀氣氛，使女主角常常悲哀流淚，但很可惜，女主角是太美，而且也太甜了，甜得連流淚悲傷的時候也是甜甜的，因此每次艾黎哭的時候，觀眾都沒有感染到一些悲哀的成分，反而竊竊的說：「她好像在笑嘛！」每一次都是如此，直到散場前的那幾場戲，觀眾才稍稍的感到一點傷感，我還看到一些女孩子在抹眼淚呢！我也在抹鼻子呢！不過，我嘛——是因為大傷風。

全片就整體來說，是一部很不錯，很好也有點感人的電影，有很多美麗的台灣風光，有美麗的彩色，有好聽的插曲，雖然來來去去幾首歌都是同一的曲調，但詞句卻不同，而且曲調是柔和的，輕輕的，不同時下的那些披頭四嘩啦嘩啦的，難怪本片插曲的唱片能在本港流行暢銷。但在細節上來說，卻也有不少犯駁的地方，例如艾黎喪父不久，就穿上了花袖衫，棗紅的連衫裙。還有，我相信本片是替別家公司買廣告最多的影片，打高爾夫球，在咖啡閣三位主角喝的都是可口可樂，男主角的父親竟然是「聲寶牌」廠的董事長，他坐着大型房車上班，還沒有到工廠的辦事處，就先有一部噴着「聲寶牌電視機、收音機」的大貨車駛着出廠，大房車停在辦事處門口，後面又有一部這樣的貨車繞着駛過來；不久，林璣駛着一部黃色的跑車來到門口，跟着又有一部同樣噴有字的貨車繞着駛過來，她去打電話，真是討厭死了，旁邊也站了那麼一個 Sharp 的牌子，不但「聲寶牌」買了這些廣告，連「樂聲牌」的廣告也買上了，艾黎晚上出走，幕上映出了很多霓虹燈的夜景，別的霓虹燈光管都靜靜的掛在那裏，偏偏「樂聲牌」那個 National 的鬼光管招牌卻在閃呀閃的，分明是搶鏡頭嘛！

全片的演員很出色，艾黎、柯俊雄、林璣、龔稼農、柳青、葛小寶都很不錯，艾黎的孤女及歌星都很稱職，樸素的時候一個樣子，歌星的艾黎又是一番面貌，觀眾都說她美；柯俊雄倒是不過不失，翩翩少年郎蠻不錯；林璣，提起她，我有點兒怕怕，她刁蠻得很，也任性得很，要是誰娶着她可倒霉了；龔稼農的經理演得很好，把那種對上司討好的，唯唯是是的態度演絕了；柳青，眼睛小小的，把主角艾黎襯托得更甜；葛小寶，那個胖子，跳起阿哥哥舞來可不含糊，觀眾一看見他就笑了，一副呆頭呆腦的樣子，是全片的開心果，他還是本片的副導演呢！

張舜（一九六六年六月號）

蝴蝶春夢

這樣的一個電影很正統。題材，表現方式，彩色，設計，演出，都很正統。因此，我們就會說：對了，這才是個電影呀。

這些年來，電影進步了很多，尤其是歐陸，質和量都着實叫人震驚，這邊的意大利有費里尼他們，那邊的法國有高達他們，甚至英國，也有東尼李察遜他們，除外，還有開始稱霸影壇的日本的黑澤明他們，於是，美國開始靜寂下去，紐約東岸還有些人在那裏吶喊，西岸的荷里活呢？只好拿些《仙樂飄飄處處聞》出來了。

荷里活的大師們，處在世界電影潮流的激變中又怎樣呢？一年才一次辛苦地拍一部片的伊力卡山又怎樣呢？然後，佛烈辛納曼，又怎樣呢？他們只給了我們《偷渡金山》和《烈士忠魂》，龐大的荷里活，高手雲集的荷里活，給我們的是太少了。但是，值得叫人喜歡的是，他們還在，雖然少，他們還是有所給予。《蝴蝶春夢》，是威廉韋勒所給我們的優秀的作品。

單從劇本看，這個劇本就不錯，如果喜歡把它當作一個普通的戀愛故事看，可以，如果喜歡把它擴大到人類心靈的搜索，可以，這個劇本無疑是很新，劇力很夠，尤其是結尾的一段，使整個電影顯得異常出色。「我相信我沒做錯甚麼，也許是我找錯了對象。」那個男孩子說。於是他又去出獵了。而這樣子，他開始從一個收集蝴蝶的人變為一個收集女孩子的人，書上說，他是一個收集者，現在，他是了。

我不知道除了威廉韋勒外，誰還可以把這故事搬上銀幕，開始的擄劫和結尾的收場的衝突都還可以處理，中間的一段地窖，來來去去是兩個人，就難以表現了，兩個人，對白不能多，但動作又交不出來，這豈不是糟透，可是，威廉韋勒把這個電影分配得那麼好，以至就算是地窖地窖地窖，我們竟也着了迷。

用彩色拍攝，彩色的效果叫人着實驚奇哩。開場的一片大草地，一個站着捕蝴蝶，然後是美麗的小房舍，陰沉但美麗的地窖，這幾個鏡頭拍得仔細精巧簡潔，氣氛也佳，就算閱讀書本也沒法想像如此超卓的景緻。

彩色的配合是最成功的，要不然，女孩子為甚麼用不同的顏色塗了磚塊計算日子呢，如果不，男孩子流血時為甚麼要利用大雨和綠色的草地作陪襯呢？如果不，男孩子為甚麼老穿藍色的西裝來配他的藍色的眼睛呢。好美麗的一個電影。

討論一個電影，尤其是一個所謂很正統的電影，我們總會研究它的：題材、資料、組織、結構、開始、承合、結局，結局之前有高潮，然後我們談及關於它的場與場的轉位，對白，描述力，人物個性。《蝴蝶春夢》在各方面都顯然沾了這一線發展成功的，[1] 尤其是拉向高潮的前奏佈置得穩健和堅固，因此一轉變時，劇力就緊了。

關於演員，男演員使我們大為驚訝是必然的，他的演技，使我們難以相信他是如此年青。女演員反而失色許多。威廉韋勒，演員到了他手上，的確會化腐朽為神奇，

1 此句原文如此。

像《金枝玉葉》，柯德莉夏萍在羅馬街頭吃雪糕的模樣，十二年後的今日，我們仍不能忘記。就算莎莉麥蓮，在《雙姝怨》中，也變為一個好演員了。

《蝴蝶春夢》利用蝴蝶作了一個很好的象徵，近來，像這種喻意式的題材是少了。電影中「蝴蝶」標本室中的蝴蝶使畫面美化了許多，重要的還是，女孩子的影子曾被投入標片的玻璃盒，而這，是電影手法中叫人不易忘懷的鏡頭。

導演威廉韋勒利用大雨一場作回憶，和結局一場大雨相回應是結構上的功力，地窖的門敞開了兩次，也是前後呼應的；但是地窖的門再開時，女孩子已經奄奄一息，沒法逃生了。當然男孩子捧餐具的鏡頭是用得太多了些，這是本片中唯一最顯著的弱點。

倫士（一九六六年七月號）

瑪莉亞萬歲

我要告訴你關於路易馬盧。他是法國人。

路易馬盧，他就是導演《瑪莉亞萬歲》的。如果不是他，我們不輕易這麼開心，如果不是他，我們不輕易見到珍摩露會和碧姬芭鐸手拉手一起演戲。

路易馬盧，或者你可以隨便叫他做路易貓，本來很有錢，但是，他愛電影，就上巴黎去了。起初，他和朋友一起在水底搞彩色攝影，所以，對於《瑪莉亞萬歲》的彩色，你可以對路易貓很有信心。

路易馬盧，他不過在一九五六年才當上副導演，那時候，法國的電影大師們不是四十多就是五十多（歲囉），而路易貓才不過是個廿多歲的小伙子。廿多歲，那正好；法國這時候搞電影的小伙子正多着，搞呀搞的，就出了那麼的一個新潮派（派字很不對，只那麼用一用）。路易貓就在這時候出名，他並不真正新潮，但也不不新潮，總之，他很幸運，在一群新電影導演中擠了出來（當然，擠不出來的好多好多，當然，這事很可惜）。

路易馬盧，你也許不曾看過他的《小女孩沙西》，很多花巧，很有趣的一部電影，說出了路易貓這人不頂新潮，但懂得很多新潮的方法。但是，你一定會看過《野貓痴情》，就是馬車路和碧姬芭鐸合演的《很私人的事情》。那電影裏的碧姬芭鐸是個大明星，悶得要在家裏用手指劃地氈上的花紋，最後，BB 從屋頂上掉下來，掉呀掉，一直沒有終止。現在你記起來了嗎？那個美麗得再也叫你忍受不住的結局，那就是路易貓的。

現在，你知道誰是路易馬盧了。你看《瑪莉亞萬歲》時也就會覺得這部電影一點也不荷里活，而很法國風。記得阿珍和阿碧兩個人跳舞時的情況嗎？台下一大夥男人，都像參加革命似地努力脫下了上衣，這一個鏡頭，就完全是法國式喜劇特有的場面。

現在，你也知道《瑪莉亞萬歲》中的許多古怪的場面都是和新潮導演們的手法很相似的。因為路易貓就從他們中出來。跳舞的畫面分裂成十多個人，走馬燈似的旋轉不息的畫面都是法國電影最愛的，路易馬盧本來最愛快鏡頭慢鏡頭，倒攝之類，在《瑪莉亞萬歲》中已經沒《小女孩沙西》那麼瘋狂了。

《瑪莉亞萬歲》的面目無異是很新的，除了利用電影技巧，想像力很豐富，爆炸銀行一場，純粹是受了畫派和詩風的影響，要不然，那麼超現實的一場大掉銀幣的鏡頭就不輕易想像。

珍摩露是個演技演員，單單一場獄中撕襯衫和石級演說就使我們很欣賞了，而碧姬芭鐸卻加上學泰山攀藤，穿男人衣服，努力了一大番也比不上。佐治咸美頓戲很少，但造型還不差，居然不怎麼美國氣。

外景着實美麗，綠野、山崗、城堡、林園〔，〕彷彿秀拉的圖畫，畫面中以綠和白色最多，加上一點土黃，自有一種鄉村風格。戲是在墨西哥拍，我們的確能夠感到墨西哥，不光是從風景和服飾上，這就很夠了。

《瑪莉亞萬歲》的面目現在是多姿多采的，其中雖然有很多故弄虛玄的手法，但加插在這樣的一部電影中我們很輕易接受，電影不能老用一種恆久不變的姿態出現，電影是要變的，變得怎樣是一種嘗試後才有的局面，新潮的一變，有它值得保留的，也有它值得淘汰的，在《瑪莉亞萬歲》中，我們不是已經見到新潮的影子了嗎？

目前，「如何表現」實在是電影上一個必須正視的問題。而新潮一直在嘗試的，正是「如何表現」而已。

對於路易馬盧，我們期待他下一部電影的轉變，因為到這個時候，他已經可以更嚴肅地製片了。在法國的導演中，他是那麼地也令我們喜歡，而他現在不過卅多歲，作為一個電影的工作者，他是如何地年青呀。

倫士（一九六六年七月號）

色情男女

阿里士多德認為戲劇的表現有三個程序：一、開始，二、承合，三、結局。結局之前應有一個高潮。因為阿里士多德這麼一發揮了大篇理論，直到現在，戲劇也好，小說也好，電影也好，都喜歡這麼做：開始怎樣，接下去怎樣，高潮出一出，然後結局收場。我們因此也習慣了，以為如果電影，或者戲劇，或者小說，甚至講一個故事，不是這樣不算數。

但是偏偏阿里士多德死了許多年，偏偏有許多人認為阿里士多德的說法不全對。現代的許多小說偏偏不起不承不轉不合，於是，大家本來習慣有頭有腦有根有葉的故事的，忽然一下子給拋給了五里霧中，不知「現代」在搞甚麼鬼。

《色情男女》就是這樣，如果你也看得不知所謂的話，那不是電影弄錯了，而是你自己中了阿里士多德的毒太深。戲劇本來最着重的是高潮，一切的情節無非是要導向高潮的。「高潮」，照希臘原意的解釋就是一把梯。所謂高潮就是爬上梯子去而已。我們看電影，也就是跟着情節爬梯子，越爬越開心。但《色情男女》呢，它沒有梯子給你爬，走平路吧，於是，你不習慣了。你說，這算甚麼，康城得獎的影片，原來是一群青年在發神經。

現代的青年人實在沒有發神經，只是給甚麼阿里士多德等等之類的大前輩壓了幾十年透不過氣來，現在把他們拋在一邊，站直一下身子而已。起先，我們要明白《色情男女》不講故事。只講時態，整個戲不給你甚麼，過去式，未來式，而是清一色的現代式，就算有點過去式要牽連牽連，也只用兩下回憶交代算數。電影講的是現在，就是幾個鐘頭間的事。傻女孩跟到市區來，下火車，找女青年會。這邊呢，窮畫家給包租婆趕出門，找房子搬。這邊呢，大情人和小教員在聊天，教他如何追女友。僅僅這麼的一件事情，電影就映了一半。下一半就是小教員要買一張大床，遇到了傻女孩，一起運床回家，窮畫家租了房大顯身手油漆，結果床到了家，小教員得到了女友。大情人給另一個大情人搶走了一大群女友。這不是故事，只是大都市中小人物的小事件。其實，這本來就是意大利最愛拍的那種寫實主義，但是，僅僅是寫實已經不夠表現這一代的青年人的理想，他們要反映的更多。他們要說這一代的青年人自己有自己的看法，上一代的人（就在滿街上皺了眉，大肆討論，或者大吃一驚。而事實上，他們何嘗不在街頭攝影室中拍裸體照片）的看法。

但困擾我們的當然不是那個故事，如果第昔加以意大利寫實法來拍，我們一定一清二楚，現在，導演李斯特（不是音樂家）用的卻是新潮的手法。一開始的高調子拍攝的一大群女子追求大情人，是小教員的回憶的誇張，和後來大情人的回憶是一種手法。那群女孩子穿的正是今日英國最流行的時裝，她們的行為也正是世界正流行的對偶像的狂熱的崇拜。學生在課室看女孩子在操場上體育課也是小教員的回憶，不時加插學生的對白不過是主觀的聲音。銀幕上的用旁白，達達主義式的關門又關門，都是希企以一種新來代替舊，不過是一種嘗試。凡是嘗試，必然會被人以為是發神經的。

當然《色情男女》在技巧的運用上我們可以指出它的確太過分，但我們要欣賞的是畫面的結構（很出奇很豐富）〔，〕場面的調度（就是人物走動的位置經營，也很多姿多采）。板門的追逐的畫面是最佳的，運床的一場是最活潑的，我們可以看得出，鏡頭多而繁複，景物不會用老，畫面迅速，節奏明快，音樂的配合新鮮，黑白的拍攝誇張得給人意外的好感（不惜整座房間油白了做背景）。這部片是以技巧取勝的。如果你明白《夢斷城西》如何得獎，你就明白《色情男女》和《夢斷城西》原來竟是表兄弟。

倫士（一九六六年七月號）

齊瓦哥醫生

你會不會想起孔夫子？我是說，當你一聽到大衛連這樣的一個名字，會不會想起孔夫子。我會，因為，孔夫子和大衛連一樣，老是叫人想起四個字：冠冕堂皇。大衛連有許多優點：他總是很用心拍一部片，他總是不粗製濫造，他總是給你一種近乎偉大的感覺，如果不偉大，至少也給你一種大的感覺。大衛連雖然不錯，但你不能不心裏在叫，他太四平八穩，就像古玩店裏的那張紅木八仙枱。

大衛連的故事很穩，他似乎偏重於英雄式的人物，他喜歡描寫一個人，而且不厭其詳地把這個人的一生搬上銀幕，照這樣看，他不難會拍邱吉爾傳。

如果他寫小說，他也一定是羅曼羅蘭，會寫一部四巨冊的《約翰克里斯朵夫》。我並不是說羅曼羅蘭不行，《約翰克里斯朵夫》不是巨著，但時代是不同了些，而且我們對於偉大的感覺已經不一樣了。因此，《齊瓦哥醫生》給我們的印象，雖然透過了銀幕，也是不深刻的，而且，大衛連似乎還欠我們很多的齊瓦哥，他給不出來了。

大衛連的時空次序也是很穩的，很顯著的倒敘，很順水式的排列，你知道甚麼時候要完場了，因為開頭和結尾一縫合，就完場的。《齊瓦哥醫生》的糟就偏糟在那個開場和那個結尾，大衛連對這兩場的當地情況的把握也似乎不易，實在不必勉強。中間的一段是十分出色的，如果要稱大衛連像荷馬，有編史詩的魄力，《齊瓦哥醫生》的中間就有點史詩的味道。但從畫面和佈置方面來看，我們竟找到很多《戰爭與和平》的痕跡，大概是借了很多鏡。

彩色是這部片最鮮明的一環，尤其是革命遊行的一場，墨藍的人群和背景，紅的標語旗和白的字，色彩美極了。從這時開始，整片的色彩都是沉鬱的，很能配合全片的調子。甚至諾拉的一件紅色晚禮服也是沉鬱的，以後的野狼夜嘯，軍中行醫，都是以墨藍為色調，這就不得不佩服藝術指導。幾場雪景，和由玻璃窗的冰花而幻化的遍野黃花也是處理得美極了的畫面，但由此我們忽然想，大衛連對於小節的把握是圓熟的，卻往往疏漏了大局。他可以是一個很優良的樂器演奏者，但到真正步上指揮台時，卻總是有點不對勁。當然，改編《齊瓦哥醫生》不是一件輕易的事，這種書本不是天生給人用來拍電影的，就連《沙漠梟雄》也不是，大衛連敢作敢為，也只能做到這一個地步。

演員對於大衛連是重要，《沙漠梟雄》就活出了一個彼得奧圖。這裏活出了的不止奧馬沙里夫，還有朱莉姬絲蒂。奧馬沙里夫運氣不行，李馬榮卻會拿走了金像獎，也許，是因為奧馬沙里夫的埃及血統出了事。片中的阿歷堅尼斯還是以前的樣子，他已經不會叫人失望的了。給人特別好印象的還有烈打達仙涵，這個小妮子就是《色情男女》中的傻孩子，眼睛大大，鄉音怪怪的，骨格清奇，很可以演戲。洛史德加當然也出色，謝拉婷並不。

特別要一提的是葬禮的一場，這一場的畫面、色彩、情調都好，尤其是母親下葬後，小孩彷彿看見母親躺着的主觀鏡頭，是很好的章法。大衛連的確是這樣，他的礦場中總有些珍寶，如果他能不那麼地要求龐大，而要求精簡，他早就可以和黑澤明比武了。

這次，大衛連沒有誇張太陽了，他誇張了落寞和黑暗，片中齊瓦哥醫生回家經過叢林時，被俘前，獨自騎一匹馬停在路心就有點空洞的感覺，這是可取的。

後來就不行了，齊瓦哥醫生的死，連串連串的旁白，二弦琴的重複出現都是傷感主義的尾巴，越拖越長，幾乎把大衛連纏死了。

這部片的服裝很好，場景很好，外景很好。視野很廣，人物很多，音響很適中，一雙眼鏡碎在地上就是大大的敗筆，大衛連有時候居然走火入魔成這樣。

倫士（一九六六年八月號）

七金剛

用不着去記那個導演的名字，你可以知道知道《通天大盜》是米達辛的，但是，這部電影的導演，他再好也好不過半個米達辛。也不必去記掛誰是演那個一會兒頗順眼一會兒難看死了的女主角，她實在也比不上四分之一的蒙妮卡維蒂。

意大利的電影一向可愛，但不是這一部，它如果也算是一部不頂頂壞的電影，是因為它至少比大力士片好一點。

像這類的電影，是考編劇多於考導演，我們很少會要求一個導演再精彩些，不會要求這種電影會像一部畫面構圖美得使你作不出聲的《祖和占》，但我們會要求編劇的厲害一些，會要求這種電影比得上《雄才偉略》那般叫你看了死心塌地服了他。對於鬥智片，觀眾喜歡動動頭腦，一面看一面想，差不多和電影橋段比賽，或者在電影院中作猜謎遊戲，但這部片使觀眾十分乏味，因為謎底來得太快，而過程毫不曲折。

重要的人物是八個，但在介紹的時候，使我們熟悉的只有四個人，一個女人，一個首領，一個大胖子，一個愛金如命嘩啦嘩啦叫的小伙子，其他的四個都變成了陪襯，如果真的讓他們也分等量的金，實在罪過。

其實，把《七金剛》改為四大天王劫銀行已經很夠，每個人都分擔到重頭戲，而勾心鬥角的機會也就更多了。

本片的意大利味道還是有的，意大利人對自己的鄉土的味道似乎特別熟悉，是別人拍不出來的，就算《黃色香車》吧，阿倫狄龍和莎莉麥蓮合演的那段意大利片斷，就沒甚麼濃烈的民族味道。這部片卻有了，城市的風光是意大利的，這，導演只作了旅行式的介紹，沒像《通天大盜》那麼色彩強烈地誇張。其次，人物方面特別加插了宗教人物，這樣，意大利的風味就盎然了。

在人物的寫照上，大胖子的個性最鮮明，這種典型的人物我們熟悉的有兩個，一個是史賓沙德利西，一個是尚加賓，他們老是一臉笑容，為人仁慈的。

比較難演的是首領的角色，以他的造型來說，起初絕不出色，但隨戲劇的進展，性格也慢慢顯露了，演技倒是不差，在這部片中，首領的工作的繁重使他的分量不輕，因此比起《通天大盜》中的麥西米倫雪兒，他比較易於叫人接受。

導演要做的只是拍一部賞心悅目的電影，他大概是成功了一半，女主角穿了過多的古怪的衣服是目的之一，潛水爆炸奇妙金庫是目的之二。至於畫面，普普通通交代事件就算了。整個電影中，只有兩個靜態畫面是可愛的，一個是運金時，六個合手夥伴一起站在窗外望，一張一張臉搖攝很有點韻律。另一個則是六個夥伴回來找首領時一起坐在酒店樓下的長沙發上，各人一聲不響把腿擱在茶几上，除此之外，靜態畫面多數呆滯不堪。動態畫面也只有搶金一場有點氣勢。

意大利片寫小人物很有一手，片中加插的對面的神父和外來的警察都是風趣的寫照，如果沒有這兩場笑料，電影就沒那麼活潑了。

音響效果是有耳共聞的，但那是電影中必須的安排，並非有甚麼特別的加插，不過這樣配合打劫的氣氛的確是緊張些，畫面也可以迅速〔交〕替剪接一番，電影也就不啞了。對於進行一件緊張的事情，電影的處理方法如果不是靜得鴉雀無聲的話，是應該鬧得天翻地覆的。

《七金剛》雖然不濟，但整的來說，總算是一部相當完整的影片，拋開首領和夥伴之間的犯駁點線不提，它仍是一個可以給人一看的電影，這種電影拿出來和別的電影比比的話，當然比不上歐洲的純新潮，真寫實以及準電影，但比起這裏的一些「家族故事」、「催淚彈」、「觀音菩薩」，還是要勝一級的。單是那一街的外景，就夠製片的大搔其頭了吧。

倫士（一九六六年八月號）

月圓花殘斷腸時

一部黑色房車從一條美麗的公路駛入，直達一座美麗的洋房前停下，鑽出來一男一女，就是安德生——尊科西和他的新婚夫人荷麗——蓮娜端納。

蓮娜端納太肥了，而且也真的老了，因此和家姑伊絲德——康絲登聶站在一起，簡直不相稱，康絲登聶就像是她的小姑而不是家姑，這是本片人選上的錯誤，相反，飾演蓮娜端納兒子的泰第昆——幼年時代，和基杜里那——成年時代卻很適當，因為兩者都很相似，很逗人喜愛。

中國的一般坊間小說多描寫姑嫂不和，家姑與媳婦不睦，外國的則是女婿對岳母敬謝不敏，理由是兩代人的思想不同，意見不合，而且家姑與岳母都是愛管閒事，自以為是一家之主，有些則是恐怕兒子娶了媳婦，就不再對母親尊敬，一切唯妻子是命，尤其是對一個只有獨子的母親更為顯見，由於這種心理，就希望兒子永不結婚而隨侍左右，因此對媳婦百般刁難，一切錯處都歸給媳婦，本片的家姑伊絲德也就有一些這種心理，安德生是她的獨子，荷麗是她的媳婦，大家居住在一所房子中，磨擦自所不免，尤其這是一個富豪世家，而荷麗未嫁前只是一個售貨員，與家姑難免有些格格不入，當伊絲德將荷麗帶入新房後所出現的神態，各位就可明白家姑對媳婦不滿，家庭從此多事了。

由於這個世家中的先祖都有做官癮，因此安德生也遺傳了這種習性，希望做官、做議員，於是常常出席各種會議，並隨其他官員出席別國會議，常年在外，拋妻子於家中，初時荷麗尚能忍受，但時間一久就不免使好動的她靜極思動，於是與花花公子賓頓——李嘉度孟德賓出遊，這就給了她家姑一個驅逐她的機會，伊絲德聘了一個私家偵探跟蹤她，當賓頓從樓梯頂跌下死去時，伊絲德絕不聽從荷麗的解釋，決意逐她出家門，並且不能回來相認丈夫與兒子，於是安德生夫人——荷麗從此失蹤。

被認為失蹤的荷麗在歐洲因思念兒子而致精神崩潰，雖因暈倒街頭被音樂家杜班——尊雲特利連所救，但她並不接受他的愛而逃到巴黎，從此過着糜爛的生活，喝酒濫交，卒淪落而居住於下層公寓認識歹人丹蘇利文——白嘉時米倫狄夫，由此而引起以後一連串劇情，更表白出原片名 *Madame X* 的意思。

蓮娜端納可說是本片唯一的大明星，可惜太老，演技不錯，充分把握了劇中人物的個性，但在前半部戲中，演出並不能令人滿意，反之，在後半部戲中卻演得很好；若以為阿娃嘉娜演前半部可能較好，但當看完全片後，你就會原諒她在前半部的演出，而讚賞她後半部的演技。

本片單看片名就知道是一部悲劇，但告訴你，並不是一部要帶兩三條手巾的悲劇，並不是那些叫你哭吧哭吧的悲劇，而是一部看後心裏總有些難過的悲劇，一部令你看後覺得母子間總是有一種共通的天性，雖相隔很久，但這種天性仍然存在，一旦見面就自然產生了一種親切感，正如安德生的兒子克萊所說的：「我愛她，不知道為甚麼，我一看見她就喜愛她。」安德生說：「我知道。」各位觀眾也知道，因為這個「她」就是他的母親，這種愛就是母子間的天性，是分不開，切不斷的。

康絲登聶的家姑演得只可算是平穩，尊科西的演出也是不過不失，反之，基杜里耶卻演得不錯，首先面孔漂亮就給了觀眾一個好印象，在法庭上的辯論一場又演得不錯，可惜出場太少。

尊雲特利連的音樂家杜班演得並不好，未知是否導演的希望表演出他的熱情，命他穿上一件紅毛線衣，實在不敢恭維，他實在不像音樂家，而且他又不是加利格蘭。

綜合全片，這是一部值得一看的電影，假如你看厭了特務片的話。

張舜（一九六六年八月號）

諜海密碼戰

看《諜海密碼戰》的時候，我們甚麼都可以不去理，但我們不得不醒覺，我們必需求知，否則，在這個世界上，我們就會有眼睛而看不見東西，有耳朵而聽不見聲音。

我們或者不看書本，不看小說，不讀哲學；我們或者不參觀畫展，不上美術館，但是，我們看電影，電影這東西，它也有力量把我們活生生淘汰掉。有時候，我們實在應該喜歡電影，你把屋子關個密不透風，不讓外界侵入，但電影中的「新」，卻偏像光線跑進你的房間來。

《諜海密碼戰》的序幕大概是最叫人觸目的了（有人因此驚心），那是甚麼？光合藝術。現在的美術早已不是談了幾十年的抽象畫、印象畫，現在的美術是光合，還有普普，《諜海密碼戰》就用上了。電影是最喜新厭舊的，新的東西，它都會最早傳染到。這些日子，你如果上大街走走，你會看見有人戴黑黑白白間條間條的太陽鏡，或者有人戴劍靶也似的一圈圈黑白的耳環，或者有人穿條紋子的波紋狀的圖案衣料，那是甚麼，光合藝術。

光合藝術，它已跑到香港來了。《諜海密碼戰》告訴我們很少東西，但它卻正面的用「新」衝過來。因此，我們做觀眾的就得求知了。

《色情男女》，太難接受了，是的，是難些。《諜海密碼戰》呢，易些。是的，是易些。其實《諜海密碼戰》也要了很多花樣，格利哥力柏在馬路中心大叫大鬧，乘單車那一幕不是就主觀得叫我們一起受罪麼？

將來的電影必然有一個趨向，不單是藝術作品不易為我們接受（或者是形式，或者是內容，但以內容深奧為主，一般人則稱之為沉悶），一般的商品也越來越新鮮的，很多新的事物，包括服裝，室內設計，銀幕結構，空間交代，這些都會很新很新，而我們做觀眾的，眼睛鼻子就等於廢了。唯一的補法是：我們必需多多求知了。我的意思不是說一切的新事物都是好的，我的意思是我們必需認知新事物，求知是其一，接受是另一件事。求知的另一個要素是，當我們捨取，或者判決時，我們如果不知是不能妄作斷語的，我們不知立體畫，就無從批評畢加索，我們不知新潮之真象，也就無從討論杜魯福了。

觀眾是必需自勵的。觀眾多磨練自己，努力求知，劣等的電影便無法駕馭我們，電影可以帶領我們，但到我們被電影駕馭時，就可悲得很了。《諜海密碼戰》呢？它帶領了我們一陣，去看看它所呈現的新，此外，此外就沒甚麼了。蘇菲亞羅蘭和那個電影一般空洞，和那個電影一般展覽了好些新（是新的時裝，Christian Dior 的新設計），演技呢，一無所有，只聽見她的高跟鞋登登登的聲音蓋過一切。格利哥力柏也是，變了一副甸馬田的嘴臉，嘻哈了一陣。這個電影好空洞。

不錯，這個電影是純粹給你看看的，看它的色彩，看它的空洞，可是，你看了一眼就不怎麼喜歡，純粹的看，那我多喜歡《女金剛大戰鑽石黨》，那電影才叫人醉心。

一間一格格的古怪囚房，也是光合的。狄保加第娘娘腔地一天到晚撐一把遮陽傘，那份現實的色彩才是純粹取悅你的眼睛的，不論衣服、髮色、傘，要變甚麼顏色就變甚麼顏色，這份純粹，《諜海密碼戰》就沒有。

不過，《諜海密碼戰》中的一場倒很有氣氛。蘇菲亞羅蘭和格力哥利柏避進動物園中的一組鏡頭是成功的，導演利用動物，起初是猴子，後來是野獸，來加強氣氛的迫切。猛獸的走動用來比喻敵人的接近，襯托得很好，而且利用籠子的鐵柵，人影的晃動，畫面的構圖也和序幕互相呼應。但這風格到下半場竟蕩然無存，如果堅持到底的話，這部片也許和女金剛一般，整體上都是為了使你感到賞心悅目的了。

倫士（一九六六年九月號）

獅子與我

電影的進展是一個三部曲。愛迪生發明了電影時，那是世紀初的事，大家只把它當作一件玩意。到了一九二〇年，聲片的時代開始，電影的面目又一新了，並且漸漸和文學作品結了緣。但電影的發展最重要的還是一九五八年至一九六五這幾年間的面貌，這時候，電影已經不再是一般單純為了娛樂的商品，而已經變成了藝術，因此，我們會提出電影藝術、電影作品、電影作者這樣的名詞來。

進步是可愛的，不過問題也發生了，當電影變為個人的作品時，是不是易被接受呢？電影比音樂、繪畫和文學實際上更為需要觀眾，電影如果失去了觀眾，電影就失去了意義了。我們目前所處的情勢是：感到電影作品難以和群眾並肩（當然，群眾甘於和現代的思潮、文化、藝術脫節也必需由群眾自己負些責），或者是一般的電影為了投合群眾的口味而故意降低水準，許多電影的製作已經失去了原有的誠意，而以一個漂亮的外形惑眾就算了。劣質的電影我們當然應該加以反對，但藝術電影對群眾又距離太遠，我們實在不能期望世界上各階層的人都要懂得抽象畫，存在主義等等的東西，可是，群眾是應該有電影看的，他們最低限度可以看一種電影，像《獅子與我》。

《獅子與我》決不是藝〔術〕作品，拿去康城、威尼斯可以說是去獻醜，反過來說，《獅子與我》並不是一件商品，既不機關連天，法寶排陣，美女如林，也不故意賣弄甚麼光合藝術，普普藝術，它就是一個很合格的純粹的電影。它的主題和表現方式適合任何一個人，小孩子看可以看看動物的生活，成年人也可以想想，把獅子放進動物園就埋葬了它的自由了。作為主題，《獅子與我》的電影是依照原著發揮的，書本從來很難搬上銀幕，不是對白太多，就是改編起來頭頭被局束着，甚至《齊瓦哥醫生》之類，也比原著失色許多。《獅子與我》卻例外地比書本生動，電影中的一雙夫婦事實上比書本中的漂亮了許多，而那頭獅子愛莎，牠的一舉一動，比書中的描寫實在更深刻。由於獅子是動物，根本不必說話，因此電影中就少了很多你一句我一句的對白，凡是獅子出現，幾乎就是清一色的動作，對於電影來說，動作還是最基本的，電影的唯一的可愛也就是因為它在動。

這部片不是和路迪士尼的，和路迪士尼這些年竟然沒有甚麼使我們去敬仰的時刻，《歡樂滿人間》嗎？那一段人和企鵝大跳舞的一場，無非又在賣弄自己的卡通，和路迪士尼許多時候還是太過取巧，誠意不夠，作為一個製片家，如果多年拍不出一兩部也能夠叫人看看，像像樣樣的電影的話，這種製片家的名字就會被淹沒了。世界上不斷有更新的名字，更美麗的心來替代他們的位置。

從電影的觀點看，《獅子與我》是十分堅實的，首先，它說出了一些東西來，你看完這樣的電影後，絕不會腦袋空空的不知剛才看了些甚麼，其次，它給你感，好多次，女主角和獅子的感情都很能打動我們的心，看一部電影能夠使觀眾共鳴的現象似乎是越來越少了，這部片使我共鳴的，而且它決不施之於強逼，不是一把眼淚，一把鼻涕地逼你去感受的。然後就是攝影手法，這部片決不呆滯，除了獅子和人的故事〔直〕述式描述外，還不時加插呆照，或非洲風光，增加了不少電影上的節奏。至於配樂，當然及不上《獵獸奇觀》的鮮明，但也很有氣派。

拍獅子演戲是不容易的，拍獅子容易，但拍到獅子和演員一起游泳、散步、遊玩就困難了，這簡直已經超出了導演的工作範圍之外，不過，看了電影後，我們最感興趣的是，獅子怎麼真和貓一般馴的呢？我們不但要佩服演員的勇敢，也得佩服工作人員的功勞和膽略了。

《獅子與我》的中文譯名很好，這條院線的譯名和樂宮那條院線的電影譯名是目前最佳的了，都很典雅，很中肯、很純。

倫士（一九六六年九月號）

血印

是誰的名字要我們記住？薛尼盧密。

我們且看看薛尼盧密的電影章法、文法和想法：

一雙手在稻田中捉蝴蝶，兩個小孩子在野外跳躍，一個女人到河邊取水，兩個老人坐在樹下，一個男人拿着酒瓶，然後拋下了，抱起了自己的兒女。這一段的幾個分頭描述，在時間上是比真正的時間拉長了許多，這是採用了誇張了的電影時間而處理的，用的是慢鏡頭。這一連串的慢鏡頭是特別要使我們去加深印象的，因為後來，這些鏡頭會一而再再而三地回到我們眼前來。取水的女人的臉，將不時閃在銀幕上，一個人來典當蝴蝶標本的時候，捉蝴蝶的第一個鏡頭就會重現，甚至重過的一段楔子，都用正當的時速重述一次。

當青年人抱了子女之後，我們忽然聽見了一些聲響，像槍、像車聲，但我們不知道那是甚麼，薛尼盧密也不在這時候展露，下一場的展示時，已經是用推鏡頭介紹一塊小院落；女人吱喳地在那裏討論到歐洲去旅行。

再下一場，我們也一起進入了典當，看一群人，一個一個地進來典當，這一群人，每一個都有很鮮明的形象，窮的學生，被遺棄的少女、流氓、社會福利工作者，其中，學徒是這典當的唯一的窗。薛尼盧密一直藉這個小窗把我們帶到典當外面去，去彈子房，去紅燈區。

薛尼盧密在這部片中用了極多的倒溯，幾乎每一次都是用的直接聯想，由黑珍珠的裸露聯想到集中營中的妻子，由乘電車看到苦難的臉而聯想到自己的兒子的死亡，由鐵柵門聯想到鐵絲網，由蝴蝶聯想到蝴蝶：這一列的聯想雖然是不同時不同地，但是卻把時空都串在一起，彷彿用積木砌成了一個整體。在這樣的一個題材之下，直接聯想的轉位是非常有力的，如果是在一般的劇力並不集中的題材上來發揮，就變得十分做作。

對於動和靜的處理，薛尼盧密也把握得很有力，典當裏邊的氣氛一直是慢吞吞的，典當商老是走一步路要幾十秒鐘的，但這時卻利用了學徒的奔跑來作對比，學徒一出了典當就愛跑，黑珍珠進入典當前也是一直在跑，黑珍珠裸露後的一串回憶鏡頭又特別採用了不斷的橫攝，把銀幕當作了走馬燈，只有看看看的聲音，銀幕還藉一條條柱一列列牆和窗戶的排列而達成一系明滅明滅的效果，像這些，都是構成電影中節奏清明的要素。

一部電影，電影的形式無異是極為重要的，但形式應該跟着內容走，甚麼的內容才應該有甚麼的形式。一般的電影，往往徒有外表，內容十分空洞，像近期的《諜海密碼戰》，甚至《女金剛大破鑽石黨》，雖然這兩部片也有它趣味的重心，卻無法成為一個像樣的電影作品，能攀上電影的水準，而缺乏作品的實質，而《血印》才是稱得上電影，稱得上為作品的。

電影中描述典當商的確很深入，至於那份悲情又的確是世界性的，深而且廣。典當商所感受遭受的壓力又豈止是個人所獨有的呢？洛史德加的演技是有目共睹的了，豈止李馬榮，甚麼奧馬沙里夫都在他面前失色了，說不定給洛史德加一個金像獎倒反而辱沒了他。

《血印》在取材和表現方面，都和波蘭的一部《乘客》

的影片有若干相似的地方，無疑地，兩部電影都是使人喜歡的，《乘客》是一部未完成的作品，所以對於作者的意圖我們也只能從片斷中去獲得，而《血印》，我們還是從它那裏得到了福音，當典當商狠狠地用插紙針刺穿自己的手時，我們對這個世界到底還有信心。這個對政治、藝術、文化、科學，一切的一切都不追求的人，這個只喜歡錢的人（錢其實也只是一個象徵），他是轉過臉來了。或者我們會想，這個典當商，他的典當和加夫卡心理的城堡是不是有點相似呢？有待求證。

倫士（一九六六年九月號）

諜海殺人王

有的電影愛給你看風景。戶外的。有的電影愛展覽室內的豪華。這個電影也這樣辦〔。〕電影有時候也常常是「綜合的藝術」，很綜合很綜合，它可以是一本時裝設計書，你看《偷龍轉鳳》就有這感覺；它可以是室內設計畫報，你看《特務飛龍》也有這感覺；它還可以是許多東西，報紙、圖則、汽車月刊、科學館、博物院，電影真是很綜合的。

美國電影大部分尤其愛搬漂亮的景緻，世界上有甚麼新玩意嗎，拿上銀幕給大家看看吧。這樣，我們就接受了許多，不管是毒藥還是食糧。像這樣子也有它可愛的地方，因為新鮮的事物很快就來到我們面前，接納與否，我們必須自己定奪，也就是這樣，我們必須磨練自己的眼光了。

《諜海殺人王》給我們也是一種室內的風景，讓你看見酒櫥升起而咦一聲，讓你看見洛泰萊倒酒時三杯一起橫來橫來而喔一聲。至於戶外，這次沒帶我們看甚麼中東西東的風景，只有也漂亮一陣的汽車和女人的古怪大衣。

劇本是拖拖拉拉地在殺死時間，算不得有甚麼起承轉合。序幕的一段，故意黑白黑白，說甚麼巴黎一九四四年，對全片的作用很弱。一個序幕如果不能盡量發揮它的功能的話，倒不如乾脆直截了當映字幕，要多了把戲還是掩不了蛇足的。本片的字幕倒不壞，很有節奏，設計也有氣勢，配上的主題曲十分動聽，這方面，抄了很多「占士邦」片集的襲，要追究起來，自又很不足道。

編劇的還未能把握故事重心，洛泰萊一直以副手代自己暗殺別人，竟會平安無事，其實，只要寫一筆副手忽然死去，暗殺的事要洛泰萊自己去幹，那麼，戲劇性將會更濃些。

洛泰萊被敵方捕捉後，劇情就近乎鬧劇了，無端端的放走他，劇情上是合理的，但處理得不夠說服力。可見占士邦如果不是因為愛恩法蘭明的緣故，也不會那麼神氣。英雄的背後，是有支持的塑造者的哩。

特務片喜歡牽涉大人物，這次用上了愛丁堡公爵，大概是取自甘迺迪被殺的靈感，就是不知道愛丁堡公爵自己會怎樣想，製片的有沒有請示過他。主戲是在這場假假真真的謀殺案裏，可以一看的卻是飛鷹號十分悅目，自動控制飛機降落也是第一次在銀幕上見到。

不錯，電影是越來越想把自己變作一套百科全書了，求知是現代人最率眾以赴的一回事，但可惜的是，電影這套百科全書，只給你一點點的知，此外就多半是垃圾。我們是知道世界上也許有這種可以自動降落的飛機了，我們是知道世界上有這種升降機般的酒櫥，然則又怎樣？

本片比較可取的是彩色，有點透明的樣子，彩色片的確是進步了，以前的彩色片常常很呆，現在卻像畫面裏充滿了空氣。鏡頭的運用只做到了攝影景物的地步，是在傳真，而沒做到創作。當然，〔在〕這樣的電影中去找創造，實在笑話。

演員方面，名字是聽見過的，但表現得不能給我們甚麼印象，總之是人，人來人往又一場，人來人往又散場。芝露聖鍾也不知算那一門的演戲，我們這裏隨便一個胡燕妮、方盈、鄭佩佩都好過她十倍。

轉位很靈活的是副手謀殺的一串場面，一個人好端端從窗口跌下，一個人喝喝酒彎下身亡。這幾場鏡頭短而清晰，事件分明，次序井然，如果整個影片的設計都有這股心思，成績也許會好些。

有的電影，我們真會看完了甚麼也記不起了。真的一點也沒有，但這部《諜海殺人王》的影片竟然也使你意外一下，它本來沒有甚麼讓你去藏在腦裏的，但那修理電梯中的電梯原來是秘密的暗門，這一景結果卻進了我們的腦裏，趕也趕不掉了。

倫士（一九六六年十月號）

無敵鐵金剛

《無敵鐵金剛》也有一點可以看看的。像那雪。那是瑞士，那個雪山實在實在美麗。我想，我們喜歡山上邊的景色的，鈴鈴的車，冰地上的城。所以，就不能否認這部分的外景不漂亮，不美麗。

當你再也想不到天空上面，陸地上面，海上面還有甚麼戰爭可以發生，還有甚麼特務可以交戰，於是，就有人想到了山，早已有人想到海底，想到地穴，現在，當然是應該有人想到山的。

直升機和直升機的追逐戰，滑雪和滑雪的謀殺，景緻果然很新鮮，而且你看得見，那場戰爭，彷彿是在進行一種運動，彷彿是在表演一場舞蹈。這一場電影，應該是很尖銳地進行槍戰的，但現在，他們用冰天雪地來消解了密集的景物，用疏落的小點來代替了都市的建築物。一般的電影都愛給我們很花很花的畫面，但在雪地，背景白得沒有甚麼縱橫線，這樣的背景是可喜地空靈的。

對於這個電影，可以喜歡的也就只有這些了。再說下去，都是那麼使人掃興的地方。

意大利片，配上英語，很別扭。我們愛聽的也許就是意大利人最鍾意的里里拉拉，但現在是沒有了。

一個很扭捏的女人，在那裏死命地扮碧姬芭鐸，我不知道她脫下金髮，拉下眼睫毛後到底會是甚麼一副嘴臉。銀幕上的女人，就像新樓宇的牆。另外一個女人學會很強的空手道，她們和首領四位一體，但是她們幹了些甚麼呢，誰也不知道。一列被請來的甚麼甚麼專家，甚麼甚麼大王，後來就全不見了。我只見到那個日本人抛過一枚錢幣的鏡頭。

厲害的武器應該是使出來給人看到的，決不是要告訴我們是在那裏來的，特務不妨一件暗器使完又一件，為甚麼要帶我們進科學館看看古怪的東西呢？

一個紅氣球在科學館自天而降是伏筆，但是特務因此而沒死，輕鬆得可以騙小弟弟。

特務先生總是自以為很瀟灑的，看來看去，我們實在不能看不起辛康納利，他實在比任何的冒牌先生們像樣得多。單是那副體格就像是個鐵金剛。這裏的特務先生是個飯桶先生，三番四次要教人，毛手毛腳的，看起來，很不養眼。

最初也有點兒氣勢，女人偷了錢。一列人坐在古色古香的瓷牆下，色彩帶點東方，不過，也是好景不常在，好花不常開。我甚至在奇怪，怎麼一個劇本沒寫成就拍電影的呢？像這樣的故事，如果有劇本，不至於這麼混亂，如果沒有，卻又伏線盎然的。

拍電影是一種繡花的工作。既能一個景一個景，一個鏡頭一個鏡頭地砌接，怎會沒有一個容易砌接得多的劇本呢，這個電影，我相信是大半出於即興的。所以有兩場叫你十分喜歡，有兩場糟透了，說不定，那就是導演的有幾天很開心，有幾天很氣悶。

拍電影能夠即興是一件好事，尤其是要拔隊出國找景，事先，你實在不知道地頭裏有多少寶藏可以發掘。

觀眾是常常可以原諒情節的不通的，但觀眾常常喜歡情不通，卻很針對理不通，因此，特務總是不死，男女主角總有好多戲演，這是情。男女主角被埋在水泥裏，給掘出來後，那件衣服竟這麼乾淨，誰也不同意了，因為這是理。觀眾在這方面很苛求。電影多犯了這項罪，就不聰明。

以後，還有些甚麼的鐵金剛要來呀？如果鐵金剛永遠是一副嘴臉，鐵金剛是在自殺了。我們喜歡熱鬧，但熱鬧也得有點意義，鐵金剛如果可以給我們一點意義，那他倒是個英雄，否則，我們只好看着鐵金剛在蝙蝠人的降臨前，終結他的已經近黃昏的豪邁了。《無敵鐵金剛》同樣地沒有給我們意義，同樣地，我們又失望了。

倫士（一九六六年十月號）

混世魔星

一部電影，從頭到尾都了不起，那難死了。連《血印》也不能夠，連《羅生門》也不能夠。一部電影，可以了不起很多，那最好，要不然的話，了不起一點點，了不起一丁丁，我們也很喜歡的。總之，你一定要給我們那麼的一點點兒一丁丁兒的了不起。

誰也不會想到《混世魔星》也會了不起的。起初，我看也看不起它，但我的那個朋友陸離說：「它好過《瑪利亞萬歲》。」我心裏有氣，《混世魔星》好得過《瑪利亞萬歲》。荒誕。於是我跑去看。那個結局，果然叫我大吃一驚，特吃一驚。

五個人。星相家們都說他們有劫運，都沒得救了。這五個人，一起坐在火車上。他們心裏很急，怎麼，全沒救了？編劇的實在有腦筋，五個人到了火車的另一站，大家一起下車，死就死吧，下了火車再說。他們就跑下來，站在月台上。這五個人，他們這時才知道原來竟已死了，火車在他們登上不久時已出軌，他們沒有一個是在活着。

這個結局，很超現實很超現實。你橫猜豎猜，想不出來，結局來得那麼突然，你從戲院跑出來，真是越想越怕。單就這一丁丁兒的了不起，《混世魔星》就糟不到那裏去。

我想，電影的題材搬來搬去都脫不了三大範圍：古代現代和未來。古代的題材，我們看得太多了，那些木馬屠城，路易十六和斷頭台之類的，再也掘不出甚麼新事件來，至於現代的題材，甚麼變態，青春歌舞，吸毒特務等等，也已搬盡，只有未來才是我們可以編成千百個劇本的。當然有關未來的甚麼登陸月球，建設海底城市之類的想法，我們在電影中不是沒見過，但對於未來，由於許多的事物仍是一個未知數，這方面的發展，將是電影題材的最大指針，我們現在所處的時代，剛好等於十五世紀的文藝復興期，對於外在的環境充滿了好奇，而電影，往往可以盡量發揮我們的幻想。因此，希治閣拍了他的《鳥》。杜魯福正在拍《華氏表四五一度》。《混世魔星》走的也正是這條路。片中吃人樹的一節，正是幻想式的未來世界可能會發生的事，整個電影中，這一段給我們的恐怖感是不弱的。

最弱的一場當然是吸血殭屍的翻版，但它也自有一番新意，把古老的傳說放進廿世紀，賦予一點時代精神，巫樂的一段是牛鬼蛇神式的災難，人類對於未知的世界充滿恐懼，原也是人類的本能，這方面，也是基於對外界探索作為出發點的。片斷中的畫家一段最成功，這一小段的戲，如果伸張一下，已經是一個完整的故事，可以拍一部電影了。其中寫得頗好的是對一般批評家的諷刺，而這，正是時下世界各地都同時存在着的現象。

氣氛都把握得很好，斷手出現尤其有效果。場景變換很多，有幾場的彩色特別濃郁，這些都是值得高興的。至於第一段的殭屍復活目的只在嚇嚇人，製造一些氣氛，但實在因為此類電影我們見過很多，一點也不怕怕。

彼得古成並非主角，這個人專演恐怖片，但以沉着言，這部片中的演技，首選美術批評家，這個人如果演特務，倒是不壞。片中的女角甚差，來來去去的面孔，大概是省錢不捨得找多幾個，於是我們看呀看，一開場的古屋女僕是她，結局的吸血殭屍又是她，看得沒甚樂趣。

說這部片好過《瑪利亞萬歲》，我大大反對。《瑪利亞萬歲》是連珠式的炮轟，轟得你笑到要蹲在地上。這部片卻平淡得多，只靠結尾的一枚大炮彈，如果不是這個結尾那麼叫人開心它如此了不起，《混世魔星》就兩顆星都不值。

有的電影靠劇本，有的電影靠拍攝技巧，前者可以流水式拍拍，後者可以不斤斤計較情節，這部《混世魔星》，技巧和劇本來說，合起來都超過五十分了。

海蘭（一九六六年十月號）

不是冤家不聚頭

國語片，我們常常說它糟，糟在那裏？呆死了。當一部電影，要講的只是很少很少的東西，譬如說，由頭到尾就是說一對青年人在戀愛。像這樣，如果鏡頭不孫悟空般耍一陣戲法，電影就呆了。而在這個階段，我們正是還不能夠孫悟空大耍戲法的階段，因此，我們實在不能拍講很少很少東西的電影。就是說，我們不能拍得好一對青年人在戀愛這種純純然然就戀愛的電影。我們要拍的應該是，電影裏比較多說些東西，比較熱鬧些的題材。現在，《不是冤家不聚頭》是對了。

我們是看得出：這部電影不那麼呆了。第一，當然，這部電影很聰明的只給我們很多的事件，而不是很多的情節。電影裏邊多情節，有時變了編故事，但電影裏多事件，電影就橫了，像一顆樹，長多了花花葉葉，而不是光是長着樹幹。這樣子很好，因為我們現在不是在那裏看「後來嘛這樣，後來嘛又這樣」的時間性敘述，而是「同時又這樣，同時又那樣」的空間性的描述。

我們還看得出：這部電影的人物中心集中了，電影已把他們從群眾中拉出來了。像范麗的茜茜，茜茜就是茜茜嘛，茜茜就是一個女人嘛，我們要說的就是她，所以她的兄弟姐妹，叔伯姨母，祖父外婆一個也沒給拖上銀幕。丁紅也是，丁紅就是丁紅，家裏就簡簡單單的。電影沒有要替人家編族譜的必要，這是可喜的。

汪溜照的劇才和導才是有目共睹的。他的《風流丈夫》實在不壞，黑白片一樣叫你喜歡。在這部劇本中，雖然有許多小段是「借用」，但我們仍可見到在許多小地方表現出編劇的才智，他大概會很欣賞法國人對人物的臉譜的描寫，或意大利人的喜劇的天分。因此，我們在電影中不時可以找到類似的小插曲。丁紅在浴室門，抓住一個黑麻麻的人，而這黑炭卻自稱姓白。這就是極好的一片葉子。

廢場還是有的，一開始描寫尖沙咀的大鐘，不外是報時，接着丁紅上班，其實，不必報時丁紅也可上班。如果要寫尖沙咀，倒不如順便寫丁紅下巴士擠掉了高跟鞋還有趣些。但那一下從鐘樓拉下俯拍巴士站的鏡頭倒很瀟灑。這種靈活的鏡頭在室內就見不到了。

范麗很出色，她演這角色實在很活。陳厚也活了，手手腳腳很輕鬆。丁紅不大對勁，跳日本舞比較尚可遠觀。奇怪的是，丁紅何以不穿多兩件漂亮的衣服，自從碰上了松室先生，她就該漂亮得像天仙的，起初，她可以很古板，這，《窈窕淑女》已經給了我們榜樣。

佈景很糟。沒辦法，雖然是設計過，仍是很糟，這兩組人，還是設計廣告公司，自家的門面實在破招牌。陳厚那邊還好些，但也不過是一張大眼圖，和三幅古裝武士。搭佈景，搭破茅屋和搭富麗堂皇人家是一樣的，全是假扮。如果搭不出來，不能也。有趣的是，丁紅家裏的設計卻比公司好了幾十倍。

唱的那首歌，編得有趣的，不太俗，而且可以朗朗上口，尤其是插了幾個日語，倒有點日本風味。

鏡頭方面，平角的佔了百分之九十九。全片都是遠景近景，大特寫。當然，拍攝機成噸的那麼重，抬上抬下工作人員真要怨死了，但是，永遠這樣總不成話，快想想辦法。問汽水廠借伸降車也好，設計一座旋轉座也好，總之要想辦法。

拍這一類的題材，光是一個劇本並不成事，重要的還在美術，因為我們無論如何是先眼到，然後才腦到的。電影必需在眼到方面使我們感到豐富。所謂眼到是指畫面內的景物，而不是人身上的景物。畫面的景物可以走兩條路，一是目不暇給式，有看不完的景物，一是空靈些的，根本不要景物，強調畫面中的人物就行。至於國語片，目前要走的還應該是目不暇給式，快些把美術弄好。

海蘭（一九六六年十月號）

英雄榜

能夠上「電影作品」榜的電影是不多的，一般上，我們所要求的也並非是電影的經典之作，而是要求能夠合電影的水準。可以一看的電影如果我們細心發掘，倒也不是沒有，而是少些，其實也不是少，而是沒能在電影院受寵出現。真正的電影所以不能使觀眾們喜歡注意，有時候，電影自己要負很大的責任。

真正的電影，常常喜歡走兩條路，一則是不管三七二十一，導演在那裏用攝影寫其小說，導演只站在作者，創作的地位上，而不管觀眾，在這情形之下，有些電影在我們的眼中當然是一件不可理解的東西，導演用攝影機創作，就如藝術家創作一般，是可以從藝術為出發點而不理會欣賞者的能力的，藝術家有理由「一廂情願」地創造。當然，一個這樣的導演，他是需要我們以另一種眼光去看他的作品。這些作品可能暗晦，可能十分即興，我們就算單欣賞才華及勇氣已夠佩服不已。

《英雄榜》不是這樣。整個電影沒有即興的痕跡，也沒有暗晦的場面。拍這類電影的出發點純粹是要求觀眾的，不是給觀眾看製作的才華（不是炫耀，才華仍是很吃重的），而是給予觀眾一種意義。開始的時候，《英雄榜》要求共鳴的，這並不是「一廂情願」的製作。或許，我們可以這樣分別，《英雄榜》的出發點相類於美術教師，而如《色情男女》的出發點，比較相類於畫家；前者除了繪畫，還希望其他，後者則繪畫就繪畫算了。對於電影，《英雄榜》式的應該是最正統的。《色情男女》的可愛，是由於它是屬於一種製作上嘗試的訓練，是用來補足或美化意義的給出時所需的一種手段而已。

《英雄榜》並非啞口無言。就以戲劇性來說，它已夠衝擊力，單以憲兵和彼得馬勞雙方對峙的理和情的鬥智，已足使整個電影站得很穩。我們都會很喜歡憲兵的理智，或稱之為正義、無私。站在一個憲兵的崗位上，他無疑就代表了法律，那種一絲不苟，冷酷無情，執法如山的嚴正堅強個性，十分使我們傾倒。但，事實上，我們都會更喜歡彼得馬勞這人物。因為他才是一個活生生的人。人才是最重要的。沒有了人，法律也就沒有了意義。憲兵認為彼得馬勞逐漸下賤，依附着老鼠王吃吃喝喝當走狗，但他沒看清楚彼得馬勞的真正面目。在憲兵的眼中，專替老鼠王倒茶倒水的比老鼠王還高官階的其實才真是走狗，所以到了和平降臨時，他立刻換了一副嘴臉，扔他的咖啡壺，〔吆〕喝他自己的聲威，而這時，彼得馬勞的美麗的靈魂就出現了。他和老鼠王的作伴，在他自己方面，完全是基於友誼的，這可以從數次的拒絕收錢看出。這高貴的男孩直至老鼠王臨別對他否認把他當朋友，而是利用他的時候，他仍不憤怒，依然跟在他身旁，甚至在美國軍車開行時，還匆匆趕去道別。在這個世界上，竟有人有這麼善良的靈魂的，不管是現代的電影、小說，都十分少有。現代的電影、小說，很消極的給我們看見世界醜惡的一面，只有醜惡，而沒有別的，但《英雄榜》，這電影是在醜惡的世界中露出了曙光，而這，對於整個處在現世紀環境中的人類，竟是何其有力的鼓舞！

演員，好透了。那麼年青，那麼充滿了活力。攝影，很細緻，但重要的還是靈活，突變的運用，搖鏡的運動，都是企求在一個小小的集中營裏脫破空間，盡量發掘多樣的面和體，這種攝影，真的〔如〕一篇好文章的文采之筆。編劇的很努力是可以看得出的，因為場與場分得很準確，很有次序，轉位也適到好處地點而止，像和平後的一群人大跳大叫前是迅速的一下推鏡頭，日本降書的宣讀由對白一變而為旁白，再而變為移於配音的地位。戶外的幾場戲尤其是畫面，構圖豐富，幾下俯角拍攝是很精純的電影文法要旨。

倫士（一九六六年十一月號）

玫瑰我愛你

國語片的病徵大概是在：

一、經費方面，

二、時間方面，

三、能力方面。

大家都在那裏嚷要拍好的電影，這邊努力訓練演員，那邊努力編寫劇本，甚至不惜請名導演，一流音樂人才。

大家還在嚷要拍電影上康城，威尼斯等地參加影展，但我們的確看得出，這些日子，還是沒有一部可以拿得出去揚名亮相的影片。

因此，我們要想，為甚麼沒有一部能夠叫人「呀」一聲的電影呢？那應該是製片的才能方面有問題了。這才能包括了導才、編才、美術人才、音樂人才各方面。

《玫瑰我愛你》使我們覺得，無論那一才都稱不上是一部好作品，只是還有一個可以算是並不完全商品的題材。只是還不至於要神怪一番，大脫衣服一番。

《玫瑰我愛你》的編才差，婆婆媽媽的，有話則長的地方顯然太長（父女生離重逢哭它一個數百尺菲林），無話則短的地方又顯然太短（婚前的一段戀愛，馬馬虎虎算數，在門前沙地上走幾步，屋內道一句分離，籬邊贈一朵玫瑰就算數）。導才也有限，人物走動的位置有時感覺呆板，有時又過於凌亂。美術設計甚差，彩色片而發揮不出彩色的效果，鮮艷處只做到刺眼，淡描處等如死色。繪不出情緒來。

心裏嚷着要拍好電影是沒用的，嚷甚麼，拍出來給人家看嘛，拍不出就是沒本領。可是《玫瑰我愛你》這群幕後人物說他們沒才能嗎？也不對。凌雲一個人胡思亂想，看着鐘面逐漸擴大，鐘聲越來越響，這種音響的蒙太奇運用得十分到家。其次，玫瑰在父死後，靈堂一片素黑，喪獨孤然，用的是俯角拍〔攝〕，又證明了導演、編劇、音樂、美術甚至攝影都不是飯桶。這些人是有點才能的。那麼，有才能又為甚麼拍不出好電影來呢？

只能想起，那應該是時間方面有問題了。如果給這批人一年時間去編劇，一年時間去拍製，在這一年間一方面又搭佈景作美術設計，那麼，情況又會怎樣？我們得相信，拍電影要許多人工作，就算其中一個是曹子建那也不行，你可以一個人七步成詩，但人家就不。整個片場哪來數百個曹植。因此，時間很重要，要不是為了時間的短促，相信《玫瑰我愛你》中的鏡頭運用就不會那麼死氣沉沉，佈景也不會假得像玩具店。既然多花一點時間就可以拍好的電影，那又何樂而不為呢？這，應該又是經費方面的問題。

一部片拍兩年？要命。又不是拍甚麼《齊瓦哥醫生》和《埃及妖后》。那兩年要花多少金錢，人力物力，時間真是一寸光陰一寸金的，花兩年時間拍的電影，能賺回這筆錢嗎？如果賺得回，可以拍。是的，花兩年時間拍一部電影，是否有把握賺回錢呢？

我們知道，拍一部「盲俠」也不花兩年時間，拍一部「占士邦」也不花兩年時間，這兩部片都賺錢，賺錢何其容易，但你能賺不能，你能拍不能，就算給你時間，就算肯花它三千萬拍一部片，你賺得回來賺不回來，不用你去拍甚麼《血印》和《英雄榜》，而就拍拍甚麼「占士邦」，「盲俠」這麼不藝術的東西，你又能不能。

說到最後，大家還是要認命，因為結果還是能不能的問題把你難住。沒本領就把電影活生生扯死為止。而我們知道，沒有才能，加上沒有時間，加上節省金錢，只有使電影更糟（金錢更少），時間更浪費，才能更貧乏，到時，忙壞了的人全患精神〔病了。國語片的〕電影片名倒不知比我們粵語片的好得多了。還有好的，就是每個演員都很落力，要是導演也落力些，這就行了，任何一個人都落力，就可以有資格參加影展了。

倫士（一九六六年十一月號）

鬥牛小姐

「誰是導演？」

「米路花拉。」

「哦，沒有甚麼信心啦。」

對了，對於米路花拉，你真是沒甚麼信心的啦。全片是那麼地散，又不是人家新潮派的手法，光是來來去去東一陣西一陣地搬幾張風景片上銀幕，然後就完場了。你可以相信，像這樣的電影，根本無需甚麼編劇（米路花拉卻亮了大大的名字說是編劇之一）也無需甚麼藝術指導。相信那些業餘的拍拍十六米厘家庭片的任何一個人都會比它搞得精彩些。

這種電影可以比喻：只見枝葉不見花朵。重要的本來是那位鬥牛小姐；正當的拍法應該是從她這個人出發，好好地描寫一下她的生活感受，內心情緒，但電影沒有，只是很膚淺地叫她做這做那，耍雜技般地搬本領。這個原因，我們也是不難想像得到的，拍這個電影，就正是時下的那種「瘋狂的為明星而明星」的做法。當你捧紅了一個明星，你根本無需甚麼劇本，甚麼故事，觀眾要求的只是明星本人，就算看看她的臉，看看她笑，看看她在銀幕上走來走去已經滿足了。這時候，觀眾早已不顧電影的本質，到電影院的目的不外是像去發掘明星硬影。製片的當然也聰明，碰上這樣的機會，就要叫偶像耍耍十八般武藝了，就像騎騎馬、唱唱歌、彈彈結他、跳跳舞、扮扮鬼臉、哭一陣、笑一陣、活潑一番、憂愁一番就算數。

我們看得出和路迪士尼拍的益智片很少會沒氣氛成這

樣（他死了，在這裏且向這位轉來轉去還是很值得我們佩服的藝術家兼商人致敬），和路迪士尼比較注重電影的內容，雖然，他在表現方式上有時會過於流俗，但感人的程度，真摯的場面，總是十分豐富的；比較起來，和路迪士尼也很少喜歡動用甚麼大明星，尤其是給兒童看的電影，全是找來一批街頭巷尾的人物，要他們去演戲，要他們去跟着內容走，但目前，《鬥牛小姐》剛好相反，戲是在跟着瑪莉蘇走，而瑪莉蘇又算得是個甚麼演員呢？我們知道，要戲跟着明星走是一件不智的事，對於電影工作來說，也是相當冒險的，過往，馬龍白蘭度就常常要求戲跟着他走，所以他老和導演吵架。即使是演技第一流的馬龍白蘭度，他的做法仍是很錯誤的，何況甚麼瑪莉蘇。

鬥牛小姐明明不會彈結他，攝影機一直不敢拍她正面按弦撥線的手勢，但是因為她是個紅星，必需樣樣都行，就讓她幹。鬥牛小姐任誰一看就知道是個女孩子，但劇本上偏要大家做飯桶，也假裝不知道。本來這也行，把戲劇拉到最後一場上去，也許略有可觀之處，結果，還是很掃興地就落幕了。

電影裏邊誇張了幾場舞蹈，三番四次地跳，瑪莉蘇無疑是學了好一陣的西班牙舞，其實，照她目前的所謂「成績」來看，她好好地走李絲莉伽儂的路也不壞，要是越走越廣，怕就連路也沒有了。最低限度，瑪莉蘇很活潑，也很努力，臉也甜一下子，對於她自己，前途不是握在自己手中的，而是片商，而是背後的操縱者，而這情況，我們正好也正適合為這裏的馮寶寶或陳寶珠設想設想一下了。

從這部片看，得到的感覺只得「熱鬧」兩個字。本來

「少女戲」應該很討好的，仙杜拉蒂早些時候也因為演少女戲而自有一批觀眾，但目前《鬥牛小姐》顯然不同。最大的錯誤還是在一方面要展示明星的本領，另一方面又要大醞釀戀愛故事，如果能夠針對一個目標，相信會處理得好些。反觀一下陳寶珠演的電影，就只針對「活潑」一點，我們倒是聰明了。女孩子演戲，不一定要戀愛的，表現親情友愛反而更有點人情味。

西西（一九六七年二月號）

黎明決鬥

西部片有一個型，脫出了這一個型，西部片也就不成為西部片了。如果西部片沒有了那些黃沙、駿馬、皮背心、黃領巾、毛氈、長靴、馬刺、槍桿的話，那麼西部片還有甚麼味道呢？但是，難也就難在這一點上：幾千幾萬部的西部片，搬來搬去峽谷、農田、酒肆、牛羊，又還有甚麼新的意境或意義可以給出來呢？西部片，英雄的造型仍必需是要鮮明的，俠士風的正義感仍必需要強烈的，就在這麼的一個範圍裏邊轉，有沒有值得我們欣賞的西部片呢？是有的，比如說：《虎俠》。那是部很令人有享受感的電影。《虎俠》的姿態鮮明完全是基於導演薛尼富利的新穎銀幕建築。此外，《獨行俠連環奪命槍》也很可觀，在角色的塑造上，它實在不遜於《七俠蕩寇誌》。在這個時期，西部片似乎已經趨於沒落的一剎那，我們居然又驚異地目擊它原來生命力頗強，而且潛力那麼深厚，面目層出不窮，實在值得欣喜。

表面上看《黎明決鬥》，覺得它十分脆弱，尤其是比起精彩的《虎俠》的氣氛和感染力而言，頗有點不耐煩的感受，即使是整個電影中的任何一環，包括演員、攝影、配樂，都十分柔軟無力，許多場面該悲壯而不悲壯（像誤殺），該慘烈而不慘烈（像戰爭），該悲切而不悲切（像惡夢）。尤其是戲劇可以拉到高潮時，像考的死亡，農民的憤激，就該特別強調，而電影中只讓一個副警長來報告一聲就算了，這一場因此失掉了衝擊力是顯然的，要不然，以卡榮一個人面對數百聲勢洶洶的農民，氣勢將何等壯觀。

有時候，我們常會強調：電影是藝術的一環，而藝術往往是無需載道的。換言之，即是說，我們無需向電影要求甚麼意義。這種看法乍看似乎很通，但我們或許忽略了電影和其他的藝術品不同，撇開它的商業性不談，電影〔雖〕是屬於藝術的一環，卻是需要最多群眾，接觸最多階層群眾的產物。電影既然普遍得像報紙，那麼我們還是值得向它要求意義，我們可以不向一本專門的畫冊或攝影要求意義，但對於一份日報一份晚報，我們不能太過於唯美。《黎明決鬥》在本質上稱不上美，但作為一個電影，它倒沒忘記了給我們意義。導演的處理沒引〔起〕我們的共鳴是事實，但我們隱隱約約仍會領悟到考臨死前的一番話：在和平的時候，人和人依然是在戰爭的。而這，使這電影多少也有立足的地方。

西部片的另一個典型似乎已凝定了是以男性為中心的，在這情形之下，女性就變成了可有可無的附屬物，或者就相反地像《瑪莉亞萬歲》般地把男性中心移為女性中心，但在像《瑪莉亞萬歲》那樣的電影中，我們還是覺得除了珍摩露和碧姬巴鐸兩個人之外，佐治咸明頓的出沒一點不含糊；再反過來看一般的西部片，女性的出現多數是陪襯而已。《黎明決鬥》裏的艾美固然是為了戲劇而戲劇出來的，另一個莉莉則更多餘。加插了這麼的一個人物，反而變成了牽累。

寶貝杜陵唱了一首歌，並無特色。演卡榮一角在他來說，是很吃力的，他似乎努力在嘗試把自己變作另一個馬龍白蘭度，或者甚至是奧迪梅菲。可惜，他不是馬龍白蘭度那種材料，也沒有奧迪梅菲的運氣。但對於他為甚麼放棄演演唱唱歌跳跳舞的角色而演起這麼吃力不討好的角色來着實有點懷疑。如果他是在嘗試更換一下形象，開闢新的戲路，這還值得同情，而顯然地，他還得好好地努力的。

總的來說，這部電影雖然給了一點意義出來，但說服力很弱，而且，無論如何，當看一部像這樣沒甚麼新意的電影時，你不禁還是只能這樣歎息：畢竟還不過是些濫調而已。

西西（一九六七年二月號）

影城春色

作為一個電影，它可以說算是很完整的。我們知道，喜劇往往很難一氣呵成，喜劇和悲劇不同，悲劇的層次是比較要求漸進式來表現，而喜劇則不一定。喜劇比較趨向於突發性。轟的一陣爆出來，就可以開始。在形式上，喜劇有點和悲劇相反，悲劇的重心是在結尾，難的是開始如何去推進；但喜劇呢，重心卻在開始，難的是如何收拾。一些第二流的喜劇就往往鬧得沒法收勢，只好匆匆收場，或者不了了之。《影城春色》的長處就是它能夠收發自如，不至於搞到一團糟，我們明知編劇是故意在那裏「無中生有」，「無事生非」地搗亂，但不得不佩服他的控制力夠強。中途上的線索分明，高潮時的逐步揭示，都再再說明了這個電影並不失色。

有時候，卜合這個人是值得我們注意的，在眾多的喜劇演員中，他似乎是比較少用滑稽動作（如三傻之流）或鬼怪臉孔（如路易之流）來吸引觀眾的，[1] 他的方法是以對白來爭取銀幕下的好感。在這方面，對於一些知識份子來說，就會認為他的格調比較高些，這，也是卜合的聰明處。當然，作為一個喜劇演員，各人應有各人的風格，差利的啞默式動作，三傻的胡鬧式湊巧事件，路易的天真古怪，都是在自己創立一種典型；而卜合，他能脫出來，倒是難能可貴的。我們知道，卜合平素以專說諷刺幽默對白

---

1 三傻，指默片時代三位著名的電影喜劇演員、導演，包括差利卓別靈（Charlie Chaplin）、巴斯特基頓（Buster Keaton）和哈羅德勞埃德（Harold Lloyd）。路易則指路易德富奈斯（Louis de Funès）。

著名，這個電影中再再出現這種跡象，如用飯時卜合的巧辯，說不是 DD 而是 Daddy 之類，要是整個電影不是從頭到尾貫徹了那麼多着實蠻有意義的對白的話，本片至少沒那麼使人喜歡。

寫小人物常常是容易討好的，像《桃色公寓》就可以給我們很滿溢的親切感，《影》片中卜合的家庭也很能反映現時代的生活情況，丈夫與妻子之間，太太和漂亮的女人之間，父母和子女之間，姐姐和弟弟之間，各各的寫照都很真實。而最重要的是，把一個幻想的故事，放進現實的生活中，叫人們感到它的可能性，就趣味更濃了。

無疑地，我們將都會十分喜歡本片的人選，被家庭困鎖住的不時想男人氣概一番的丈夫，賢妻良母型雖沒過犯的妻子都選對了，而且他們的確很盡責地做到了他們該做的。比對起來，我們就覺得愛姬森瑪的確很明星相，因此一切的作狀一切的嬌聲嬌氣都不算是過火，同時，我們也覺得所謂「彼波」也的確導演相，黑得那麼神氣瀟灑。最使我們眼前一亮的當然是女僕，是她使這個似幻似真的故事蒙上了多一層漫畫味道，在喜劇上說，這種媒介總是很必需，很珍貴的。通常，意義不是說出來的，喜劇尤其如此，諷刺能夠不露形式，而暗中插過來，就已很夠受了。這裏我們目擊了很多。卜合被長時期的疲勞審問後就全沒意識地招了供（鏡頭的運用和畫面的構圖也因之一變），就是一個例子。而對白上的諷刺之多，更其俯拾皆是。

在某種程度上言，荷里活拍的喜劇，也算是一種「寫實」，我們不能以為寫實就必需專寫破破爛爛的陋巷，意大利當年的戰後破落情況給搬上銀幕寫實，而《影》片又何嘗不是呢？「寫實」多少都含有反映的一種意義在內，像《影》裏邊的一個家庭，實在很能反映目前美國的確是這樣子在生活的，男人來往於辦公室和住宅之間，女人徘徊於理髮店和家長會之間，子女們越來越反叛離心，外界越來越熱鬧，地域的距離越來越短等等。看深一層的話，我們就會感覺到整個社會制度的陰影籠罩着一切：而那，卻是帶點悲劇成分的。像電影描述的一個家庭，處於目前的婚姻制度之下，處於目前的新一代和舊一代的交替時刻，裏邊還存在着許多暗礁，我們是感到這種所謂「生活」的背後是有一種壓力，但目前，我們只能無可奈何。

西西（一九六七年二月號）

痴戀

狄斯蒙戴維斯的作品，看一部，會覺得它很樸實、很美。多看兩部，就覺得，他來來去去不外那一套。像這樣子，我寧可喜歡一下路易馬盧，我寧可喜歡一下韋廉韋勒。我寧願他給我一部好得不得了的作品，然後給我一部糟得要命的，而不應該是搬來搬去那麼一大堆差不多的東西。

看戴維斯的《我曾快樂地在這兒》時，還不覺得甚麼，雖然還是不很喜歡那種過分渲染的浪漫蒂克的調子，和故意掘發的 Sentimental 感，但至少還對很漂亮的畫面有點好感，然而看《痴戀》時，就覺得：夠了。而這種的感覺，你看《蝴蝶春夢》時無論如何不會有。當然，一個人不輕易，甚至不可能偉大過他自己，但戴維斯似乎應該求變。

我看《痴戀》，只覺得作為一個電影，架構和形式的面貌尚能觸及我們的眼睛，如果要深一層，以這麼的一個故事來打動我們的心，說服我的感情的話，就十分脆弱了。因此，比較起來，很純粹的《色情男女》反而更能觸及我們的靈魂。對於一個傻氣的小女孩的戀愛，戴維斯的落筆實在是重了些，那種感情也不應該是這個時代所應有的，儘管在結尾的一連串寫照中，戴維斯是指出吉蒂已經把一切淡忘了，她已經結識了新的朋友，開始長大起來，卻已經沒有甚麼力量來喚起我們的共鳴。這個電影並沒有能夠脫出一個殼，而是被困在一個模型裏，這個模型，早已出產過無數我們經已厭倦了的形象。即使為這麼一個型添再多的外衣，又怎麼樣。不錯，流暢的畫面轉位和豐富的銀幕位置經營很叫我們醉心，但也正因為這樣，我們知道戴維斯的努力不外是在勉強粉飾一座廢墟，而堆砌的痕跡着實使我嘔心。

我不知道許多人現在正在為甚麼而電影，但我知道我不贊成許多電影的方法，諸如大衛連，他是在那裏為偉大而電影，諸如羅渣華丁，他是在那裏為新鮮而電影，諸如其他許多，有的為了熱鬧，有的為了潮流，戴維斯呢？他也有一個陷阱，他是被困在為了努力藝術一番而電影起來，可惜的是，他的電影絕不很藝術，又不很電影，從他，我們找到極少量的才氣，多的全是別人的剩餘價值。我這樣說，似乎認為戴維斯一錢不值，其實，我並沒有這樣〔的〕意思，至少，《痴戀》是屬於知識份子、文化人的電影，在稱得上「術」的層次上，它仍有它的位置的。當拿《痴戀》放在磨刀石上試驗的一剎那，我根本否認一般時下電影的存在。

我個人則十分喜歡烈打達仙涵，她這種形象的確是十分鮮明的，正如電影裏邊彼得芬治的說法：「這種女孩子是越來越少了。」我們可以找到無數個莎拉米路士，但烈打達仙涵，數千個人中大概也只有她那麼的一個！這是她的難得處，而她從來不像誰，她就是她自己，美麗或者醜陋，她從來不是別的人。

《痴戀》在香港放映其實很好，這裏的觀眾應該接納一下這種電影的，首先，它的確有一個很完整的故事，叫許多愛看「文藝」片的人安了心，其次，這裏的觀眾正應該漸漸去習慣去接受電影上的表現形式，而《痴戀》可以使他們多少有點「獲得」。如果像《痴戀》這樣的電影多些充塞這裏的市場，觀眾將會見到《色情男女》時也不必目瞪口呆了。說實在一點，照《痴戀》的一段戀情而言，香港的觀眾感到喜歡的也大有人在，否則，瓊瑤的小說也不會那麼暢銷了。我對戴維斯的作品並無特殊的好感，他甚至不能代替我心目中任何一個比他更糟的導演的地位，只是，有一點，我們得清楚，戴維斯也有可取的地方：作為一個導演，他是有誠意的。《痴戀》這棵植物，仍是向陽生長的生命。

西西（一九六七年三月號）

春風得意龍虎鳳

我想：風格還是挺重要的。即使是《蝴蝶春夢》和《瑪莉亞萬歲》是兩部風格很不相同的電影，但因為它們都各自有各自的風格，所以就可愛起來了。甚至我很不喜歡的「占士邦」片集，它本身也有它可愛的地方，就是，它的風格。

電影不能沒有觀眾，實驗電影愛唱高調不理觀眾是在那裏吹大氣，哪裏有藝術品不需要群眾的，只不過是這樣：如果沒有夠水準的欣賞者，則寧願不要欣賞者而已。這實在是有沒有的問題，而非要不要的問題。電影是要觀眾的，《蝴蝶春夢》的觀眾較少，《瑪莉亞萬歲》的觀眾較多，照我看，這兩部電影一〔樣〕可愛，我們不能認為凡是嚴肅的、板起臉孔的就是第一流，嘻嘻哈哈的，十三點兮兮的就不是東西，因為群眾分為若干等級，既然學校也分為大學、中學、小學，我們就得為為觀眾着想，並非所有的觀眾都是大學生、藝術家，一定要看《血印》，人裏邊還有許多並非學生，難道電影就該對他們特別苛待。在理上說，我會比較喜歡甚麼費里尼、高達他們的電影作品，但在情上說，我反而喜歡《瑪莉亞萬歲》，因為這才是觀眾的電影，而《春風得意龍虎鳳》正是這一類。

在時下特務片風行的環境下，犯罪似乎是一件小事，殺幾個人也好像沒甚麼了不起，人是越來越冷血，殘暴，麻木，而且，往昔那些高貴的情操如：路見不平，拔刀相助；自尊，自信；雖千萬人吾往矣的無畏精神等等都不見了，《春風得意龍虎鳳》卻把這些騎士風，俠義風全抖了出來。大家一下子好像回到十六世紀去，率率直直地生活起來，那無論如何是使人十分嚮往的一種生活方式。

有一種人很會說笑話，但他的本領不在此，他的本領是既說了笑話，看着別人笑得站不起來，自己卻好嚴肅的，好像沒甚麼好笑。《春風得意龍虎鳳》就是這麼的一個作風，這個電影老是冷冷的在那裏講笑話，而自己故作不知。它是在胡鬧，但又要叫你覺得這其實並非胡鬧，於是觀眾想深一點就更嘻哈絕倒。我個人比較喜歡的幾場是：巫醫追蹤阿倫狄龍倆，陰惻惻的叫人老替阿倫狄龍擔心，但結果卻是意外地巫醫碰上了樹幹而變了個落馬客。這簡直就是寫文章的常用的 Climax，誰知結果竟是 Anticlimax。騎兵追逐阿倫狄龍，果真如他說的是十分盲目，只見阿倫而不見紅蕃，大家各行各路。臨終的一場大決鬥，事先的一場爭論就已經趣味盎然，狄龍要來西班牙式數步伐，甸馬田卻要美國西部的鎮頭鎮尾出現，從這方面，我就覺得編劇的聰明。到了真正的決鬥，就全靠鏡頭的技法了，先是遠景，中景，近景，再順次以特寫，大特寫出現，這種誇張是適到好處的。

這部電影的剪接還有一個特色，它似乎特別愛選用劃來交換場面作轉位的媒介，照正統的經典的電影方法來說，劃這種手法早已落伍，可是我們不是明明又見到「劃」在本片中是如何生動活潑嗎？狄龍穿了漂亮的軍服逃走時，在村中遇到過路人就「劃」的換過了衣服了，像這樣的劃法，片中用了不下三次。我是認為，一切陳舊的東西，只要寓予新意，都是〔可〕以再現其精神的。

不用說，阿倫狄龍迷是不會錯過這電影。我只希望所有的阿倫狄龍迷不要太着迷於狄龍的形象，而該去注重他的個性和氣質。着重狄龍的形象是會使大家十分失望的，我不知道那些迷是否知道狄龍那麼白而整齊的牙齒原來都是假的，而他的下巴卻有一個長長的疤。我是知道這些的，且我認為這些無損於狄龍的神氣，是他的氣質叫我們喜歡的，是不是？而且，狄龍的英文很糟（就算再糟）也無所謂，因為他本來是個法國人。

西西（一九六七年四月號）

女巡按

這那裏是電影，我已經說過幾千次，這樣的東西是不能算是電影的。電影要講究技法，講究影像，但《女巡按》那有甚麼技法，那有甚麼影像。它就光是給你說書。當然，如果我們把電影這個概念放平穩一些，《女巡按》也是一種電影，但我只能把它列入電影範疇裏的一個小角落去，稱它為「對白電影」，「歌唱電影」，「分場電影」，「舞台實錄電影」，「中國式戲曲電影」。

電影之所以電影起來，是因為它並非無線電，並非唱片，不是最最聽覺的藝術（我是一直認為電影是視覺的），所以，看電影的人總是強調看，而不是聽電影，《女巡按》卻仍然是那類叫人聽的電影。

電影不是不可以叫觀眾聽，聽的方面也有兩類，一類是非對白的，如配樂，聲響效果等，都不是叫觀眾去特別捕捉，細心理解的，那不外是配合劇情的發展，輔助劇情的進行來刺激觀眾的情緒的。一部好的電影往往使觀眾在不知不覺中潛入音響的境界，而非生硬地在那裏分辨樂器的類別，或音響的來源。對白比較不同，對白比音響要求更多，對白至少要觀眾聽後加以思索，而這一個過程，甚使觀眾分心，好的對白應該是帶引的，它可以由一個問題引向一個問題，帶領觀眾去思索。談話本來就是溝通人類心靈的交通的一種工具，不會談話的人，等於不會表達自己思想，亦不能理解別人思想的人，而談話是一門相當高深的藝術，電影中既然有所謂對白，則對這門談話的藝術必需把握得十分純熟，才對電影言語有所幫助（這裏的語言只是指對白）。任誰都知道，要談話有條理，思維有秩序，是屬於邏輯學上的，就不是說《女巡按》裏的對白不夠邏輯，我只是覺得，它的對白基本上其實都是最幼稚的，起不了語言原該有的作用。這就像我們跑到街上碰到一個朋友，只問他「吃了飯嗎？」或者是「上街去嗎？」這麼的無聊話。這種交談的方式是最沒語言交流的意義的。但這種情形，我們就在一般的國語片中普遍地發覺到它的存在。最近我在看過高達的《已婚婦人》之後，這感覺更形強烈，《已婚婦人》也是一部對白甚多，甚至獨白甚多的電影，而那些對白卻並非廢話，願今後的國片有所改善。

歌唱式的電影，尤其是黃梅調，是我國的特產，就像《仙樂飄飄處處聞》這類的歌唱片是美國的特產，它既然有一份風土味，擁護它的自然仍有一批人，可惜的是，時至今日，我們已經無法「望梅止渴」。

而在《女巡按》裏邊，不少人都會感到演的雖是李菁、蕭湘，而背後的靈魂竟是凌波。即使是我，也不免一面看，一面記憶起凌波的聲音笑貌來，蕭湘的演技也和凌波相差甚遠。反而祝菁的演出倒顯出她是一個可造之材，李菁的演出全是導演的副本，而那一幕見寶劍而心驚的一剎那表情，竟是《紅樓夢》王文娟在樹下的一個翻版，頗叫人有點觸目驚心。李菁演這一場大概十分辛苦。似乎這類戲曲電影的人物的動作表情是無法創新的了；歡喜時循例拂拂袖子，輕飄飄地蕩蕩腿，悲悽時是眼定定，一隻手指向前，一隻手反按腦後，這情形，也就和歐美的芭蕾舞電影一般糟，在舞台上還算可愛，一上銀幕，其電影味就像一樹枯葉，紛紛落盡了。聽說，芭蕾舞也在以新的姿態出現，則黃梅調又如何？

《女巡按》本是戲曲，在舞台上演出是分場的，一幕幕一場場原是舞台劇的特色，現在雖然搬上銀幕，分場的鮮明界線還是顯著的，我們批評的時候，自不可以拿它和時代劇相比；若是以電影論電影，這條呈現方式當然是十分下乘的。黃梅調可以偶而為之，十年八年拍一部可以使我們溫溫故國之情，就像中秋節吃吃月餅，端午節吃吃粽子，無傷大雅，若要以它投入電影的行列，就不免有點自慚形穢了。

西西（一九六七年四月號）

香江花月夜

井上梅次絕非黑澤明，任誰也沒有信心寄予他以最大的期望，但即使井上梅次只是井上梅次，這一部一而再，再而三，死灰復燃的《香江花月夜》，他已經有過再造三次的經驗，這一次，他給了我們一些甚麼呢？首先，我們要求的是電影技術上的穩定，無論在景物的佈置上，銀幕的構圖上，情節的起伏上，真幻夢境的穿插轉位上，他都應該把握得很純熟，就算不能創新、改善，最低限度不能倒退、敷衍了事。而井上梅次沒給我們任何滿足是一個事實。

井上梅次似乎着意把精神向歌舞的場面全盤地投入，因此在抒寫現實的時空時便顯得有點草率，他不是在把劇情集中在這群人物的感情變化上，而是致力於努力把三姐妹導向另一場舞蹈的開端，藉此展示電影中最不堪一顧的所謂豪華。這一方面，我們看愛絲德威廉絲的游泳展覽還不看得多嗎？硬湊的歌舞，加上女明星出浴的招數，我不〔禁〕懷疑，這個電影要說的到底是甚麼。

有人在看《香江花月夜》想到要滿足自己的「感」覺，我們不過要求滿足「視」覺，我們只是想看看，不希望它給我們甚麼意義，我們不去苛求題旨，我們只帶着眼睛入場。其實，我們的眼睛，也絕非那些大白船、阿高高的幾個舞蹈場面可以填滿的。當我們扯下所有這些粉飾的堂皇，其內涵竟是何等貧乏，不錯，搭佈景是很花錢的一種投資，所以電影常常挖空心思來瞞天過海，所以電影裏邊就有了一大堆的接景，背景拍攝等等的技巧，《香江花月夜》的實景不多，差不多全是清一色的攝影棚佈景，但使我們奇怪的是：這種電影給我們看的既然就是景物的繽紛，卻三番四次捨不得為我們擴展視野，鄭佩佩和陳厚若有心曲要訴，何以偏偏只有天台可以攀登。（而且又顯著地在那裏重溫《夢斷城西》的舊夢。）

我們是沒有苛求題旨。我們甚至並沒有要求電影以喜劇終場，可是以《香江花月夜》的結局來說，這部電影寫的是三個倒霉的人，還是三個無巧不成書的湊合故事？秦萍這方面的發展（剛好是很熟悉的一段《孤鳳奇緣》的脫胎）碰上一個性情暴戾，天性孤僻的藝術家是說得過去的，何莉莉碰上了小喇叭手就有點不近人情，甚麼愛情事業不能和平共存之類的論調，說得不着邊際不去提它，凌雲這個角色怪裏怪氣的，就像沒長了根的一棵植物，在電影裏邊也站不起來，至於陳厚的角色更糟，為了巧合，好配上其他二姐妹的命運，只好犧牲死掉。這部電影無疑是情節十分曲折，而且還破例地悲劇收場，但若要把它當作一個悲劇辦，則它的悲情處又在哪裏？相反地，臨終的一場歌舞，表演得如此興高采烈，我反而覺得這倒像是個喜劇了。這裏的電影既愛贈送催淚彈，又愛加贈安慰丸，觀眾可真是受惠無窮，得益不淺。

我個人並不反對歌舞片，歌舞片是很可以造就，很可以走向的一個門路，比較起來，我寧取歌舞片中的《歡樂青春》，那部電影我們至少可以感到它的活潑與明朗，反觀《香江花月夜》，只是死氣沉沉的濫調，有的電影以影像為主，有的電影以意旨為主，現在的電影多數偏向影像而意旨趨向貧弱，國語片一向對影像的把握不夠，但好處倒反而是總不會言之無物（雖然其物並不動聽），若是一旦影像的把握不夠，連僅剩的一點意旨也溶解掉，就更可悲了。倒是我對國語片的演員非常有信心，無論鄭佩佩、秦萍、何莉莉，她們的努力是有目共睹的，她們呈現的可塑性且還出奇地鮮明，但此時此地，也只能委屈一下了，就算來了個麥士璜西杜也沒戲好演的了。

日本的電影不景氣，所以井上梅次到香港來，香港的條件欠佳，所以《香江花月夜》很差，我也不知道以後這些人和電影該怎麼辦，這樣子下去，大家只有彼此拖死而已。

西西（一九六七年四月號）

傻大姐偷情

電影是甚麼東西。一個說法是這樣：它是一間屋子，有人把屋頂掀開了，讓我們向內瞧。《傻大姐偷情》是這一類。這一類電影最可愛的地方是：它真。我個人比較喜歡這一類的電影，即使我看到的是我最不願看的，或者是最醜陋的，因為，童話或者神仙故事雖然美麗，都是騙人暫時開心的海市蜃樓。

「同羽的鳥集結在一起」。童話式的電影多半是那樣，所以：所有漂亮的公主都嫁給了所有英俊的王子，一切的悲哀事件都有圓滿得令人不容置信的終場，《傻大姐偷情》並不，結局是許多人很不高興的：蓮紅墳墓（Redgrave 也）竟然爬進了那麼一個「戀愛的墳墓」去了，但那很真，因為這不是神仙故事。

從這個電影，我們可以覺察到：開代的一代（陸離的稱法，即 Open Generation）的形象是從電影裏透過來了。尤其是男性的形象，阿倫卑斯所飾演的，正是很典型的英國時代青年，我們知道，這個時代裏早已沒有了「騎士風度」，打從馬龍白蘭度的破汗衫起，經過阿倫狄龍的「把女人當作飯桶」的看法，男性的姿態已經作了極大的轉變，這，我們在《色情男女》中已經可以知悉。目前的時代尖端的青年，是穿着最時髦，但氣質最吊兒郎當的。他們會擠到舊衣店去搶購一件古老的船長大衣，會像女孩子似地搽香水，着花得彩鳥一般的襯衫，這是外表。內在方面，他們無意作甚麼英雄，不幹大事，不立大志，沒倫理道德觀念，既不愛亦不戀，追求女孩子就是為了做愛，當上了父親只不過是不得已。香港對這本應很看不順眼，但我認為電影以此來拿出來並沒有甚麼不妥，我在上面已經指出，真是一件事，願意不願意接受又是一件事。

法國導演高達最近在一篇自述的文章中就提過：一切的藝術起初都愛模仿，到後來必定走向創造。高達承認他在第一部電影中「抄襲」甚多，電影中的大半都是從別的電影中見過而移植過來的，但現在，高達認為他必須創造，他說：我們必須以處女眼進入現代的生活。對於《傻大姐偷情》，這無異是最貼切的一句話。《傻》片要描述的本質上並非喬治亞這一個女孩，而是整個生活的寫照，我們自會發現，它和《色情男女》格調上有類似的地方；同樣是在呈現現代生活的風貌。如果我們專心去注意拋向空中的一束花降下來時已流轉為不再是一些花葉而是雨；或占士美臣揚一揚帽接下來是緩緩上昇的教堂頂，這不免有點盲人摸象。

無疑，喬治亞是個喜歡過乞丐生活方式的人所喜歡的女孩子。如果有人明白，穿大兩個號碼的毛線衣是多麼舒服開心時，就會明白她為甚麼要走五步路跳三步。有人活着為了別人，有人活着為了自己，端看各人的取捨。蓮格里美在許多方面及不上她姐姐，但演喬治女郎，溫妮莎無論如何及不上她。阿倫卑斯演活了他要演的，他果然是一個演員，沒想到一向很沉靜呆板的他（如《古城春夢》，《一夜風流恨事多》）居然這般靈活，既沒有米高柏斯的憤怒型，又沒有泰倫斯史丹的憂鬱味。這兩個人的演技和性格在電影中十分吸引我們的眼睛，但值得我們醒覺的是，這個電影要說的還是：看這一代，不是看這個人。

意大利的喜劇中常加插豐富的花絮鏡頭，《色情男女》且以旁插的事件作為外界對圈內的評判，在本片中，這種手法沒有重現，但是也絕非沒有冷靜的袖手者，我以為阿倫卑斯坐滑梯時，公園椅中坐着父親和他的孩子們，很足以代表一隻現代眼。而且，和孩子們坐在一起的，不是母親，而是父親。

倫士（一九六七年五月號）

創世紀

羅倫蒂斯要拍整部的聖經，照《創世紀》的成績來看，他和和路狄斯尼犯了同一的過錯。和路狄斯尼製過不少令人很懷念的電影，但他失策到製了一部《幻想曲》。他錯到以畫面主觀地來描繪音樂的靈魂，因此，貝多芬光芒萬丈的《田園交響樂》在他的卡通畫筆下，竟成了一串小丑般的漫畫公仔。和路狄斯尼當時實在忽略了人類對「概念」所產生的聯想力是如何地豐富，對於一些抽象的美，怎麼可以拿一些狹窄的具象體來替代呢？

同樣地，羅倫蒂斯也踏上了同一的歧途，試想，伊甸園在人們的心目中是一個何等神奇、何等美麗的境地，但在《創世紀》裏，竟原來是一片黃沙。分別善惡的樹和樹上的蘋果，實在沒有理由可以迷惑得了夏娃。羅倫蒂斯沒能把握伊甸的靈魂，對於整部聖經來說，這一首序曲如此微弱，實在不能引領將臨的旋律。

「創造世界」以旁白為主，但到了「伊甸樂園」開始，就採用對白，不過旁白還是不時出現的，並且旁白是代表了神的聲音，我只是覺得，無論旁白或對白的交流，《創世紀》是最可以用新的姿態來出現的，譬如神的聲音，為甚麼不故意誇張呢？祂可以是極其響亮嚴肅的，或者是極其輕微而和藹的，神的聲音絕不該和人的相似，三個天使的聲音甚至也應該十分鮮明特殊，以顯示其任務和身份。但導演尊赫士頓只很傳統地以普通人聲替代算了。事實上，這部電影若以全部旁白貫徹全片，倒還有點風格。「創造世界」一節以抽象畫方式出示，頗有點實驗電影的作風，這裏可以故意誇張每一日夜，盡可以淡出淡入七次，不過導演反而不敢，到第六日又匆匆迅速地溶起來。

我對「創造世界」和「伊甸樂園」兩節最感不滿，因為這兩場似乎〔是〕最能發揮導演才華的好機會，譬如許多的導演都在努力為彩色電影開闢新的境界，即使是很真實的環境也不惜採用主觀彩色達成電影情緒所要求的效果，反而可以自由創造的樂園，卻平淡得還比不上黑白片，看黑白片時我們還可以想像彩色，現在既有彩色，還有甚麼景象可以藉以再造。

「兄弟鬩牆」一場把握得最有力，李察夏里斯的演技幾乎是《創世紀》唯一的支持。（彼得奧圖的戲有限，演得不差是電影本身的神秘身份襯托的，米高柏斯因為裸了身體，只靠攝影鏡頭的推拉，說不上有甚麼演出。）我個人比較欣賞稻田中的逃避情景，畫面構圖和色彩都頗具氣氛，整片的一連串「黃色系統」的色素，也只有這一畫框最貼切。

「洪水方舟」是一場給小孩子看的馬戲電影，比費里尼的馬戲自然要差得多。《創世紀》開映到這時，已經把「創造世界」時所悉心營造的宗教莊重氣氛掃得一乾二淨。直轉下去的「摩天高塔」是最乏善可陳的，這就是意大利典型的大力士類型的宮幃片的印版之一，那些場面就和建造甚麼金字塔同出一轍。後來的一兩場兵來馬往死了一些人簡直就是俗不可耐的戰爭片如《成吉思汗》之類可以剪一段下來接上去的廢料。

「天火焚城」比較起來還有可取，天使的造型和罪城的寫照都不算太差，但還比不上《流芳頌》的醜惡之巷。阿伯拉罕以獨子為燔祭一節是可以達成一個高潮的，但是卻顯得無力，悲情不夠。當然，單是以這一個題材就可以拍成一部幾十分鐘的極佳的短片，擠在《創世紀》裏不外是佔了六、七分之一，然而，重要的也就是這六、七分之一吧了。

看《萬世流芳》失望，看《創世紀》也失望。這類電影，可惜了幾個演員。若是要看，難道這裏沒有《觀世音》可看。真係谷氣。

倫士（一九六七年五月號）

香港女伯爵

當你死去，認識你的人會說，你曾經是一個可愛的人，你曾經活過意義，但當你活着，當你老去，當你的眼睛看不清楚一頁書上的字，拿着一條線而穿不過一個針孔時，曾經認識你的人只會說，你老了，你不中用了。他們從來不記得你的過往，從來不珍惜你的光榮的時刻，他們希望你像機器一般地準確，山草一般地常青，人是多無情呢。精密的太空船還是自焚了，年青的總統還是被刺了，何況是時光。

當你到了七十七歲，你將怎樣。你的腿也許早已不能活潑地移動，你的心也許早已灰盡，你能像畢加索那樣嗎？他還塑造了整屋子的紙偶鋪滿了別墅的長梯；你能像卓別靈嗎？他還導演了《香港女伯爵》。銀幕上的差利白了滿頭的髮，但他的笑容還是充滿陽光的，馬龍白蘭度為甚麼會答應演這樣的一個「落伍的神仙故事」（一個影評家的說法），蘇菲亞羅蘭為甚麼也遠離意大利，和矮她整個頭的馬龍站在一起，因為大家都知道，當一個七十歲的人還有那麼的勁，當一枝將熄的燭還要發光，這種精神是值得支持的。

卓別靈是在懷念他的過往，我們從船的暈眩，海浪的起伏中都可以找到昔日差利的投影，當一個人老了，他不再向前衝，他愛回顧，他甚至已經無力憤怒地回顧，所以，卓別靈的顧盼是慈祥的，是古典的，他在重整昔日的美好時光，他彷彿一個正在整理舊相片的老人，獨自在蔭簷下翻看褪色的日記。

我甚至相信這是差利卓別靈的一個紀念的作品，他幾乎已經把這個電影當作是進入照相館拍的一幅「全家福」。和孩子們在一起吧，女兒呀，男兒呀，時日無多了，讓我們一起呆多一陣，日後好作記憶。

對於這個世界，卓別靈仍是那麼樂觀，經過了這麼多年，從他穿大皮鞋的日子開始，他似乎一直對世界充滿了信心，你當然記得他那些電影的終結，陽光老是燦爛，他就朝着陽光的那條路上走去了。這些年，卓別靈並不是不知道世界究竟怎樣，但他絕不給我們新潮的「苦和悶」，也不給我們時代的「壓與力」，他仍像一個溫暖的家庭中的長輩，每到聖誕夜的時候，就對孩子們說：聖誕老人會從煙囪中下來。

《香港女伯爵》的童話感很可以打動我們的心，也許我們會因為多翻了電影文法的 ABC 或者咪了一陣電影東電影南電影西電影北，而看不起它的章法，其實，卓別靈本身就創造過他自己的電影文法的 ABC，我們拿他來審判他，將會發覺他是非常忠於自己的，直到這個時候，我們甚至可以肯定，卓別靈的電影中，並沒有贋品。

在眾多的製成衣服中，夾雜在紙衣，罐衣，塑膠雨衣之中，一件中國的短棉襖也許就顯得相當落伍了，可是它就是那麼可愛而又溫暖的一件衣服。《香港女伯爵》也許在眾多的電影中落盡了它的光彩，但它卻是個能引帶我們對差利作懷古幽情的導體。

在新的一代中，我們將無視於英雄，超人，也不重視倫理，道德，許多往日的可貴的情操都漸漸地在隱沒。《香港女伯爵》的題材雖舊，對於名利的取捨仍能拿得起，放得下，這實在也是卓別靈自己的心聲，作為卓別靈自己，《香港女伯爵》的成敗得失，他實在不必過於重視，人活着，名利，褒貶對我們有多大的用處，人的樂趣仍是蘊藏在不斷地工作中，燭的用處在於不斷地發光，燭是否美，燭是否偉大，對燭並沒有意義。

薛西佛斯推石上山，許多人引用過千百次，以卓別靈來論，他是個始終在那裏推着石塊的青年人，他在工作中應該已經獲得了他最大的報酬，一切的指斥，一切的稱讚，能追隨他多久，又能替他鑲飾甚麼，剝奪甚麼。

倫士（一九六七年五月號）

蘇聯潛艇大鬧美國

這是部給美國人看看的電影，給那些不知道越南在打仗，不知道世界上有資本主義社會主義，及那些分不出中國人和日本人的美國人看看的電影。這個電影講了一些道理，大家互助合作呀，相親相愛呀，和平共存呀，使那些人很開心，然後又說，我們之所以會打仗，完全是由於誤會，完全是由於傳說裏邊的你們都是很可恨很殘暴的。

整個電影要說的就是這些，那倒無所謂，我們當它是《神奇媬姆》的床前〔故〕事好了。結局的一段高潮是一群人擠着去救一個小孩，屬於「無巧不成書」的情節，也不外是告訴你，是嗎，告訴過你的，大家是會互相合作的呀，一群人於是護送潛艇出海，就是說：和平共存呀，蘇聯青年小伙子碰了美國嬌嬌女，也就是相親相愛了。

拋開那個故事，我們可以看得出，這種電影就和比利懷德的那種完〔全〕不同，這部電影是靠動作取勝的，比利懷德靠語言。電影裏的大肥婆和大作家被綁在一起跳跳跳，滾滾滾，就很典型。在風格上，這個電影也近似《瘋狂世界》，收效果的方法也是採取直接的交替反射式。凡是以動作取勝的喜劇都免不了追追逐逐，車是追逐的條件之一，船是其二，人的奔跑，是其三，此外，為了表現速度還可以加上飛機，滾動的物件，這些《蘇》片裏都齊了。

我比較喜歡《蘇》片的配樂。片頭設計時的配音已經是美曲蘇曲交替來配合美旗蘇旗的畫面，一群潛艇人物上了岸走向教堂時，配的竟是〈基督精兵歌〉，而這類的配樂，當然比無數的對白有力。

《戰艦普特金號》是俄國的一部著名的電影，也是電影史上的一部經典作品，裏邊描述戰艦叛變的經過，在本片中，那個潛艇靠岸的姿態，艦長說話的姿態，就十分叫人想起《戰艦普特金號》，這一點，也是導演的聰明。

這一類的喜劇都不會忘卻了描述小人物的動態，靜靜地諷嘲一番，人物如過氣的軍長，小郵局的緊張大師，電話台的長舌婦，都是好素描，甚至是飛機場的一個小廝，也是怪裏怪氣的，至於那個一天到晚跟在馬後面追趕的酒鬼，也很典型，電影借他還在那裏大嚷「俄國人來啦，俄國人來啦」而收場，實在是很貼切的。以這一個電影來說，香港人看看很適當，裏邊的彩色、人物、故事、技法，我們都可以不必理會，我們只取其中一點加以深思就已經很夠了，像：謠言是多可怕的哩。

和《瘋狂世界》相似，這個電影的題材和它的表現方式很相襯，它只是很平穩的用很普通的方法來拍成，既不像《扭計師爺》故弄幻虛，潮流潮流一番，也不像《瘋狂將軍》賣弄手法，高級高級一陣，看起來，本片比較樸實，即使是很彩色的風景，很明艷的服飾，但它本質上仍是很樸實的。再拿《扭計師爺》對比的話，《扭》片看上去黑黑白白，人物幾個，故事簡單，但卻花巧一大籮。

本片並非一部十分精彩的喜鬧劇，喜劇得不到金像獎的寵愛是數十年來的不成文法，而本片還兼上鬧劇的成分，參加競選自然要敗下陣來，它之所以參加競選，憑的就全是甚麼「互助合作，相親相愛，和平共存」的一點上，因為這大概就是不少美國人的心聲，《蘇》片大概以為影藝學院諸公也會慈悲為懷，投以同情一票。我對美國人的天真一向很欣賞，他們老是很樂觀，很爽朗，很坦率，可惜的是天真的支持力是有限的。

西西（一九六七年六月號）

瘋狂將軍

很偉大的樣子。但不偉大。

拍電影和畫畫大都有兩個出發點：一是拍甚麼，即是畫甚麼；二是怎麼拍，即是怎麼畫。譬如有一個人想畫畫，起先他必需想想畫甚麼，他可以畫風景，可以畫人像，可以畫蘋果。於是他想。當他決定了之後，他又想，怎麼畫呢？具象的呢還是抽象的呢？野獸一點的呢還是印象一點的呢？當他決定了之後，他就畫了。通常電影也是這樣，一般上都是先有劇本（即是拍甚麼），然後想：怎麼拍。因為先有「甚麼」，才想到要怎麼拍。起初的電影都是這樣子。後來，因為「怎麼拍」而想到了許多方法，於是，有人把「拍甚麼」，「怎麼拍」的次序倒了過來，變成了「這樣拍」，「拍甚麼」。我們因此也就覺得「這樣拍」，拍出來電影十分新鮮。許多人也覺得「這樣拍」可以發揚一下，就把「這樣拍」搬了過去。

《瘋狂將軍》是一部採取「拍甚麼」，「怎麼拍」的方程式的電影。但它想到「拍甚麼」在先，卻沒好好地考慮「怎麼拍」，而是移植人家發明的「這樣拍」。所以，我們一眼就看出，《瘋》片的交錯交錯的穿插，把時間空間拌在一起，又撥弄成一堆堆，完全是阿倫黎里的《廣島之戀》，《去年在馬倫巴》的方法。這個電影完全忘掉了《廣島之戀》一等電影所以「這樣拍」和它的「拍甚麼」連繫得很密切，非此不能表現內在的味道來，但《瘋狂將軍》的毫不詩意，缺乏幽邃境界的題材以這個形式來表現，實在很不相配，等如一個衣不稱身的怪物。我們當然明白，時空交錯倒亂的拍法，其形式即是內容的一部分，是跟兩位一體的，看起來等於是二而一，但在《瘋》片中，它們明明是各走各路，你發〔展〕你的故事情節，我倒亂我的次序，不但轉得我們頭昏腦脹，而且越轉越散漫，前後的呼應不夠，場與場的風格不連貫，就是很異相。我們大概會以為，這部片大概是十多個導演，一人搞一場拼起來的東西。

名字有時是毫無意義的，像這裏的彼得奧圖，奧馬沙里夫，不知道在演甚麼。這和《諜海群英會》一般，你大名鼎鼎〔的〕哈洛品德又如何，編的劇甚糟，你大名鼎鼎的麥士馮雪度又怎樣，不外是個金髮木偶，演員們是十分努力的，因為他們本身都是好演員，但你看看彼得奧圖硬綳綳的模樣就好笑了，看看湯葛坦尼偷情的那段就生氣了，真是亂搞。

電影沒說些甚麼。這些日子大半的電影都很糟，給你一點彩色，幾個明星，一個你以為很「重」分量的故事而原來不是的題材，高明一點的還要一套技法，難怪越看越沒電影好看。我們很喜歡的波蘭斯基，拍一個發神經的女孩。很原諒她似地，啊！因為她在發神經呀。我們也很喜歡的卡民拉羅維支拍一個發神經的修女的故事，也很原諒她似地，啊！她是發神經嘛。現在，《瘋狂將軍》拍一個發神經的將軍的故事，又是很原諒似地，啊！他是發神經呀。我不知道大家怎麼想，我們大概大家都應該當起弗洛伊德來了。一個人與眾不同好像是天公地道的，每個人都要找藉口替自己辯護，而電影，現在偏喜歡給別人辯護，偏喜愛選冷僻的角度暴露人性，世界本來已經夠麻煩，再加上這些「這樣看」，「這樣想」來解釋，大家發發神經都可以說得過去，大家殺幾個人也沒甚麼了不起。我的意思也不是說拍電影就不能選冷僻的角度，只是有時為了譁眾取寵而標奇立異，或者為了投向技法而不擇手段，未免是低級一些。如果要站在德國立場來看，奧馬沙里夫既是這麼忠於職守，卻又公然和法國地下份子打交道，則他取志的，是職是國，又值得加以批判了。電影本身的立場還沒站穩，觀眾不受影響是幸。

倫士（一九六七年六月號）

扭計師爺

比利懷德是個有他自己的風格的導演。因此，看他的電影時，就不免要對自己說：這個電影所以會變成這樣子，完全是因為比利懷德導的演的緣故。電影裏面好多好的對白，多得叫人來不得聽，而讀字幕的人又好像在那裏看小說似地，這，就因為是比利懷德編劇的緣故。比利懷德是個有點墨水的編導，他一編劇本就是這樣子的。我們常常覺得，電影應該讓我們多看些，少聽些，電影應該比較上讓我們覺得是在看畫，少覺得是在讀小說，但比利懷德不愛管這些，偏愛給我們大串大串的對白。不過，我們得明白，比利懷德是這樣的，因此，他很少用甚麼大賽車，追追逐逐之類的鏡頭叫我們瘋狂，而是利用語言來針刺我們，在這方面，他頗似卜合。

如果我們很少看電影，一定就會覺得比利懷德這部電影相當出色，而且，知識份子被騙的比其他人還要多，文化人多數對文字產生好感，又偏愛一點幽默，比利懷德很可以按他們所好，事實上，《扭》片的面貌並非全部是新鮮的，段落與段落之間的字幕，本來是默片時代必需的銀幕說明，現在是古老當時興，大家都瘋狂地去發掘出來，東尼李察遜的《風流劍俠走天涯》裏序幕中用了不少，大家覺得新鮮新鮮，就像看見一個七十年代的少女忽然穿了祖母時代的小短裙，就把它當作了時裝。不錯，電影的閣樓裏是有很多寶藏可以搬下來陳設在大廳裏，越古老的家具往往是夠氣質，因此，像電影中最令人側目的字幕哩、劃啦，現在都流行起來了，尤其是經過那些地下電影，新電影、新潮、怒潮的沖擊，電影中的最細微的毛髮也給放大了幾倍。高達這個導演也愛湊這些熱鬧，分段註譯字幕塞滿了我們的眼睛，而比利懷德呢？他聰明，他知道潮流，而且他〔懂〕得取悅知識份子。

《扭》片中的律師是最鮮明的人物，比較起來，積林蒙已經失去了《桃色公寓》中的光彩，比利懷德錯誤到把律師這人物過分強調，使我們把注意力全部投向他。觀眾的心裏是古怪的，有一本書裏說過：觀眾看到一個賊入富戶偷竊時，如果戶主醒來，而產生懸疑時，觀眾會渴望賊人迅速機智地逃走，而不願他被戶主捕獲，這時，觀眾絕對不同情戶主，不想想賊的行為是不對的，而站到賊這一邊來。比利懷德正是如此，《扭》片中的律師的所行所為都是背道而行的，但觀眾的感覺呢，嚇，這個人了不起，好本領好本領，口才好，夠機智，而這麼一來，比利懷德極力要說的：積林蒙是一個善良老實的人，積林蒙是一個可愛的仁慈的人，我們就一點也聽不見了。再說，像律師這樣的人物，電視片中並不算少數，觀眾的感覺還是熟悉的。

即使是最後的一場，兩個人在球場中摔球奔跑的意境，其實也即是《古城春夢》的結局，但比起來，差勁多了。比利懷德這個電影還是脫不出「模仿」的圈子，到他這個地步，他應該是很有創造力的了。我們對於他又只能對自己作以下的安慰：創造的確是很難的，即使是費里尼，他的《魔鬼的茱麗葉》也並沒有創出一些甚麼來。比利懷德和費里尼相同的是，大家都很「作狀」。但費里尼好一些，他至少是為自己喜歡而製片，比利懷德，他比較投合觀眾。這就難怪去年的紐約電影節，《扭》片竟落選了。它連參加展映的機會也沒有，當然，比利懷德很生氣，指評選人沒有眼光，缺少慧眼云云。他大概以為以他自己的書卷氣，加上黑白製作，就可以闖進電影節的大門了。

電影說明書印上了演員表、職員表，我想：這是一件值得繼續下去的事，電影院要宣傳，刊廣告當然對，但是，刊演職員表似乎應該是電影院的責任。電影院這麼做了，我們很贊成、很欣賞。

倫士（一九六七年六月號）

春光乍洩

世界是在變的。安東尼奧尼所說的就是這一點。他選擇了倫敦，倫敦變成怎樣了呢？從外表的看法是：倫敦的天氣變得不多，仍是陰霾霾的。（所以，即使是那些街道，白得很，灰得很，黑得很；即使是那個公園，陰得很，要下雨得很。）倫敦的男孩子和女孩子變得多一些，這裏已經是時裝的爆發站，於是大家都看出來了，女孩子要迷離迷離的短裙，紅一隻綠一隻的襪子，很流行很流行把很假的內衣拋回製衣廠去。（所以，很神秘的珍脫她的衣服，很想一夜成為 Twiggy 的傻女孩也脫她們的衣服。倫敦就變成這樣，風尚使這個世界變成如此；女孩子，現在是小小屁股，小小乳房的天下了。）男孩子也變的，頭髮更長些，襯衫更花些，袴子更窄些，對於性更光明正大些。（所以，湯瑪士兩手提攝影機，兩腿跨在模特兒的身上。）而觀眾們就在那裏嘩叫。大家都說：安東尼奧尼很黃，但世界的確是如此，世界變化的速度像那輛滿載小丑的車，作巡迴式，像羅盤，那是外在，是群眾。

湯瑪士是群眾中被抽出來被放大的。他是如此自信：通過我模特兒可以成名；通過攝影眼，我可以交出世界。但公園裏的屍體呢，他曾經那麼確實，那麼觸及的事實呢？他的攝影機是否就真的可以捕捉一切的剎那而使它成為永恆。當他向一千個人證實這件謀殺案的經過，有人相信他嗎？人家都會說：「這是你的幻覺。」因為沒有屍體，沒有相片，沒有物證。從這裏起，安東尼奧尼把我們帶到網球場上：小丑們的演出（也是很流行的啞劇，像時裝一般地瘋狂了劇場一陣的）。湯瑪士目擊他們沒有網球，沒有網板，沒有物證。「這是他們的幻覺。」湯瑪士也許會因此想。但他想起已失的屍體，想起已沒的相片。小丑們都那麼地確信這是一場真正的賽事，就像他們對湯瑪士陳述一宗沒有物證的謀殺案。所以，湯瑪士拾起了虛無的球。當你信，就有的；當你重視它，它就存在。相反的說：不信就沒有；輕視它，它就不在了。湯瑪士在吸毒場見到模特兒時問她：「我以為你去了巴黎。」她答：「我是在巴黎。」那是說：你認為是，就是了。

安東尼奧尼絕非希治閣，他不是來講謀殺故事的。他在揭發案事時仍然那麼冷冷地，慢吞吞地，讓湯瑪士走了來又走了去，並且，誰謀殺誰，珍怎樣了，都不再陳述。安東尼奧尼才沒興趣理會人與人之間的是是非非，他要說的是作為一個投影的湯瑪士，他對世界的態度是：從我們的眼中看出去（或者是那隻攝影眼看出去，因為攝影眼比我們更為尖銳），我們所見的不外是虛像，一切都在那裏變；它們或真或假，或對或錯，是人們此時此刻的看法，如果扔開一切所謂「看法」，也就無需認真，無需大驚小怪，即使是一個袖手旁觀自以為站在牆外的過客，其實又何嘗不是這世界裏的一份子。

安東尼奧尼是持機人，他也用他的攝影眼在追捕世界的剎那，他不〔過〕是借湯瑪士的眼告訴我們：我知道這些，我告訴你們這些，我給你們這些，至於你們，就不必苛求一個解釋。

如果拋開這些，我們且看安東尼奧尼如何垂紗在長銀幕上加縱線，使平面變為立體，〔從〕顏色分拆出層次。

且看安東尼奧尼揚棄通俗彩色片的慣用的對比色（大紅大黃大藍，除非是《夢斷城西》才適合的），且看他用古老的古董店襯托時代的室內設計，且看人力如何和機器戰爭（歌手用結他擊打擴音器）；且看人們如何下意識地爭奪一件對自己毫無用處的東西。且看電影要說的就是湯瑪士，其他的人圍着他一轉就消失了。且看被強調的形象如珍和女孩，就不曾為了美化女觀眾的時裝眼〔而多〕換過一襲衣服。

倫士（一九六七年七月號）

英雄本色

我總習慣把電影分為三類：

一、是那些很有話要說，但說得很糟，很生硬的。但這些電影也有它的優點，即使是很糟，很生硬，它還是有話要說的，有話要說，無論如何比沒話要說要可取些。

二、是那些沒甚麼話要說，但卻說得很流利，很動人的。這些電影的優點是它的外貌討人歡喜，至於要說的雖然甚少，也就令人原諒之了。

三、是那些有點話要說，還說得很有條理，甚至也有說得十分流利的，這類電影當然是最叫人喜歡的了。一般沉着穩重的電影就多走這條路，認為這一線比較正統。

《英雄本色》所走的路線就是第三條，這種出發點，也就是《切腹》，《血印》等等電影的同一起站，不過，在層次的高低上，它們則各有各的位置。

導演龍剛在拍完《播音王子》之後，才給我們一部《英雄本色》，從外貌上看，《播音王子》似乎更能取悅我們的眼睛，在我，我則把它列入我所列舉的電影類型之二，《播音王子》應該是龍剛實習電影文法 ABC 而在那裏試驗的一件物品，是在那裏如沒甚麼話要說，但卻努力去嘗試要說得很流利，很動人。一年後的《英雄本色》告訴我們，龍剛已經站定了些，棄去了過多的粉飾手法，這是令人高興的，如果龍剛以為《播音王子》的外在足以支撐整個電影的分量的話，那麼他一直插足下去，最終還是像費里尼般，搬一個「神遊的茱麗葉」出來。

在技法上，《英雄本色》並沒有流於形式的賣弄，事實是，雖然在推攞搖方面還是顯得粗獷大膽，對那個場景卻也適合，例如駝叔的被推下石級，我們明知那是為視覺而視覺的，甚至為取他人之長而取的，但也認為沒有甚麼不妥。一般的觀眾當會覺得此片斷新鮮，除非是那些也像我們這類吵吵鬧鬧的，大不了也看過一下《戰艦普特金號》的小子。

《英雄本色》所寫的，一如《傻大姐偷情》，並非是寫這一個人，而是寫這一個社會，也即如《春光乍洩》是寫這一個時代，這一個倫敦，我常覺得，若要透過一個人來牽動脈搏，這個人必需是時時刻刻投入我們的心境中的，《春光乍洩》為例，湯瑪士這名攝影師，就恆常地與我們相處，我們總覺得他無時不在，無處不在，開麥拉眼追蹤的就是他，因此《春》片裏的神秘女郎，畫家情侶，小妖精般的女孩，都是離心物，圍着湯瑪士一轉，剎息就轉得無影無蹤，而湯瑪士卻是那顆恆星。《英雄本色》大概是着意加插社會人物的嘴臉，以至使我們再失去和謝賢的聯絡，由卓雄牽引到弟弟，已經是一個環，再由弟弟牽引到保險公司經理，則已經所隔甚遠，雖然電影是給我們見到一個神經衰落的人物，但其所環繞的中心，已由一個恆星轉到一個行星上去了。作為一個太陽系式的結構，我一直認為，描寫行星比較適當，對於衛星們花費太多的菲林是不值得的。直接，是電影把觀眾壓榨的有利條件。《英雄本色》在寫到釋囚協會時似乎已經把人物的重心分支了，其時我們不難見到麥主任的描述大有淹沒卓雄的趨勢，這大概是傳統觀念的影響，即是：女主角的戲不得太少，麥主任是個重要的人物，且是正面的。

我頗喜歡《英雄本色》，取其賣菜婆之類的一等演出及謝賢之演技及豐涵之外景及絕妙的對白；但並不欣賞片頭設計，獨眼龍之造型，女主角之太漂亮等。在香港來說，《英雄本色》可算是此時此地的一朵鮮花，但我大概可以預知，這一朵鮮花將會和《春光乍洩》，《一男與一女》，《色情男女》一樣，又是插在牛糞上的了。重要的是，我們仍有像龍剛這樣可愛的導演，他花了一年才拍一部《英雄本色》，其中九個月寫那個劇本，拍片的工作日又是被製片家所局限的三十日。

倫士（一九六七年七月號）

梁山人馬

我餓了。她說。那是最初的時候，當事情過後，她就說：我餓。那時候〔是〕早上。終場的時候，她又說：我餓了，事情又已經過去。每當事情過去，她就那樣說。

我們許多時候都是這樣，在事情的過程中一無所知，我們被事件中的一切刺激得遺忘了一切，當靜止下來，就覺得我仍活着。

整個電影說的是一件事件的發生，它對這個世界揭發了兩件事，其一是：青年人十分苦悶。青年人不知為何而活，他們不知道平平淡淡的日子該如何打發。

於是，他們把過多的精力發洩在破壞方面，破壞之後又很少有辦法有力量去重整。青年問題一直是社會上的一個大結，青年人真像汪濫的海水，一沖破了堤岸就不知道該如何加以收拾，但在決堤之前，疏導的功夫又總是做得不夠。《梁》裏邊的那群青年人，似乎是清一色的大學生，大學生，試想想，讀了那麼多的書，活了那麼大的歲數，而使社會頭痛的偏是他們。當然大學生們也該知道自己，也知道社會，但他們就是沒有辦法，他們對一切不滿，做了古怪的事不過是「不知怎的就做了」。

對於青年人來說，《梁》片很能指出了一點：青年人既要找尋自己，又希望失落自己，他們在芸芸眾生中覺得自己的平凡，於是要把自己抽出來，要標奇，要立異，使自己有異於別人；他們要感到自己的存在，有時藉感官的刺激，有時藉向外的爆裂，雖然是幹了強盜的行徑，但那份參與的興奮，和自己出眾的行為，使他們因此滿足。《梁》

片是指出來了，由於這片不是以解決問題為主的，所以只懸而不決。

《梁》片的另一指針是插入成年人的心臟，一個表面上很名成利就的人，他不難有一朝一日發現他的空洞，片中的安東尼昆浮面的看法是他倒了運。

偏巧碰到一群不知天高地厚的小子在搗蛋，但如果撇開這件事件而言，他也終有自覺的一天的。《梁》片不過以此一角色來向世界眾多的人提出警告：你在這個世界上是孤獨的。你以為你的妻兒是你最親切的親人了嗎？不，他們面你歡笑，背後卻把你看得一錢不值，你的所謂朋友，所謂有關人物，都不外是謀自己的利益，誰會為你伸一伸手，若你在世上一旦死去，並沒有一個半個親友的話，真沒人會給你一口棺材。人們之所以在你死後為你守喪，是活人做給活人看。

不外是青年人和成年人各自的處境，本片就有了一個十分堅固的架構。我是認為它很有內容，發人深省處頗多。

在我以為一群演員都能做到應做的地步，米高柏斯也並不算是過火。此片的彩色有點透明感，看上去很舒服，場與場之間的變換也是流暢。主觀的鏡頭特別多，尤其是汽車的衝刺，路的歪斜，屋宇的飛行，如果以別的電影計算，則這些是花巧，故意譁眾取寵而為，但本片中用之，風格甚合，因為《梁》片所寫的畢竟是那群瘋狂青年的行徑，因此，汽車的奔逐正好襯托出青年的野性，起了象徵的作用。

片中的旁白，對白，和畫面的配合很嚴，並且互相彼此溶入，這是國產影片該加以記取的。有人以為本片的故事情節太過突兀，認為擄劫事件太過兒嬉，我在前面已經指出，這不外是一個假設，等於地球儀上的經緯線而已，主要的乃是展示人在群體中的位置，並要求自己如何安放自己。安東尼昆後來的所為可能並非每個人都會如此的，但我們的心意的確和他相同。

倫士（一九六七年八月號）

秋月春花未了情

假如我們是那個女孩子。

我們從小到大，就有一大批的姑媽姨母，三姑六婆對我們說：女孩子要正正派派，做個淑女，一點浪漫不得。但，假如我們偏巧不呢？或說不定，忽然有一天，我們竟然變得和《秋月春花未了情》的女孩子一樣了，那怎麼辦。

導演就在問我們：怎麼辦。你的意見呢？你的意見呢？我們看這個電影〔的〕時候，覺得這個導演的技法着實不壞，那個片頭設計，那些金魚又很活潑，那些電視台的出沒都叫人喜歡，但是，導演不斷在問我們：你的意見呢？

我覺得：這個電影的題材是說得很深入的，大概把全世界的成年人都一網打盡了，人，誰不會戀愛呢，人，誰不也結結婚呢，問題就那麼地追隨來了。你的丈夫和他的女朋友戀愛，你的太太和她的男朋友戀愛，你又怎麼辦。

看這部電影，我相信大家都得多用一下頭腦，少用一下眼睛，至於黑白的攝影不錯呀，茱麗基絲蒂的演技是得金像獎的呀，等等，這些我們都不必太重視了，因為電影的內容，已夠我們去想三天三夜了。

大家一定看出了：這個電影一開始就和別的「談情說愛」的電影不同。它也是「談情說愛」的，但態度好嚴肅，而且是認認真真地在談說。別的電影總是講男的女的如何認識，發生些誤會，不是淒涼分手，就是團圓結局，一般上都是：結婚了。許多的電影一演到結婚就完場了，試想，既然結婚了，有情人成了眷屬了，還有甚麼可說呢？電影一直把那份戀愛描寫得全天下最美的，還好意思繼續扯下去說：有情人成了眷屬原來後來竟離了婚，或者不歡而散麼。所以，電影就總是以「他們快快樂樂地生活在一起了」算數。

《秋月春花未了情》一開始就不是這樣，一開始，男的和女的竟已結了婚了。電影只花了很少的時間描寫他們的戀愛，而着重寫他們個別對愛情的看法。狄寶嘉第的作家對愛情的看法比較穩重，他是人，所以有人的感情，但他有學問，對於理的把握很定。茱麗飾演的女性則比較放，她尋找的是愛情的本身，並不是婚姻這一個虛假的名字。我們當然看得出，她在婚姻的囚籠中的囚困苦悶，對比她在愛情中的飛揚歡樂。

電影的結局好像是總算把她的命運安排定了，重道的人士大概又可以借此警惕世人說：她是應該回去的。

但我們明白，這一個結局是暫時的假設。而且在這一個平凡的結局中，我們也會發現它有異於其他電影的長處。不少同類的題材處理已婚男女的分手，多半是因為「不願破壞別人的家庭」，或者是「丈夫或妻子方面的威逼」於是不得已分開，並且，分手時多少也有點內疚的心理，以為大家都很不道德。

本片沒有，《秋月春花未了情》寫的是一對愛人的故事，以愛的本身來說，根本無所謂道德不道德，罪惡不罪惡，雖然他們都個別結了婚，但結婚對於愛是沒有阻止的力量的。

目前，對於婚後的愛情，一般上都以目前的眼光來批評，以為是不道德的。或者到了後來，這情形就會不同，事實上，人們並非一結了婚就被隔離在孤島上，人與人之間乃有交往，乃有感情的交道，把一個丈夫或者妻子當作是私有財產，當然不算錯，但若明白，人是感情的動物，就不會太斤斤計較了。

一個丈夫和另一個女人打打交道，並不等於說他就不愛自己的妻子。我想，到了將來，人們在這方面，大家就會彼此更了解些，更有人情味些。而現在，《秋》片是指出來了。

倫士（一九六七年八月號）

巴黎戰火

主題：不明。

不知道要說的是巴黎人自己亂糟糟，還是德國軍官和德國秘密警察一團糟，還是盟軍們矇查查。

歷史大事件，因素多得很，誇張一兩件小事不是好主意。盟軍們進巴黎，是因為有一個兵到了諾曼第，一個兵到了諾曼第是因為德軍碰巧放過了他。而這邊，德國軍官沒焚掉巴黎又是因為他覺得希特拉在發神經。

時空次序：不好。

《碧血長天》繞着一個中心進行，採取條條大路通羅馬的方式拍攝，雖然這邊一筆，那邊一抹，都是互相呼應的，但這次只是一個小小的巴黎，克里曼卻沒法把一大群巴黎人連鎖起來，片斷，片斷，片斷，加上新聞片，紀錄片，就三個鐘頭了。為甚麼不像《龍城殲霸戰》那樣，把整個事件濃縮為一個下午，或者一天呢，長長的一大段時間內，其實只抽取放炸藥開始，到歡呼結束已經夠了，之前的一切都是廢料。如果編劇的那麼嗜愛「詳述之」，則應該把開頭展伸更多，要不然大家就會問（並非人人知道當時的巴黎到底怎樣）：戴高樂在那裏呀？坦克車怎麼都在巴黎外的？等等。

構圖：普通。

你說：有那些畫面叫你很醉心的？我是覺得沒有。

最了不起的就是凱旋門前空蕩蕩的，我是覺得巴黎的屋宇很吸引大家的興趣，還有那些叢樹實在漂亮。

新聞片夾在正片裏，大家很不相干似的，調子也很異。

試想想，最末的一節裏，大家興高采烈地歡迎盟軍，過一陣，新聞片一亮，戴高樂大搖大擺地走着，街上的女人們，無論服裝、面譜、頭髮，竟都和原片裏的女人不一樣。

所謂高潮：不動人。

幾場很想感動人的戲（女人死了丈夫，小兵喝酒就被人打死了之類），拍得一點也不動人。本來，這個電影甚長，實在可以細心細意地去描寫一些人物，可惜沒有。

李絲莉伽儂的丈夫據說是個重要人物，我們見到他重要了沒有呢？電影沒描寫他重要，我們見不到他重要過，於是，一陣槍把他打死了，我們才一點也不傷心，我們對他是那麼陌生啊！

演員：糟透。

克里曼這次毀了許多人。那些貝蒙多、狄龍、伽儂，不得不演，愛法國是他們的責任。至於那些德格拉斯、查格里斯、柏堅斯，則大概是在做善事了。

這些人本來都能演演戲，現在克里曼不要他們演，是要他們的臉，我們也就像看相片了。

對克里曼：很失望。

法國的克里曼，他應該有很多要告訴我們的，他不錯，是站在法國的立場講了很多，但不外是：法國人愛國。

這，誰不呢？他應該告訴我們，當時的法國怎樣了，左和右吵架，吵得怎樣，我們要知道的是這些人心裏邊的，不是外邊的。但克里曼不管了，他找了一本書，就拍了，看來很好興致呢，其實他不應該找一部這麼糟的書。

《巴黎戰火》的意義：一點點。

只是讓我們知道，電影仍是商品的多，而商品是需要市場的，市場是越大越好的，大的市場要靠特別的商品的，這種商品就等如一個遊客，每到一個地方就要取得入境證的，是要持着護照的。將來的電影就會是一個大家庭式的了，一個大家庭裏的人有許多國籍，這家人就容易到許多的國家去。並非所有電影題材都適合各種國籍的人一起演，《巴黎戰火》就可以。

倫士（一九六七年八月號）

垂死天鵝

大家為甚麼喜歡看依達的小說呢？不管依達的小說第一流還是第九流，大家喜歡看，是因為依達的小說語言很好。《垂死天鵝》要說的並不多，而且是一個那麼簡單的故事，所以，書本上的《垂死天鵝》會叫人喜歡，完全是靠文字的表達。

電影也應如此。一部講很少東西的電影，就要靠一流的電影語言來表達了。這類電影，我們見過很多，像《天涯一美人》，或是《色情男女》，即使是《春光乍洩》也是。這類電影如果當作故事來說，五分鐘就可以講完，但重要的當然是因為那些電影的語言很動聽，讓我們又佩服又喜歡。

《垂死天鵝》呢？實在可惜，它的電影語言實在太糟啦。你見到過一個小學生背書的情形沒有，生生硬硬地一字一字嘔出來，原文的感情，字彙的美感，全沒有了。《垂死天鵝》正是這樣。

我覺得這個電影真是十分垂死的樣，佈景是死板板的，那幅上樓梯時見到的牆，紅得刺眼。而秦萍的睡房，一點也不像是個女孩子的，就像荷里活的珍哈露這些人的寢室。不錯，兩家有錢人的屋子都夠豪華了，但豪華得多麼空洞。即使擺再多的鮮花，也沒法挽回，沒法填補的了。

我不知道為甚麼幾乎所有的對白都要重複一次，像「不不，我不知道，我不知道。」一會兒就是：「你沒有錯，你沒有錯。」一會兒就是：「我恨你，我恨你。」要加重語氣而用重複是加深印象的方法之一，不過電影不是小說，在書本中，大家看不見男女主角的臉，所以，文字盡量在牽緊讀者，一分鐘也不放手；但到了電影上，畫面可以直接走向觀眾，不必費勁說了又說。其實，像這類抒情的電影，真是無聲勝有聲，豐富畫面才是明智之舉。

影機運動方面，大家也看出來了，Zoom 鏡頭多得叫人實在吃不消，而且用得十分沒理由，乾脆的割接不是更好麼。像這樣子的 Zoom，完全把 Zoom 的功能棄之不顧了。就像我們用打字機來打一幅圖畫，豈不把打字機本來的功能扔得一乾二淨了嗎。

整個電影，我只比較喜歡片頭的設計，那個調子，和顏色都很適合，但那種濃蔭的綠，以後就沒有了。以後所有的，竟是晴朗的天色。醫生的住宅又太過美麗，在調子上是歡樂的，而那時候，秦萍卻在悲苦中前去「避難」。

有一些鏡頭，我也說不出所以然來。有一個鏡頭是關山過來見見歐陽莎菲，兩個人坐在大廳內，這時候，銀幕的一邊出現了一幅紅得泥一般的牆，把畫面擋了一半，只剩下一個小方框在右方。電影上時常有遮掩一部分的畫面，但所以要這樣做，多半有理由。從《垂》中的這一鏡，我想來想去也不明白。第一、試想着牆後有人在那裏偷聽，但沒有；第二、試想着這是導演的風格。（像《虎俠》那樣，很多的畫面都是故意遮遮掩掩的。）但也不是，因為電影中並沒有這一貫的作風穿插着。我看，這只是導演為了美化畫面的關係而硬塞的一點技巧吧了。

畫面上重複的地方也多，譬如跳芭蕾那場，幾個女孩子奔向西，下接的鏡頭是花朵落了一地；然後幾個女孩子奔向東，也是接花朵落了一地，這一組的四個鏡頭，後來竟重新再出現一次，我是覺得，除非是導演實在沒本領想些新畫面出來了，否則，何必如此。

李菁的客串，多餘。大家的演技，沒有一個出色，歐陽莎菲本來不錯，但鏡頭又困死她。我看了《垂死天鵝》後，對國語片，幾十萬個的失望；難怪大家一見到張徹的《獨臂刀》就拍手叫好了。張徹雖然我仍大大不捧，但他和《垂死天鵝》比，的確是技高一等。

看《垂死天鵝》後，我看了《船》。對於陶秦，因為《船》，我對國語片又有了信心了。粵語片有龍剛，國語片，我就寄望於陶秦了。

西西（一九六七年十月號）

第二部分

《亞洲娛樂》
非專欄文章

電影筆記（一）

一、電影和書

電影這東西，現在是越來越叫人喜歡了。在以前，沒有電影的以前，或者是那些奧斯亭小姐，狄更斯先生很流行的以前，大家一碰面，大概一定會說：「看過些甚麼書呀？」於是，大家可以討論討論屠格涅夫的美麗的戀愛故事，研究研究羅曼羅蘭的大音樂家傳記，現在呢，人們一碰上了，大概很少會彼此問看了甚麼甚麼書（除非大家剛巧是書蟲），普通的朋友談談，總是說：「看過甚麼電影沒有呀？」電影，就是這麼迷人的。

看電影的人是多起來了。有時候，我們不得不承認，電影是比書本來得有趣些。厚厚的《齊瓦哥醫生》三個鐘頭你看不看得完？就算翻翻那個故事，記記那一串名字，也苦死了。但電影呢，你只要進電影院一坐，二個多鐘頭就知道甚麼是《齊瓦哥醫生》。電影比書本可愛的理由之一就是：它省時間。現在的人生活那麼忙碌緊張，——連看報紙也不得不走馬看花，長長的書，除非是唸文學系，要不然，誰也不那麼文化了，所以，電影救了我們，電影使我們節省了時間。

《沙漠梟雄》這電影，大家看一場要多少錢？算它三塊半吧，進一次理髮店的價錢還要高些。但如果我們去買一本《智慧的七條柱》，即使是最廉價的紙面的「口袋書」也不止七塊錢。這又是電影的可愛的一面，它叫我們省錢。

我們也許喜歡看書，但並非所有的書都看，有時候，對一些時代的作品還會遺漏，或者是一無所知，但電影會填補這個空缺，它把最好的文學作品，大名鼎鼎的加繆的《異客》搬上電影（由馬車路馬斯杜安尼演，本來是選的阿倫狄龍，導演是維斯康堤）。但它也把並不著名的，卻是不壞的小說也給我們，像《華氏表四五一度》，要不是杜魯福把它拍成電影，相信十個人有九個不會在書店青睞一下那本書。

騎士時代的文章大家讀得多辛苦呢，甚麼甚麼盔甲，甚麼甚麼女人的長裙小帽花邊環珮，甚麼甚麼的建築，一條要命的柱還有三大類名字和家屬，看書的時候，字字字，查字典又麻煩，不查時又學了陶淵明不求甚解，看翻譯本更糟，有時簡直一知半解，味同嚼蠟，但電影可好了，一套《劫後英雄傳》出來，整個女人的服飾全一起擺在你的眼前，整個騎士穿甚麼，樣子像甚麼都齊，宮殿又是這樣，民房又是那樣，印象多直接。

書裏邊說：這個人在哭呢。我們一點聲音也聽不見。電影的可愛是它還多了聲音。你知道電影院裏為甚麼有那麼多的人要哭？就是聲音叫他們哭的。許多人聽聽音樂就哭的，很少人對着一幅畫哭起來。書本有時也會叫人哭，（像有的人看瓊瑤）。但書本裏邊的人如果哭，我們聽不見。書裏邊說：這個人跑得好快。但我們又看不見。電影裏就清清楚楚了。書本要花很多的文字營造那種感覺，還要花更多的心血去帶引我們聯想，但電影輕鬆些，影像是那麼地鮮明。

認得字的人可以看書，不認得字的人只能看電影。

但書本呢，它也有可愛的地方的。我們是很喜歡電影的，可是電影是強迫我們看的，一定要從頭看到尾，不得中止。你漏了一句重要的對白，你上一上洗手間，沒有人等你回來，沒有人為你補償。電影的指針像電話，電話一響，你就被迫去聽了。電影是不能分期的，書本可以看了一頁拋下了明天再繼續，對白忘了可以翻前面。

電影絕對比不上書的是：如果那本書是本字典。試想想，一本字典縱能拍成一部電影，我們又怎樣拿電影來查生字呀。

二、電影和畫

電影和畫本來是兄弟。你把一連串的畫放在一起，很快地一幅一幅給人看，那就是電影了。卡通就是那樣製成的，卡通就是不折不扣的「影畫」。電影還有很多的兄弟，其中一個叫做「攝影」。當攝影剛剛降生的時候，畫很生氣，立刻和攝影分家，大家楚河漢界地分了個清清楚楚，那就是：互不侵犯。攝影據說是最能反映自然，最最寫實的。於是畫說：要反映自然，要寫實，要把東西像鏡子一樣照得清清楚楚的，讓攝影機去幹這麼的工作。所以，畢加索就來他的立體派（當然創立的可還有布立克），所以，瑪蒂斯就來他的野獸派。攝影怎辦呢？攝影不贊成，畫自己很驕傲地認為是藝術的一份子，攝影好像給踢了出來，於是也拼命地朝藝術擠進去。因為攝影這麼一拼命，電影也就有所謂「藝術電影」了。

我們到照相館普通拍拍的「護照相」，或者隨便在太平山頂給相機先生們拍的「生活相」，就是給畫家們排出來的所謂「鏡子一般的寫實」，而那些每年中舉辦的沙龍，頒發金牌銀牌的，就是那些不肯和畫背道而馳的忠臣。

開始的時候，電影比較喜歡「鏡子一般的寫實」，拍幾個人，活生生的人，講幾段活生生的故事，劫火車啦等等。因為是剛開始，這個「真實性」很吸引觀眾，大家既然對會動的畫還是初次見面，怎不欣喜若狂呢。但漸漸的就不了，現在的電影覺得，先是那麼一天到晚「真實，真實」有甚麼意思呀，藝術本來就是自然的加工呀，於是電影想起了畫，便學畫一樣，除了眼睛看到的，還加上心所見到的。這一來，電影變得可犀利了，畫裏邊的許多東西都跟到電影上去了。費里尼的《茱麗葉神遊記》你以為是甚麼，原來是幽靈多多，幻想一大堆，這，其實就是畫裏邊的「超現實主義」。《東京世運會》裏柔軟體操的重疊鏡頭你以為是甚麼，其實不〔就〕是畫裏邊的「達達主義」。將來的電影如果太痴迷於畫，加工得太厲害（即使是《春光乍洩》），真的像一個濃妝的女子，令人不見廬山真面目了。於是，現在多了一種「真實電影」，又有了「地下電影」，他們多少都是看不慣電影的高攀象牙塔。我們也將會覺得：「紀錄片」在此時此地是多可愛了。

電影和畫攜手是一件可喜的事，事實上，它們就不曾分手過，而且也無法背棄誰。現在的電影固然和畫手攜手，大步走，而畫又何嘗不和電影稱兄道弟（西班牙的一個畫家就在用電影手法繪畫）。不過，電影能取畫之長是對的，如果捨己之長就有點失策。事實上，目前一般電影給我們的感覺是甚麼呢？虛假。每一個鏡頭都是堆砌的，每一個演員所站立所走動的位置都是事先經營的，佈景是瞞着眼睛的，衣服也許是正面漂漂亮亮，背後破大洞的，進進片場的人，當然更清楚，電影是一種比繡花更緩慢，比說謊更糟的藝術。「編劇」，說明是「編」，「演員」說明是「演」，「導演」說明是「導」，「製片」說明是「製」。這一大堆人就在騙人。我們也明知電影是假的，我們因此自慰的是：這是自然的加工。或者是：這是精選的人生片斷。甚至是神仙故事，因為現〔實〕生活中沒有它。

我們是否覺得電影是越來越生硬了呢？畫就是那麼的一幅，假如面積也小，但電影那麼長。畫所截取的只是一個框，一個剎那；但電影的框，的剎那，沒有理由就每一個都是特殊的。因此，粗糙的「真實電影」，寫實得令人氣悶的「地下電影」（光是拍一個人睡覺睡五六個鏡頭之類）也有它的可取處。

當電影太受到畫的影響，電影必然不自覺地步入「超現實主義」的境界，且看《春光乍洩》就是一個很好的例子。畫到像《瘋狂將軍》那般，只有一個空架構，就更不足取了。

三、電影和心理學

我們看電影時，是要注意電影的，這個「注意」，就是製片們，導演們，編劇們最關心的東西，而所謂拍電影，不外是那一群騙我們的人和我們這一群甘願受騙的人在打心理戰。有的編導大概以為很能把握我們的心理，所以以為對我們這些觀眾的戰爭一定攻無不克，戰無不勝，誰知道，他們有時偏巧搞錯，使他們的電影錯誤百出。

我們注意一件事物，是受到客觀條件〔影響〕的，例如事物的強度。這一點大家都知道，強的刺激容易惹人注意，所以大大的廣告，輝煌的景物，比黯淡的要引人注意，於是許多人在拍電影時就特別強調強度，像「從頭到尾都是高潮」，一天到晚 Zoom，連續不斷的豪華佈景。其實，人是這樣的，過強的刺激，會使人的注意失穩定，得不到明瞭的知覺，有些電影並非沉悶，但令人看得昏昏欲睡，就是因為強度的刺激太甚。《春光乍洩》的上半部就是強度過濃，要不是後來沖淡了些，相信許多人一定不能支持到完場。這也就是為甚麼有人看費里尼的《茱麗葉神遊記》會半途離場的緣故。

我們的心理對變化的感應是很迅速的，變化也是能令我們注意的。電影裏邊的配音，尤其要把握人們對變化的注意心理。人是習慣於長時間的恆常的刺激的，長時間的刺激使我們覺得並無刺激，因此，如果一個電影一開場就配上音樂直至完場，其中甚少變化，我們將覺得這個電影並無音樂。我們看電影時，總是聽到序幕曲和終場曲，中間的總是不大清楚，就是這個緣故。室內的時鐘正在那裏一直的塔塔地響的，但我們絕少注意，住近馬路的人家也很少會注意到街上車輛行走的聲音，這都是受了恆常的刺激而成了一種習慣，這時候，如果馬路上忽然沒了車輛聲，我們反而會感到突然。同樣地，電影的配音也是一樣，突然的停止，突然的變化，都更能吸引我們的注意，如果隨便配音而不理解人類的心理，則是一項錯誤。

物體的大小，也影響我們的注意。一般上大家知道大的廣告比小的廣告容易引人注意，但這並非是一定的，有時候，容積小的東西反而特別惹人注意，當別人都忙於刊登巨幅的廣告時，你卻刊一段小小的廣告，結果，你必定能獲得最多的注意。拍電影的時候，許多人往往忙於設計大廈，街道，但觀眾到時注意的可能完全不是大廈，街道，而是一個小小的窗。

對比也是吸引我們注意的一個客觀的條件。白牆上的黑點，高樓中的矮屋，紅衣服配上綠領巾，都格外惹人注意。許多人拍電影很能明白對比的原理，尤其是現在拍上了彩色片，以為凡是彩色片就非用對比色來吸引觀眾的視線不可，所以，電影裏邊紅黃藍白黑一齊用上，使觀眾一看，好像每一套電影都變了歌舞片。我們常常稱讚《窈窕淑女》的美工，就是因為它在彩色方面有許多場用的並非對比色，《春光乍洩》用的也非對比色，因為在調子上，它仍是十分抒情十分淒清的。至於《夢斷城西》才是用對比色的，因為那個電影需要那麼爆炸性的色彩來述說意義。

電影還可以利用反復來引起我們的注意，以前，電影喜歡利用主題音樂，反復奏出，但我們知道，反復次數過多，即變成單調，這情形也適合於運鏡的拍法上，如果一個導演一天到晚 Zoom，即使是再好的手法，也就失去新鮮的感覺了。

新奇的事物是能令我們注意的。所以，電影總給我們看新型的汽車，古怪的服裝。但這一切都不外是手段，電影可以盡量吸引我們的注意，在這方面針對我們心理上的弱點攻擊，可是電影別忘了一點更重要的，我們除了眼睛耳朵還有別的。

西西（一九六七年七月號）

電影筆記（二）

形式和內容

我現在想清楚了，形式和內容，還是內容重要些。我現在大大反對那些沒有內容的東西，就算我現在談影，也是把形式放在第二，先注意它的內容再說。

我是這樣想的：就當作電影是書法好了，你的書法寫得全天下最好，連王羲之也甘拜下風的話，又怎地，如果你拿那麼漂亮的書法去寫那些顛倒黑白，名詞亂搬的文章，那麼你的書法如鳳舞龍飛又有甚麼用，我寧願選一篇小孩子寫的歪歪斜斜的字，雖然他寫的字很難看，但如果他是誠心誠意地給遠航海外的父親寫信，信內又不過是短短的幾個字：親愛的爸爸，我愛你。所以，我認為，內容第一。

我以前常說人家塞尚畫幾個蘋果就是一幅幅了不起的畫，我們當然也可以拍幾個蘋果就是一部部了不起的電影。蘋果當然不是內容甚麼的。我的意思是這樣，我們努力去學習拍攝蘋果，是一樣打的根基的基本工作，我們學英文語文，當然先得弄清楚二十六個字母，一個 P 一個 K 這麼的字母對我們來說又有甚麼內容，字母是要變成了整個的字才有意義的。所以，拍幾個蘋果，並不是就把內容拋在一邊，而是在努力尋求最好的方法來表現，來傳達所要呈現的內容。

內容仍是有好多類的，別以為「多」就是夠內容的意思。羅曼羅蘭的《約翰克里斯朵夫》這本小說情節又長，裏邊人物又多，同樣地，托爾斯泰的《戰爭與和平》，或是 TE 羅倫斯的《智慧的七條柱》也是很長篇的，我們如果以為這種題材一定是內容豐富的話，那就不對了，照這麼說，一首詩若只有十四行，豈非內容就很貧乏？所以，我們別一見到《齊瓦哥醫生》，《沙漠梟雄》就以為一定是內容豐富，一定是好電影了，又或者以為這些都是名作家的著作，既能得諾貝爾獎，當然內容第一。對於內容的決定，我們要這樣看：看導演的給出了多少來，又看給的方法上乘不上乘。《齊瓦哥醫生》雖然是本巨著（且當它是，文學的範圍，這裏不談），但導演所給我們的內容就給的不夠，而且給的方法也不好。我們總覺得它欠缺了許多東西，這就等於我們一直沒把《紅樓夢》好好地給出來一樣，難道我們不認為《紅樓夢》內容豐富，但電影裏的確是欠缺了許多東西。

聖經上說：有兩個人作奉獻，一個是富人，一個是窮人，富人獻了不少錢，窮人獻的很少，但上帝喜悅的是那個窮人的獻出，因為窮人獻的雖少，卻是他所有的，而富人獻的雖多，卻是他家中的一個微小的數目。對於電影也是這樣。

許多人把故事性當作內容，這也是看〔錯〕了的，我們必須分清楚，故事的內容是兩回事，我們做三角幾何代數等習題，或是看愛因斯坦的 $E=MC^2$，它們〔沒〕有甚麼事情，但你能說它們沒有內容嗎？內容是有內與外之分的，故事性的是在外，那很浮淺。我們看《色情男女》，一般人就認為它沒有「內容」，徒具形式，其實《色情男女》之內容着實比《齊瓦哥醫生》〔秤〕起來要重。滿街滿巷都是內容，就是你們大家不去撿拾。

「鐵金剛」也有內容，《血印》也有內容，這個分別是前者的內容貧乏，後者的內容充實。

再舉一個例，我們中國人一向愛吃中國菜，對於西餐老是提不起勁，原因是中國菜是有內容的，外國菜呢，徒具形式，十分好看，中看不中吃。大排檔的食品看上去也沒甚麼，但那雲吞麵，即使大餐館要賣五塊錢一碗，還是比不上它的。因此，對於希治閣，我就認為他煮的菜非常好看，吃起來就差勁極了。希治閣對電影拍法頗有貢獻，他能當參謀，不適合做軍長。

導演與編劇

拜占庭時代最著名的畫是鑲嵌畫，那時候的牆壁，教堂的窗，都是用小石子，彩色的玻璃鑲成一幅幅的圖畫。拍電影在許多方面，就和那種畫的製作很相同。首先，那是一種完全和繡花差不多的慢吞吞的工作，其次，那是分工合作的一種藝術，是群體努力的產品。鑲嵌壁畫多半由畫家或畫匠先設計好畫面，然後〔由〕工匠砌配而成。在這方面，動腦的是畫家，動手的是工匠。電影有時也有這情形，製片家常常自己找編劇編好電影劇本，然後又找一個導演去導，因此，有不少導演其實就是掛掛名字，還不是和砌壁畫石子的工匠一般，完全沒有創作的自由。大的製片公司往往就有這種情形，公司裏邊分門別類的小組很多，其中當然少不了有一個編劇部門，於是這個編劇部門就一天到晚編電影劇本，編好了由製片家等等的定奪，通過後就發下來給導演去拍，像這樣子，做導演的就很慘了，他的責任是照劇本工作，拿菲林來爬格子。

很多導演是喜歡自己創作的，做一個導演，能拍攝自己編的劇本可以說是一件最稱心意樂的事，因此，多半的電影大師如安東尼奧尼、高達、英馬褒曼、黑澤明他們，都愛自己編劇，既編又導。有時候，一些獨立製片，或者一群不知天高地厚的青年人（當年的新潮就是），居然拍出一些優秀的電影作品出來就是這個緣故，獨立製片和青年傻子大半都不是大資本家、大製片家，經濟方面問題總是嚴重，所以就沒那麼多分門別類，也沒有所謂編劇部門，於是一切都由少數人擔當，甚至要自編自導自攝自演，但往往就因為這樣，反而比大製片公司少限制。

除了最不講人情的大製片公司外，一般的電影製片都不會對導演輕視的，總讓導演和編劇一同合作，共同商討研究題材，再動筆寫劇本。我們知道，一個電影劇本詳細的話，以分鏡頭的最佳，分鏡頭劇本當然要附註許多的電影拍法，在編劇來說，這是他們的責任。和導演一同商討劇本的好處是彼此都先把自己的看法提出來，在編劇方面，他可能經驗常識都比不上導演，事實往往證明，編劇多半是文人出身，寫過點文章，讀過幾本書，他們可能對拍拍照，畫幾筆也覺得困難，那麼對電影的實際工作就不及導演的純熟，至於導演呢，編劇是他的一個好助手，能替他分分擔子，編劇雖然不適合也坐在攝影機前，卻往往很會做夢。

許多電影大師的電影的成功因素，一方面是因為他們自編自導，另一方面也因為他們雖然是我們常稱譽的好導演，同時也是好編劇。我們一直稱安東尼奧尼為名導演，高達為名導演，我們曾否稱他們為好編劇呢？以英馬褒曼來說，即使把他的《第七封印》，《楊梅樹下話當年》等作品當小說來讀，它們也一樣是好作品。伊力卡山我們知道是一個好導演，但事實上，他能寫不錯的小說，最近，他的小說香港也有得發售了。這樣多才多藝的人來從事電影工作，當然令人刮目相看了。我們也明白，不少人現在把攝影機代替筆來寫作，電影就是他們的文章，他們是用光來代替文字寫作的，既然把電影當作一種創作，一種寫作，當然是要自編自導合在一起了。

並非每一個人都自編自導，也並非每一個電影劇本都是創作，文學作品中佳作不少，編劇就多半在那裏找題材，自編自導的藝術家也常常向文學作品中找尋靈感。我覺得，既然我們活在二十世紀，能夠以二十世紀的作品作題材總比翻古老書本的好，因此，我寧願看「鐵金剛」片集，而不看《劫後英雄傳》。但「鐵金剛」只是一時風尚，雖然可以代表一下二十世紀，卻不能再留存二個世紀，編劇人最好還是選一些當代的好的作品來做題材，新當然好，即使很保守的，也有可取的，我們不是覺得《氣蓋山河》沒有甚麼不妥嗎？

彩色與黑白

有許多電影觀眾，我們是要當他們小孩子般的。有許多人，人雖然長大了，心理卻仍是很孩子氣，或者有許多人，被現實擠壓得走投無路，一天到晚過刻板的生活，徘徊於打字機與機械反應工作之間，這時，大家都會希望過過兒童般的生活，天真一下，舒展一下，把煩惱拋開一旁，然後把腦子封鎖起來。

電影的觀眾多半是成年人，成年人的生活，思想上的重擔，無論如何要比兒童的來得沉重、繁雜！別奇怪為甚麼一些很大的人忽然會喜歡看卡通，成年人在看電影時多少都有一點逃避現實的心理，因此，給他們一點超現實的世界，給他們一些英雄行徑去使他們的心有所寄託，是電影的工作之一。在這方面，彩色片的流行是必然的因素。一個整天對着呆板打字機的公務員，如果下了班又對着一塊黑白的銀幕，事實上的確有點虐待，如果看電影藝術的，黑白片彩色片並無所謂，而且黑白片反而佳作更多，但一般想把自己舒展舒展，安放安放的人就會覺得不夠了。我們經常在電影院中，看到黑白片一放映時，就有不少人發出失望之聲，正反映了這一點。

黑白片給觀眾的印象也並非是全是正面的，黑白片總是走極端，不是第一流就是第九流，《血印》這樣的黑白片當然是第一流，《巴黎戰火》就第九流了，《巴黎戰火》本來是可以用彩色拍攝的，但裏面的新聞片怎麼辦，新聞片才不和你彩色哩。所以，《巴》片一直拖到最後，才匆匆彩色了一下巴黎的全圖作收場。

我常看一些小朋友寫習字，甚麼上大人，甚麼天覆地載，這種白紙黑字的寫法，大概由我曾曾曾祖父那代到現在為止，也一點沒改過，小孩子的教科書倒是改了不少，小學的書本無論中英數的，都有很多圖畫相片，又是彩色的，到了中學，就逐漸減少，這是對的，為了提高小孩子學習的興趣，多彩色，多圖片可以收效更大，就是寫書法，怎麼不讓他們寫七彩的字呢，小學生總把習字當作苦差，胡亂一塗又交給老師了。我想，這是大家沒想到寫習字也得提起小孩子的興趣的緣故。成年人當然不必再寫彩色習字了，黑白字足夠漂亮瀟灑。電影也是一樣，對提高興趣來說，彩色片是適當的，對那些不僅僅是為了娛樂，而研究藝術的，黑白也足夠漂亮瀟灑有餘。

我國的畫對彩色的運用可說是十分到家，國畫很少是大紅大綠，花得像瑪蒂斯那般，國畫講氣韻，以黑白居主位，即使用彩色，也是稍加一二，整幅的黑白中，只有一點點的藍，或土黃，因此，我常常希望國片的古裝片無論武俠的文藝的都能拿國畫加以參考，對用色方面總可以謀些心得。

上帝所創造的世界是一個彩色繽紛的世界，我想：上帝一定知道，世界上多半的人都對顏色有好感，而且藝術品不一定要求大量的群眾。人類中也許不乏有人贊成世界是黑白的，但上帝還是把彩色世界給了我們，而且每一物都有它們適當的顏色。電影走向彩色並沒有甚麼不好，重要的還是看是否每一部彩色電影都有它們適當的顏色。同樣的，電視也是步入彩色世紀的，電視的觀眾一定比電影的多，既然電視的觀眾將更多是小孩子、中孩子、大孩子，彩色對他們是更受歡迎的。

正因為彩色是如此地深入人心，拍彩色片就多少有點取寵於觀眾，藝術品的第一信條正好是最不屑於討好群眾的，因此，為了真正的電影藝術的發展，堅持拍黑白片的人仍多，即使目前不少大師也拍起彩色片來，這並非意味他們也向觀眾投降了，我們大概都可以看得出，導演如安東尼奧尼，費里尼（有人大罵他是不公平的），不是正以彩色作試驗嗎？所不同的是，這次，安東尼奧尼拿了彩色仍在寫作，費里尼卻在那裏繪畫吧了。

西西（一九六七年八月號）

陳寶珠這女孩子

那天才熱鬧哩。我們一大堆人，少說也有一百個，一起跑到華達片場去了。你以為我們一百多個人一起去找陳寶珠是不是？不，我們是去看龍剛拍《英雄本色》。龍剛和我們這一群喜歡電影的人很合得來，他拍片的時候，就會問問我們看不看，我們當然看，因為我們一天到晚說這電影不好，那電影不好，對電影怎麼拍出來的，實在有點矇查查。

沒想到那天一去，就碰上了陳寶珠了。我擠在一百多個人裏邊，旁邊擠着一個海倫，海倫和我很熟，她就是鄧碧雲的女兒，她又和陳寶珠很熟。海倫和我看了一回龍剛推推拉拉他的攝影機，因為 NG 了大概十多次，悶死了，就對我說：喂，去，看陳寶珠去。

陳寶珠在這裏，我倒是從來也不知道，我這人一向就傻，誰在那裏，一點都不曉得。海倫把我一拉，就從一個片場繞到另外一個片場去了。海倫還對我說：「我帶你去看陳寶珠，以後，你請我喝茶。」請喝茶那容易，我一二三開步走，就跟着她。

許多的女孩子圍着陳寶珠，她穿白襯衫，西裝袴是有一條條的花紋的，她就在那裏和女孩子們聊天。大家問她好多問題：

「你現在拍甚麼片呀。」

「你給我簽個名好不好呀。」

有個女孩子遞送了她一本陳寶珠集，說是街上剛有得賣的，很新鮮。陳寶珠自己也沒有，就翻了來看。她可忙壞了，還忙着給女孩子們簽名。

海倫不到一分鐘就把我們介紹了。陳寶珠也把我當朋友一般，大家嘻嘻哈哈，有說有笑，一點也不陌生。人多說話頂容易，你一句我一句，也不知怎的，時間過了一大半。

人是越來越多了，別說是女孩子，男孩子也進來了不少，我認識的那些來看龍剛拍片的朋友裏邊，男孩子竟也進來了一大堆，甚麼陳任，甚麼余炳興，甚麼舒明，都在那裏湊熱鬧。大概他們也來看看陳寶珠是個甚麼樣子的。

陳寶珠是甚麼樣子呢？和我們一模一樣，兩個眼睛，一個鼻子，不過，她的眼睛圓圓的，很有精神，很靈活，不像別人的，像個睡公主，或是像個小妖精。

這天，陳寶珠拍的是《女賊金燕子》，她演的是拿了手槍捉着兩個歹徒的一場。看的人多得很，陳寶珠才一點都不怕，練了一練，就正式拍了，錯都不錯一下。

見了她那麼一陣，我就喜歡她啦，一個人你只要見一陣，就知道喜歡不喜歡的了，我覺得陳寶珠最叫人喜歡的是，〔也〕尤其叫我喜歡的是，她竟是那麼天不怕地不怕的樣子，我喜歡的女孩子多半是這樣的勇敢的，不要一天到晚可憐兮兮的，哭呀哭的。

拍戲當然是拍了一個鏡頭休息一陣，又拍第二個鏡頭，這因為是要花時間去搬佈景、攝影機、打燈光的緣故，休息的時候，陳寶珠又忙着替女孩子們簽名。我就說：我怎麼沒有的？她說有，就把一個女孩子送她的書，翻了一陣，找到一幅自己的相，簽上她的和我的名字，就給了我。唉，那個送書給她的女孩子一定氣炸。不過陳寶珠當時實在是自己沒有帶照片，而我又偏巧多嘴。

我見到陳寶珠的時候，她甚麼都沒有帶着。包括相片啦，吃的東西啦。她說本來請我吃話梅，但我去到的時候，她已經吃得一粒不剩了，連海倫也沒有，她就說：「下次吧，下次見到你，一定請你吃話梅。」

這些日子，陳寶珠可忙了，拍片最忙得不可開交，連海倫都找她不到。陳寶珠不拍片的時候，又得跟另外一個陳寶珠學舞蹈，所以，我一直沒有話梅吃。喂，陳寶珠，你欠我的一顆話梅，甚麼時候還啊？

西西（一九六七年八月號）

第三部分

《香港影畫》
「開麥拉眼」專欄

一

一

電影其實就是連環圖。

電影其實也不一定是連環圖。

連環呢，還是不連環呢？這是個問題。

街上有很多圖畫書賣，大孩子買來看，小孩子也買來看，圖畫叫人喜歡，喜歡的原因是：圖畫比文字容易看，有眼睛鼻子的人物比三四頁的小說生動。圖畫書，就是連環圖，長長的小安琪，長長的唐老鴨，長長的老夫子，都是連環圖。而連環圖，其實就是一種電影。

畫得很精彩的連環圖，是一冊很精彩的電影分鏡頭劇本，裏面很詳細地給你列好遠景，中景，近景，還有特寫，大特寫，還有每個人應站的位置，走路的方向，還有每個人該穿的衣服，該有的表情。除了聲音變了一點兒的文字，除了人物差點就走起路來，連環圖實在已經是電影了。一個編劇的實在應該多看看連環圖，一個導演也實在應該多看連環圖。

電影其實就是連環圖。但是連環圖連環不連環的呢？不的，連環圖最不連環的，畫畫的人懂得省去許多畫面，當一個人從大廳的一端走到遠遠的門那裏去，在 A 圖裏這個人在廳的一端，在 B 圖裏這個人就會到了門邊，像電影一樣，連環圖是剪裁得最恰當的。

現在要知道的不是電影已經是連環圖，而是應該把電影不連環圖起來，而是應該盡量做到用最少的環，拍最連的圖。

二

走過斑馬線嗎？我是覺得頭痛死了。

例如：當你要走到愛丁堡廣場那地方，想橫過電車路上滙豐銀行去，且看看那個地面。這個地方的地面上寫了好多的字，起先是兩個大大的英文字 Look Right，於是，你看了一下字，想想 Right 就是右的意思，右就是我們用來吃飯、用來寫字的手那邊，於是你有意識地把頭向右望，好了，沒有車，於是，你走過半條馬路。另外半條馬路橫在你的面前了，你看看地面，這時候，地面上又有兩個字：Look Left，於是你很快地又一想，Left 就是左，左就是一般人不用來吃飯、不用來寫字的手的那邊方向，這樣，你又得有意識地向左看。很好，沒有車，於是你匆匆地橫過剩下的半條馬路。

麻煩嗎，頭痛嗎？這樣子過馬路真不開心，這麼多的字，這麼多的花腦筋的東西，如果有一部電影拍得那麼叫人頭痛，那就是一部最差的電影了。

拍電影是應該簡潔的，整個的電影可以讓你想三天三夜，但一個畫面絕不能讓人想三分鐘，我們要能夠迅速接受每一個畫面。而這，就需要電影的爽朗和明晰。像那滿地的看左看右，如果在地面上畫一隻眼，加上一個方向的箭咀，不是簡單得多嗎？眼睛就是看，箭咀就是方向，一點也不複雜。

三

劇情電影的勁敵是誰呢？原來是電影廣告。電影是這樣，電視也是這樣。

劇情電影，就是那種我們稱為電影的電影，就是那種有故事，有男女主角，放映二小時左右的活動圖畫。電影廣告就是那種甚麼香煙啦，甚麼麥片啦等等的活動街招。

劇情電影很長，長得要分場分章，因為規模大，顧慮多，所以拍出來的時常會呆呆滯滯，而且這又要顧顧花了多少錢能夠賺回多少，那又要顧顧哪個哪個明星賣座，哪種哪種片型滿場。但電影廣告根本不理，電影拍了出來又不收入場券，總之是一概奉贈，拉你去看，想盡了心思去拍。它是那麼地短，短得一下子鑽進了你的眼睛裏去，在拍攝的技巧上，製作的自由上，它都勝過於處處受限制的劇情電影。

電影廣告很聰明，它要說的只是那麼的一點點，不外是：買我們的洗粉吧，採用這種汽車吧，但它給你看很多很多的東西，告訴你許多許多的知識，陪你聊了半日的天，然後簡單的說，買吧。劇情電影並不，它要說的常常是一大套，教育大問題，社會大問題都擠在一堆，結果給你看到的不過很少很少。

要拍好電影，學學電影廣告是聰明的，學它的精簡，學它的使你開心很多而告訴你一點點事件，學它的無孔不入的技巧。

四

當有一天，每個人的家中都裝上了電視，電影院會關門嗎？

當有一天，每個人都可以像買唱片和唱機那麼方便地買到了電影和放映機，電影院會關門嗎？

且說音樂，以前，沒有唱片以前，上音樂廳是一種享受，皇帝也好，公爵也好，到時到候就會糾眾操上音樂廳，要不然，貴婦們自己可以在家內搞搞室內樂，可是，當唱片風行了，你也躲在家裏，我也躲在家裏，音樂會就不再那麼重要了，而且，你知道，一張音樂會的座券並不很廉。

電視在美國風行了一大陣，電影院就遭了殃了，誰還有那麼的興緻整整齊齊的上電影院去呢，不如在家裏看看節目吧，於是，電影院開始頭痛了。

已經有人在那電影的拷貝，把卅五米厘[1]的沖縮成十六米厘的拷貝，大量的售出，像這樣子，我們可以隨意自己去買一部阿龍狄龍主演的《怒海沉屍》，或者是珍摩露主演的《祖與占》。當我們可以這樣的時候，我們實在用不着上電影院去了，如果沒有人上電影院去了，那麼，電影院只好改為演舞台劇，改為蠟像院了。

當沒有人再努力上電影院去的時候，怎麼樣？

有的人是這樣：把小的電影院拆了，把大的電影院改為更大的，把銀幕改為環形的，把明星請了來登台，把最熱鬧的電影拿來放，舉行慈善電影〔會〕等等。

但時代是時代，到時候，我們就把這種古老的磨坊扔掉吧。我們就把電影院留為陳跡，像古羅馬的競技場，像古希臘的劇場。我們就應該把電影院開到電視上去，把電視台當作影壇。

當電影院關了門，電視的門就開了，這就是一種進步呀。

西西（一九六六年四月，第四期。）

1 「米厘」（milli）是「毫米」（mm）的別稱，為電影底片規格術語。早在二十世紀三十年代，電影界便發現十六米厘寬度的底片在拍攝時僅使用了一半面積。底片拍攝完可翻轉另一面再拍，沖洗後從中間裁切，促成了「八米厘」的出現。「八米厘」使底片的拍攝時間增加一倍，降低了拍攝影片的門檻。

二

一

十全十美，那就是荒誕的。

因此，沒有人要求過要看一部十全十美的電影，因為，沒有一種電影叫做十全十美的電影，因為沒有一種東西的名字叫十全十美。

我們看電影，不找十全十美，我們只找其中之一，一全，一美，或者二全二美，也許是一全二美，二全一美，我們看電影，不是要求看神的作品，而是要求看人的作品。對於人，我們所要求的仍是一種風格，風格是重要的，每一部電影應該有每一部電影的風格，每一個導演應該有每一個導演的風格，風格就是我們所以要進電影院的原因。

這部電影甚麼都沒有，但那畫面可真美，攝影的角度豐富而奇詭，我們是喜歡這樣的一個電影，不為甚麼，就為了那一點點美的風格。這部電影甚麼都沒有，但那音樂配得真出奇，電影節奏輕盈而又古怪，我們於是又喜歡這樣的一個電影，不為甚麼，就為了那一點一點的美的風格。

給我們一些風格吧。甚至僅僅是那麼一丁丁丁丁丁丁點兒的一美，也許是一丁丁丁丁丁丁丁丁點兒的一全，我們都在期待的。

甚至是「打得燦爛」，那也是一種風格。甚至是「沒有高潮」，那也是一種風格。

給我們一些風格。

二

古人喜歡填詞，一個古古怪怪的詞牌名，甚麼虞美人啦，甚麼浪淘沙啦，大伙兒就蜜蜂似地圍着它，周邦彥也填，李煜也填，很熱鬧。古人喜歡填詞，填詞沒有甚麼不好，但填到最後，最後，最後，就一定不會有詞，於是最後、最後、最後，詞就完了。

詞是好的，是那個填不好。

現人不喜歡填詞，現人喜歡填電影。我給你一個公式，你填。條件是多少多少場、景物是多少多少幕，人物是多少多少個，情節多少多少個彎彎，讓許多人蜜蜂似地圍着它，也很熱鬧。其實填電影也沒有甚麼不好，但填到最好，最好，最好，最好，最好，就不會有好電影。

是的，電影是好的，是那個填不好。

三

電影該怎樣和電視打一些仗？

電視有許多缺點，電影可以群起而攻之。

電視的觀眾老是三兩個人，一個家庭裏看電視的來來去去就是父親啦，母親啦，哥哥啦，弟弟啦，這群人裏邊男女老幼一大堆，興趣中心很廣，所以，和路迪士尼式的電影，就不要搬上銀幕，讓給電視這一招。

有關新聞的紀錄片，電視有的是新聞眼，電影對於那些夜生活或者風光片就不要拿進電影裏，讓了電視第二招。

看電視的人都有「分期付款」式的興趣。母親去煮一個菜，回來看兩段，哥哥去洗一個澡，又回來看兩段，所以，電影就不要拍碰盤式的菲林，讓了電視這第三招。

電影院是個「傳染院」，這很重要。群體的直覺是最古怪的。有一兩個人在電影院中笑，可以傳染整間戲院，有一兩個人哭，全院也會忽然像在送喪。但看電視不會有這種情形。因此，拍電影要把握這種「惑眾」的技巧。把觀眾捉來，是喜劇，讓他們有機會哄笑一堂，是悲劇，讓他們有機會同聲一哭。

電影是經過嚴密的計劃的，可以編，可以寫，可以攝，可以演。電視節目並不，英公主走完石級後決不會由得你 NG 再來一次。所以，大膽創造，小心攝製是必要的。藝術品從來是有根〔據〕的。

電視所應達到的目的有三：報道，教育和娛樂，但電影不必報道，不一定需要教育，也不一定要娛樂，所以，電影的自由較多，而拍博大的，廣度的電影，正是針對電視的好方法。

四

徇眾要求。

觀眾要求的是甚麼呢？占士邦嗎？盲俠嗎？

觀眾其實是怪物，你要他多高，他就多高，要他多低，他就多低。占士邦不是觀眾創造出來的，有人以為觀眾喜歡占士邦，就給我們占士邦，而占士邦不是觀眾創造出來的。

製片的喜歡試我們。喜歡這嗎？喜歡那嗎？可以喝白蘭地的人，他們卻給他們啤酒，只在喝啤酒的人，他們就以為他們不能喝香檳了。其實，觀眾是怪物，你給他們多低，他們就爬多低。如果你拉他們一把，他們一樣可以爬上高山。

但許多人不信，許多人也不是不信，而是許多人沒有那麼〔多〕的時間和耐性去等待，而是許多人懶。啊啊，何必花那麼大的勁拉他們上高山呢，他們喜歡跑下來，於是，許多人跑下來。他們下來了，觀眾也一起下來了。

觀眾是最愛湊熱鬧的，那裏人多，就往那裏跑。山下人多，觀眾就擠在山下了。如果人人爬上山頂，絕不會有一個人甘於留在山下面，觀眾就是這樣。

但觀眾可憐，他們偏習慣於被人牽着鼻子走。那些人，喜歡說「徇眾要求」的人，要牽他們到甚麼時候呢？

五

我們就要面對面了。

當燈光一熄，銀幕一亮，我們就要面對面了。許多人都知道，電影是騙人的，電影是躲在陰影裏的鬼火，有時候，露一個頭出來，有時候露一雙足出來。在背後玩把戲的就是導演，鬼靈出現得好不好，就要由導演來決定。

但是，電影不是躲在陰影裏的鬼靈，無論出現的是一雙足，一個頭，我們終須面對面的，當我們一旦面對面了，我們就看清楚了。

我們可以隔一層紗面對面，垂一重簾面對面，像超現實主義的作品。我們可以直接地面對面，像寫實主義的作品，重要的是，我們必需面對面，我們並不一定要從鏡子中看見自己，電影並不一定需要做為一面反映的鏡子，電影不是反映，而是是。不反映甚麼，而是是甚麼。我們是面對面的，對的並不一定是自己。

西西（一九六六年五月，第五期。）

三

電影是一間屋子。

廣告是它的窗。

一間屋子不能沒有窗，所以，電影不能沒有廣告。

一部電影在拍攝了，許多的圖片和劇照都會跑到我們眼前來，圖片和劇照就是電影屋子所開的窗戶。

有的屋子開很多窗，那很好，光線充足，空氣流通；有的屋子開很少窗，那也好，小小天地，自成一國。

後來，大家就應該明白了，開最大的窗子的屋子是最糟的，有最大的窗子的屋子是不能隱藏秘密的。人們所以造屋子，除了躲避風雨和陽光，實在是想把自己藏起來。

一個電影也應該把自己藏起來。開太多的窗，一部電影就不再有甚麼秘密。

電影是一間屋子。廣告只是一個窗。

開一個窗是讓我們可以看到屋內的有趣的模樣，然後讓我們進去探索。屋子是像一間博物館，珍藏是圍在牆裏邊的，一旦沒有了牆，一旦把珍藏拋在街上，博物館就沒有了意義。

啊啊，我開始要敬仰一下希治閣了。他的電影，只開一個氣孔，甚至連小小的窗子也不捨得，我們就站在戶外，對着一個小氣孔。裏面是甚麼呢？我們想。裏面黑漆漆的，有一點怪聲，有一點人影，但甚麼〔人〕，甚麼聲，我們不知道，我們懷疑。因為不知道，因為懷疑，我們就會好奇，就會跑去圍着它。啊啊，所以，有一個人呆着看天時，一下子就傳染了幾百幾千人。

一間沒有窗子的屋子如果建在路心，許多人都會設法找一個門進去。一間連門也沒有的屋子，如果建在路心，結果必然是給拆來瞧個清楚。

一間屋子，請保留它的秘密。一部電影，請為它隱藏。你知道世界上甚麼建築物是最神秘的嗎？那就是一個墳墓，因為它既沒有窗也沒有門，只豎着一塊直直的墓碑。希治閣，他大概是明白的。

＊＊＊

世界很大。但卻給一個四方框界限着。那就是我們的電影。

為甚麼要給困在一個四方框裏呢？不管是長一點的四方框，扁一點的四方框，給困了個夠。我們一直在害怕四方框的邊。

一張人的臉，我們會端端正正的把它放在四方框中間，好像四方框就是整個世界，但我們知道，四方框外仍有世界，人的臉並不一定是站在四方框中心的。

許多人愛拍照，許多人都把人，整個整個的人，或者臉，整個整個的臉，放在四方框裏，沒有人拍照傻到拍半邊人，拍只有身子沒有頭的照。但為甚麼一定要有頭，一定要整個呢？

我們不敢衝破界限，這是最糟的。大特寫很可愛，因為它使我們衝破了一些，但是，就算大特寫，我們還是用界限圍着我們的景物。

銀幕上很少有半邊臉在銀幕內，半邊臉在銀幕外，因為界限限制了一切。其實，在我們日常生活中，我們常常會見到景物的一半，我們絕不會覺得荒誕。到這個時候，我們實在應該衝出四方框的界限了。我們不能跟着四方框走，四方框必須跟着我們。

銀幕上有四方框，那是畫面，是空間。銀幕後面也有框框，那是聲音，是時間。

＊＊＊

為甚麼銀幕上的聲音都要由開始的時候開始呢？唱歌，總是第一句唱起，對白，總要是第一句開始，句子總要是以上半句開始。

有時候，我們經過一間屋子，一個人在彈琴，我們應該聽到他彈到中間，絕不可能由頭開始。有時候，我們插入一個談話的場合，人們的對白也沒理由由第一句開始，而且老是開始着一句話。

到這個時候，我們要衝破時間的界限了，我們可以捕捉任何時間內的一段聲音和音響，半句也好，最後一響也好，因為世界本來是那樣的。

我們還有好多好多的界限要衝破。譬如顏色。你說海水是甚麼顏色的呢？可〔以〕是咖啡色的，只要透過一個女孩子在沙灘上曬太陽的眼睛，那時候，她剛好戴着太陽眼鏡。我們不怕把世界變成各種色彩，一切的色彩本來並沒有一定的規則，色彩是隨時間而變的。

一個喪禮的場面，怎樣才對呢？下雨，冷風，淒然是可以的。但為甚麼卻不衝破這樣的界限呢？晴天，麗日，許多不相干的人開開心心地在那邊遊戲，喪禮一樣可以進行。電影上死的人很多，但並非全是死的甘納第，為甚麼要全世界的人一起悲哀，天地變色。

＊＊＊

內容還是頂重要的。

忽然，到了這個時候，我們就懷念起內容來了。而且在最近的一列花花綠綠的騙得人很開心的電影的面前，我們懷念內容的感情，更加強烈了。

不錯，電影是進步了。因為大家都懂得電影最容易騙人，技巧是最可以搬演的，銀幕上的畫面和節奏都已經進入了新的境界，我們在電影院裏的確覺得很舒服，明快的節奏，爽朗的視野，曲折的故事，都使我們不再有甚麼人想跑來瞌睡一個下午。

以前，我們看電影，老是嚷着悶，因為理論太多了，花招太少了，硬的哲理，古板的傷透腦筋的大問題，使我們看得很辛苦，現在呢，現在我們不辛苦了，現在的電影如像很易消化的流質，我們很輕易地就接受了。因為我們怕悶，替我們解悶的人就想出了許多辦法，讓我們有機會緊張，有機會大笑大跳，開心一個午後。

悶的時代似乎過去了。長篇的哲理給打散了，它們不再是冰雹，而是煙霧，輕輕的浮着，無力再擊開我們的腦子。是的，悶的時代過去了，我們不再嚷悶，可是，我們又落進了另一個深淵裏，因為，我們忽然醒悟：我們空洞。

西西（一九六六年六月，第六期。）

四

一

朋友裏邊，喜歡看電影的人很多。

有一個人是這樣：電影還沒有上映，他就是買書看。譬如說，《烈士忠魂》，它沒有上映，那個人，就去買一本《看見一頭灰色馬》。那個人把書看了又看，然後把電影也看了又看。那書很好，寫的人寫的好，書裏邊是每個人各自的自述，四個人，各人回憶兩次，書就完了。電影也很好，導的人導得很好，電影裏邊有一個會跳的皮球，一路在馬路上滾，最後就停了。書和電影都好，那個看書又看電影的人，收穫很多。

有一個人是這樣：他背得出所有導演的名字，研究他們的作品，牢記了他們的風格。那個人，把導演們的生平和電影編成書一般的記錄，像女孩子們收藏美麗的指環。那個人，看電影的時候，像收集蝴蝶，《蝴蝶春夢》嗎？威廉威勒嗎？他知道得很多，他知道他本來長於甚麼，短於甚麼，於是很關心地去看看他是否進步了些，是否更可愛過昨天。

這樣的朋友，我敬仰他們。因為他們是真正愛電影的，他們才是打開了開麥拉眼的人。

二

一個電影。你喜歡，我不喜歡。或者，他不喜歡，我喜歡。怎麼辦？

怎麼會看法這麼怪呢，誰對誰不對。是甚麼使我和你這樣的呢。

啊啊，為甚麼我們要意見一致，看法一致，標準一致啊！重要的是你喜歡，有你的理由，我喜歡，有我的理由。我們不需要吵架，不需要別人的影響，不需要在最多人舉手的時候，也湊熱鬧地舉起手來。

啊啊，當皇帝是沒有穿新衣，我們就說：皇帝沒有穿新衣。重要的是我們必需有誠意，我們必需是表達自己。

沒有一個人的看法是最對的，我們都是企望接近兩岸，當我們說，我覺得這樣，我們仍是希望作一條橋。

我們需要許多聲音，不是一個。如果只為了一個聲音，人的誕生就應該是猶如一架可以出產塑膠玩具的機器。

而且，我們還正在摸索。我們今天認為對的，明日也許就覺得差了。我們每日死一次。對於明天，它是會來的。日子還長着。

聖經上說：我們如今彷彿對着鏡子觀看，模糊不清，到將來，就全知道。

三

且說香蕉皮。

第一個導演。先讓你見到一塊香蕉皮。再讓你看見一個人走過來。這個人踏着香蕉皮，跌倒了。我們一早知道結果。熱了一陣心或袖手旁觀幸災樂禍了一番。

第二個導演。先讓你看見一個人走過來。這個人踏着甚麼東西，忽然跌倒了。導演最後才讓你見到那塊香蕉皮。我們一早並不知道走着的人有甚麼危機。我們後來才那麼一下子恍然大悟。

第三個導演。他讓你看到的就是一個人跌倒了。這個人爬起來，走了。他再讓你看到另一個人走過來，拋下一塊香蕉皮。我們覺得真奇怪是不是。我們不幸災樂禍，不恍然大悟，還塞了一腦子的問號。

第四個導演，先讓你見到一塊香蕉皮，再讓你看見一個人走過來。這個人跨過香蕉皮，走過去了。我們預料他會重重的摔一交，我們心裏正在想，有趣的場面來啦，但那個人，他跨過香蕉皮，安然過去了。

如果你是導演，你給我們看那一種。如果你是觀眾，你喜歡那一類。

關於導演和香蕉皮，我要說的就是這麼多。

四

這裏的電影和外國的有許多不同。其中之一就是「家族」。這裏的電影是很「家族」的。

這裏的電影不能隨便拉一個青年人出來，如果把一個青年人拉上銀幕，麻煩就多了。你本來要說的只是一個青年人的故事，但結果會變成了說這個青年人的「家族」的故事。

《蝴蝶春夢》講的就是簡單的兩個人。這兩個人的兄弟姐妹、父母，一個也沒給拖上銀幕去。《色情男女》，也是幾個青年人的故事，他們的父母兄弟姐妹也一個不見，我們看到的就是他們，他們自己。

但這裏的電影呢？不。一個人是不能成一個故事的。一個人是不獨立的。於是父親出現了（老是大獨裁者）〔，〕母親出現了（老是哭哭啼啼）。於是兄弟姐妹出現了，甚至，還拖上一個老祖母。這麼的一大堆人，而我們要說的本來只是一個青年人的事。

一個青年人的故事，變了整個「家族」的展覽。一個直接獨立的題材，變了間接又間接的複式情節，後來，那故事當然就是「多姿多采」了。

為甚麼偏要有這種一大串螃蟹式的電影人物呢？

五

電影院，為甚麼老是那麼的一副呆子呢？

電影院，只會在金像獎揭曉後才熱鬧一下得獎的影片麼？

電影院，一點也不活潑。

應該有一兩間電影院這樣做的，像大百貨公司，舉行一下甚麼甚麼週。整個整個星期放映意大利片，就成了一個意大利週，整個整個星期放映法國片，就成了一個法國週，為甚麼時裝可以，電影不可以？

應該有一兩間電影院這樣做做：放映很古老的電影，裝置那樣很古老的放映機，讓我們看看不到處跳跳闖闖的差利默片。這樣的電影院還可以每天每天放映不同的電影，像以前那間叫人很喜歡的「景星戲院」（註：九龍一間專門放映二輪舊片的小戲院）。

應該有一兩間電影院這樣做做：那很好看，很有意義的說明書，好好地編上導演演員表。難道說明永遠要和我祖母那代的一模一樣，只愛講故事。

電影院實在不夠熱鬧，只有大餐廳大公司知道我們喜歡甚麼。電影院，把名字貼滿報紙上街招上，我們有時候一樣不喜歡它們，它們只有一種姿態，而那種姿態，我們已經面對了半個世紀。

西西（一九六六年七月，第七期。）

五

如果我是演員。

我要努力去學的，不是怎樣化妝，穿甚麼甚麼牌子的衣服，或者學彈琴，唱歌，游泳，騎馬，打保齡球。我先要學的是：試試把自己變作任何一種人。我本來很靜，我就要學如何使自己很動，我本來很年青，我就要學如何使自己年老。（但決不讓自己很年老的時候，去學如何很年青。）

我必需學會看書。知道這個世界到底怎麼樣了。我必需到外面去走走，不要老往名貴咖啡座去呆。我要多看看別人，甚至看他們如何打呵欠，如何打瞌睡。在不必要的時候，我決不戴上黑眼鏡，既然有美麗的眼睛，為甚麼就不讓人家看看。如果去游水，真的要跑到水裏面去，因為，牆是要來給人爬的，游泳衣是要來給人穿了跑進水裏去的。

如果有空閒的時間，我一定給影迷們回信，給他們寄親筆簽名的相片，這本來是一種責任。我應該喜歡我的工作，而不是驕傲我的位置。除非我真的深愛演戲，或者是窮得過不了明天，決不貿貿然當演員。

＊＊＊

如果我是導演。

我不會老是拍一種形式的作品。決不「數十年如一日」地站在一點上不動，我會看世界怎樣了，電影怎樣了。我不能老是嚷：我在十五歲時就進入電影圈了，或者是：我在廿歲那年就當上導演了。日子只能給我經驗，而才能有時像物資，總是越用越少的。

小時候學的乘法是由個位向上面乘的，現在學的乘法，是越靠近乘號的數字先開始。而且將來有一天，沒有人再斤斤計較於一加一等於幾。

我必需知道世界上的電影怎樣了。康城影展，柏林影展和威尼斯影展到底有甚麼不同，今年得獎的電影是那些，為甚麼得獎。就算我或者並不欣賞，並不喜歡，也許一生一世也不願拍一部那樣的電影，我還得去知道它們好在那裏，壞在那裏。

我會求變的，嘗試總是一件好事情。我會重視影評，別人的看法也許是對的。誠摯的仇敵勝於虛偽的朋友。我會常常想：這會是一個好電影嗎？而不是：這會叫觀眾很喜歡嗎或這會叫製片家很喜歡嗎？

＊＊＊

如果我是製片家。

要不是由於我有錢，我不會是製片家。我本來就有錢，不拍片也餓我不死。我所以拍片，雖然也和錢有關，但我一點也不窮。

當我做了製片家，我必然成名。我有了名，在社會上就有了地位。我既然有錢有名有地位，我還要求些甚麼呢？我想：我會做做善事。捐一百幾十萬給慈善機關嗎？許多人都幹的，但我不這樣。我應該拍一兩部很好很好的電影，這是一種很特別的善行。我可以拍九十九部賺錢的片子，但不妨拍一部來慈善慈善。

我的眼光當然很尖銳，知道那一個導演了不起，那一個演員可以造就，但我得背熟驢子的故事，就是：有兩頭驢子的時候，把他們的負擔平均分配，並且給牠們適當的休息。

我年年拿電影去參加影展，仔細大想特想，為甚麼拿不到全世界的獎，然後計劃計劃，怎樣去搶獎品。我要的獎品，不是到一個地方去拿許多獎，而是到許多地方去拿每一個獎，這樣，我才是一個世界公認的了不起的製片家。在這個世界上，我既有了錢，又有了名，又有了地位，甚至也行善，唯一所要求的，除了了不起，大概就再沒有了。

＊＊＊

如果我是編劇。

我決不願做釀土鯪魚。一條很好的魚，給人家剖腹不算，偏要剝皮拆骨地，拉一把花生，一把蝦米和冬菇混在一起，然後又塞回肚子裏，假裝仍是一條土鯪魚。如果一個劇本脫胎換骨了一番僅剩皮相的話，就算給我三千三百萬的編劇費，那也沒甚麼意思。

我會願意為自己寫劇本，就算沒有人拍就由得它呆在世界上，我應該對自己的劇本很有信心，相信一個好的劇本沒拍成電影只是時間的因素。

我會聽取別人的忠告，可以把劇本改三千三百萬次，但條件是必需把劇本改好，不是把劇本弄糟。當然，我每天有時間應該讀書，也讀最新最新的，並且開始用自己的方式去寫劇本。我要努力寫的劇本，應該是一個很詳細很詳細的分鏡頭劇本，而不單單是一個故事。

對於導演先生，我會尊敬他們，但如果這批人頭腦永遠雪藏在十九世紀的冰庫裏的話，我寧願當職業匪徒打劫銀行金庫，也不再和他們打交道。

一個劇本不一定要用來拍電影的，當它上了銀幕，就是電影，當它仍在紙上，它就是文學。

＊＊＊

如果我是觀眾。

我是人。電影的編劇，製片，導演，演員也是人。作為人，同時代的人，我們有許多事情可以機會均等。為甚麼一定要讓製片家那夥人把我們看低呢？以為我們對於好電影的要求很少。我們一樣可以知道世界電影的趨勢，一樣可以懂得甚麼才是好電影，今年的影展出了些甚麼佳作。

對於一個好的導演，偶然拍了一部不賣座的片，我高高興興去捧場，這是表示尊敬。對於一部壞透了的但很賣座的電影，我連放映戲院的門口也不走一步，這是表示抗議。

電影是一件了不起的貨物，但重要的還是我，看電影的人，因為電影如果失去了我，就沒有了意義。製片家每天要看我們的臉色，把我們當作菩薩，但我們偏常常不爭氣，人家給我們一些小玩意，欺騙欺騙一下我們，甜言蜜語一番，我們居然就滿足了。我們這些人常常就那麼沒幾兩傲骨的。

我們一天到晚會嚷，這電影真糟，這公司出品的必屬劣片，但我們還不是照樣去繁華人家的劇場，熱鬧人家的院落。我們居然傻到不會想想：還是去游游水吧，還是去種植種植仙人掌吧。

西西（一九六六年八月，第八期。）

六

且說占士邦

現在最流行的，其實早已不是占士邦，現在流行的，是蝙蝠人。我們拍不拍蝙蝠人？這樣子很怪，就像我們穿不穿短布裙，穿不穿水手袴一樣。

還沒有人想到要拍蝙蝠人，於是我們拍占士邦，女的占士邦。我們捨不得漂亮的汽車擠成花生醬，我們沒有能耐去海底拍潛水人，我們也沒有本領去拍直升機，但是，我們一定拍占士邦。為甚麼不呢？就像現在的大孩子，誰不去買個結他玩玩。流行嘛。

我們並不反對占士邦，只是：拍得好一點行不行？占士邦老是殺人不眨眼，占士邦老是像個了不起的菩薩，占士邦老是不給我們甚麼意義，占士邦老是和一座自動汽水機一般，給它毫子它就給你汽水那麼機械化。

拍一個有點人性的傢伙行不行？拍一個不喜歡殺人的大英雄行不行，不要女人加古怪武器加飛天遁地行不行，如果按圖章般按一大堆印鑒，那麼，還是趁早拍蝙蝠人吧，或者，拍古老十八代的那種吸血殭屍吧，那也是很流行的。

且說大悲劇

催淚彈是應該放進占士邦電影中用用的，不是拿來象徵大悲劇的，但是大悲劇偏偏愛上了催淚彈，不叫人哭怎麼算是大悲劇呢。

有這樣的一個大悲劇，你不想哭，我也不想哭，但是，電影裏邊兩個人淒淒涼涼地哭起來。好像你們不哭的話，電影就沒法收場了，於是，那個電影一次兩次，三番四次，五番六次，七番八次的請你哭，叫你陪他們哭，要你盡量合作，一灑共鳴之淚，這就是大悲劇，問你悲不悲。

《昨日今日明日》你當然看過，你一定嘻嘻哈哈笑過，尤其是開頭那段昨日，你說，這是甚麼劇，風趣劇嘛。天，這呀，其實就是大悲劇，想吧，蘇菲亞羅蘭擺香煙攤，生一個孩子就可以不坐牢，不犯罪，於是她只好生完一個又一個，這種世界，悲不悲，但你一滴眼淚也沒掉過，片中的蘇菲亞羅蘭和馬車路兩口子也沒有牛衣對泣大半個鏡頭。

啊啊，我們喜歡大悲劇的，而且喜歡得發瘋，但是，給我們一點悲的劇，悲我們一生一世，悲不一定要哭的是不是？

且說青春派

跳跳舞，嘩啦嘩啦大叫的，據說就是青年人的電影。這種電影很活潑，大家一副樂天的樣子，穿得漂漂亮亮。樂隊奏奏歌，男女舞一陣，然後幾組人戀愛幾場，就是一部電影。

青年人，問題最多，要拍電影，那才是三千零三夜也寫不完。拍電影的人以為，青年人，大不了主要的是戀愛問題，針對這個問題拍拍，雖不中亦不遠矣。於是拍來拍去的就是兩種人，女的呢，有錢的喜歡玩，個性刁蠻，結果，給人欺騙了，要不然就是窮得全天下最可愛的，是個好好姑娘，碰上個有錢公子，有錢人家的父母反對等等等等，現在的青年人，早已不是這樣的啦。

對於青年人，拍他們的電影，不妨做一面反映的鏡子，對於占士邦的電影，我們需要求證，青年人的電影並不，已知已經足夠了。青年人為甚麼在那裏嘩啦嘩啦，反映一下，青年人為甚麼悶死了，空洞死了，要往那裏去，反映一下，這種電影，要給我們提出問號，光是跳一陣舞，戀一陣輕浮的愛，還是不要拿青年人做目標的好，那枚製片的針，可以指向拍拍「夜生活」。

且說武俠片

一個英雄是最重要的，如果沒有英雄，叫我們看甚麼？一堆英雄也是可以的，但是，如果不是每一個英雄都有很鮮明的性格，很特殊的個性，那麼還是用一個好些。

家族性的仇恨太窄了些，一天到晚報父仇，你報我也報，那麼，互相殺到二九〇〇年也報不完了。游俠是聰明的，隨便甚麼時候可以跑出來亮亮相，但是，游俠不是神仙，半路從天上掉下來就太過無巧不成書。

講點仁義道德實在是一件好事，不要一碰上就是大殺特殺，老太婆固然大殺四方，小丫頭也舞刀弄槍，世界變成了大屠場了。西部片比以前好多了，西部片本來講動作，只求畫面靈活，毫沒意義，現在好多了，出了《原野奇俠》和《龍城殲霸戰》，以後西部片就有了點文藝味，武俠本來是動的，現在有了點靜態，可以說是一種進展。占士邦和一般的武俠片現在卻復古了，回復愛迪生那個時代去，反而不求甚解，只求動作，這種風氣，應該扭轉一下才對。

電影可以快，但不一定靠動作，鏡頭可以多換換，場景可以多調調，就不至於暮氣沉沉也矣。

且說其他

黃梅調，像服裝上的蝴蝶結，早兩年流行極了，現在過氣了。黃梅調，唱慢了電影的節奏，唱呆了電影的畫面，少拍極好。但古裝片實在是可愛的，那裏有很多民族風格，大家一定同意，三船敏郎一穿上時裝總是不比穿和服和日本拖鞋那麼有勁。我們還很希望見到古裝片的另一面目，甚至整部默片，配以黃梅調作旁白，也可以一新耳目的，拍的方式才多着哩。

時裝片的確叫人奇怪，電影一向是時裝界的先鋒，明星們的髮型和衣飾，總是從銀幕上傳染到大街小巷去的，但這裏的時裝片，衣服怪而不新，髮型生硬而不流暢，女孩子也沒有甚麼可以去模仿。是的，模仿甚麼呢？女孩子難道去穿夜總會歌星的閃晶晶釘珠片的晚服？（電影中全是這種人呀。）女孩子難道去梳一個七繞八纏的髮髻？（電影中全是這種人呀。）

電影裏邊怎麼沒有人喜歡結他的呢？怎麼沒有人讀讀荒謬劇的呢？電影的故事往往很完整（合格的說法），但陪襯的世紀是不相合的，電影本來是走得最前的，它像科學和其他的藝術，該一直站在前衛地位，但這裏的電影卻是頭蝸牛。

西西（一九六六年九月，第九期。）

七

最不聰明的就是硬要把電影看作是劇情片。我們常說Feature Film，那是指劇情片。劇情片是給人坐在電影院中看的，是許多人要來娛樂娛樂而少數人要〔來〕欣賞欣賞的東西。

糟就糟在劇情片被叫做劇情片，沒有劇情的那種算不算片呢？很少很少劇，很少很少情的又算不算片呢？我們如今的電影是在那裏為劇情而劇情。

＊＊＊

我還是認為一個蘋果可以拍成一部電影。為甚麼不呢？如果有蘋果，如果有一架很活潑的攝影機。

不必擔心一個蘋果拍不出甚麼出來，圍着蘋果拍一周，那是搖攝，對着蘋果直攝，可以來一串的全景遠景中景近景特寫大特寫，然後由大特寫回到全景去。可以仰攝俯攝，可以重疊三千個蘋果在一個畫面上，可以打字機般一個個蘋果印出來，可以一會兒紅一會兒綠一會兒藍，可以骨碌碌在地上滾，可以懸在線上鐘擺般地晃，可以用字幕說明：夏娃喜歡它。可用旁白告訴大家塞尚也喜歡它。

一個蘋果，怎麼不能拍成一部電影呢。

＊＊＊

有的電影很呆，我想我知道它的緣故。

如果你是坐在窗前看着行人走來走去，這就是緣故了。要電影不呆，坐在窗前觀望的那種方法是要拿進當舖去了。要電影不呆，我們得坐火車，坐滑梯，我們自己先要動，我們怎能要求靜止的眼睛觀看盡四方八面呢。

＊＊＊

甚至電影文法也是新陳代謝的。書上告訴我們：劃是最不聰明的，但書古老了。只要我們會想，劃還是很現代的。字幕是默片時代的寵兒，但聲片並沒有淘汰字幕，而且很美麗地，字幕們漂漂亮亮地出現在《阿里路亞群丘》上，站在《湯鍾士》裏。書上說，轉位是應該流暢的，當上一場說的是帽子，我們就以帽子開始下一場。可是，轉位流暢實在不頂重要。我〔們〕可能喜歡突變，喜歡毫沒蹤跡的來往，因為我們會思想，是我們使書本古老了。

＊＊＊

名著是不能拍成電影的，不管是狄更斯或是法郎士。狄更斯和法郎士的時代並沒有電影，他們的書不是為了電影而存在的。我們需要的應該是那個時代。

當代的小說可以拍電影，除了那個時代感，它給我們以電影感。有的作者以開麥拉式的筆法寫他的小說，這些小說可以拍電影，因為他們幾乎是為了電影而存在的。它們可以拍成很好的電影，但它們卻不可能同時是最好的小說。

＊＊＊

電影和連環圖是表兄弟。

連環圖其實才是電影劇本，但為甚麼我們偏向黑黑的字中去找故事，而忽略了已經分好場分好鏡頭的連環圖呢。我們甚至不需要佈景設計師，不需要時裝設計師。

連環圖給我們很多，包括攝影角度，遠景特寫的位置，場面的調度，只要有聲，只要那些人會眨眼睛，連環圖就是電影了。

＊＊＊

看過櫥窗設計，假設今年流行紫紅色，櫥窗給我們的顏色是一片紫紅。那很美，因為除了紫紅就甚麼都沒有了。不管是一件窮男孩式的網紋線衣，不管是一條配有粗皮帶的短裙，一雙花襪，一頂扁扁的鴨嘴帽，都是紫紅的。

但願電影也能這樣。電影的顏色不一定要一個穿紅，一個穿藍，就算一個穿紅一個穿藍，如果不是經過腦子出來的，還是刺眼得叫我們失望。

＊＊＊

一個飲品的廣告是這樣：一個男人餵了錢給吃角子老虎。汽水瓶就在機器裏動起來，經過一段製造過程，汽水出來了。拿着汽水瓶的人驚異而又害怕地走開。

這個廣告很好，因為整個片斷中只有音響沒有對白，也沒有旁白。但大家都看懂了，不論你是美國人英國人，不管是講國語的或講粵語的。

電影如果懂得這道理，國語片會多很多粵語觀眾，粵語片也不會沒有國語觀眾。

＊＊＊

動作多並不等於打鬥多。電影應該動作多，所以電影決不等於應該打鬥多。卓別靈的默片充滿了動作，那些並不是打鬥。

動作不夠多的電影只能以對白補填，不夠的話再以歌唱補充，照這樣看，如果把電影拿來剪去歌，刪去對白，電影就甚麼都沒有了。

＊＊＊

假設我們可以乘上一輛巴士而直達目的地的話，我們沒有理由要坐一段巴士，下來走幾分鐘而再坐的士前往。如果我們正常，如果我們不是在做遊客，我們應該不浪費時間，不幹傻事。

但電影常常使我們失望，電影太過於喜愛橫生枝節。一本教人如何編劇的書上說：你必須無中生有，製造事端〔。〕他當然對。但是這只說明一點，你所以橫生枝節，是因為你沒法一氣呵成。

＊＊＊

我們知道，我們要看電影的時候，可以看看導演是誰。威廉韋勒，比利懷德，他們我們當然知道。杜魯福，高達，他們我們當然背得爛熟。讓我們不要永遠只記住那些最光亮的名字吧。有些名字，是我們應該自己去搜索的。

柏索里尼，路西，奧來，他們也是意大利的，我們不能只知道維斯康堤，費里尼和安東尼奧尼。英國也多了很多新名字：李斯特，費利，杜納。你以為英國只有東尼李察遜，積克萊頓嗎？

西西（一九六六年十一月，第十一期。）

八

要講講電影院。

餐室和咖啡室可愛，電影院沒那麼可愛。而且餐室和咖啡室越來越可愛，電影院越來越不可愛。雖然，我們跑進咖啡室甚麼的不過在乎那麼的一杯橙汁，或者老是啃那麼的一件鮮忌廉凍餅，但是，那環境很好，叫你很舒服。但電影院，要舒服，那難死了，除非場場戲搬上大會堂。有錢的電影院老闆不是沒有，怎麼電影院會這麼糟。

＊＊＊

火燒了怎麼辦，這念頭我想也不敢想，不管你是甚麼電影院，散場的時候，除非你連結局也不看，若是還看看英女王閱兵那一節，你沒十五分鐘的話別想看見頭頂上有太陽，建築電影院的設計先生有沒有想到門的重要呢？他大概太專心於售票站的多寡了。

＊＊＊

像這樣子我們怎能看一場舒舒服服的電影。你一踏進電影院，這邊水濕濕，那邊一地的蔗渣，電影剛開始的五分鐘，整院還在吱吱喳喳，這邊是人來人往找座位，那邊是「爆穀米」和雪糕杯的聲音，還有，再過一些時候，說不定會鑽出一群嘩啦嘩啦的小朋友，還說不定，有些不知是螞蟻還是甲由爬到你的腳上。像這樣子，我們怎能看一場舒舒服服的電影。

＊＊＊

拿一張說明書，好像要去打一場仗。說明書雖然在這七十年代還是最醜陋的一件東西，但你遲一步，別人就欠奉了。我就是不明白，說明書忽然怎麼全失了蹤，我也不明白，該死的說明書為甚麼從來不漂亮。宣傳先生們捨得把大把大把錢往報紙上堆，卻從來不給我們一張好看的說明書。你能在它上面找到一個導演的名字，一張起碼得不能再起碼的演員表，那是你的幸運。

＊＊＊

贈券是贈給人家去看電影的，送贈券的人往往把你當老朋友，但售票站的先生小姐們卻常常把你當乞丐。一張贈券，星期日不通用，星期六不通用，假期不通用，開映第一日不通用，賣座的電影還可以掛個牌說，贈券不通用。這些律例，不外是要把你的贈券打入十八層地獄，於是我就不明白了，既然這樣，何必印甚麼贈券。電影院很不聰明，有贈券的人多數是有關的朋友，把朋友拒於千里之外，值不值得呢？

＊＊＊

廣告實在是太多了，呆照式的之外，活動式的更厲害，看一場電影，花去我們不少看廣告的時間，電影院應該補償我們這方面的損失。補償的辦法是這樣，讓我們看一套新聞片，或者是加插一部短短卡通。以前，我們常常有新聞片和卡通看的，現在所以沒有了，完全是因為廣告片侵略的緣故。

＊＊＊

最掃興的就是偏要一句一字地把廣告讀出來了，看廣告已經是一種虐待，眼睛受罪不算，還要連耳朵也遭殃。廣告何必要讀出來呢，如果一幅廣告要讀出來，那麼叫設計師滾蛋好了。凡是要加以詳細說明的廣告，就是說這個設計徹頭徹尾地失了敗。廣告不是不可以用聲音陪襯，那麼簡單地說兩句，簡單地唱唱歌，不就行了，我們又不是在收聽電台節目。

＊＊＊

電影院不知道在搞甚麼鬼，《女金剛勇鬥鑽石黨》我看了兩次，為了蒙妮卡維蒂，為了杜蘭斯史坦，為了約瑟路西，為了光合，為了彩色的傘，都值得看兩次，看頭輪的時候，沒看見吱吱叫的龍蝦，也沒見狄保嘉地被人綁在沙漠上曬太陽。但是在二輪的電影院裏，吃龍蝦跑出來了，蓋伯烈被沙漠梟雄捉了將去也出來了。這究竟是甚麼道理呀，想爛了腦袋了。電影院真不負責。

總之，有時候，一部電影，你真要看兩次。

＊＊＊

早場的電影可愛起來了，尤其是那些十一點九的，於是《氣蓋山河》可以再看，《沙漠梟雄》可以再看。不過，有一點點美中不足，像《露滴牡丹開》。要看死了。但它偏偏排在星期三。於是等了等，星期四、星期五，還是它。星期四星期五如果是放暑假當然三千三百個沒問題，要命的是《露滴牡丹開》放映的星期四星期五已經碰上學校開門大吉，眼巴巴等到星期日。《露滴牡丹開》不見了。我們實在很道德，不想曠課去看電影，好電影可不可以喜歡多些在星期天和我們見見呢？

＊＊＊

這樣的說明很好，今天的報紙上就有這樣的電影廣告字眼「重映」，許多電影從來不肯自稱重映，明明是祖母那代的電影，改一個名字又放映了，你心裏疑惑了一陣，這電影甚麼來頭？姑且去看看，這一姑且就上了當。舊片就舊片，怕甚麼揚名亮相，許多人愛看的就是舊片，人家《亂世佳人》每次重映還打響了招牌，決不縮頭縮尾。

＊＊＊

就算一部電影裏有個把女人不穿甚麼衣服，電影廣告也不必大書特書的。典雅一些的電影院就不這麼幹。或許就是因為這樣，電檢處對這些典雅一些的電影院多數會手下留情一些。《血印》嗎？電檢處很客氣，大概首先是因為這是一部藝術的作品，其次，也或許就因為這電影院線的廣告很典雅。所以《血印》很完整，比較起來，電檢處對《夜生活》就很嚴。《夜生活》，在外國很完整，（歐洲當然最完整），這裏就不，剪呀剪，給剪了許多，這樣也對，誰叫你在報紙上拼命地告訴人家女人不要甚麼衣服呢？其實，女人不穿甚麼衣服又那裏值得大驚小怪，拼命的大書特書呢？

西西（一九六六年十二月，第十二期。）

九

有許多人和電影結了婚。由於是「盲婚」，所以很可惜。有許多人實在並不怎麼愛電影，但為了或者生活啦，或者有趣啦，或者湊湊熱鬧啦，就無端端地和電影跑在一起了。有許多人，根本連電影是甚麼，知也沒知道，就和電影打上了交道。有許多人，根本連電影都並不愛一點兒，就被逼和電影結上了不解緣，這樣子是很可惜的。

許多人在製片，他們並不是愛電影，是在那裏愛錢，許多明星在那裏演戲，他們並不愛電影，是在那裏出風頭，許多人在那裏編編導導，也不是愛電影，而是在那裏為了生活，許多人在那裏寫影評，也不是愛電影，而是在那裏藝術藝術一番，或是稿費稿費一番，這些人很可惜，他們從不曾真正和電影戀愛過。

其實，「盲婚」也並沒有甚麼不好，那麼不相干的兩件事物會拉在一起，既然那麼地「婚」在一起了，就應該像我們古代的小姐們那樣認了命，「盲了婚」再去戀愛。因此，許多人既然和電影打上了交道，不管你開始時如何如何對電影一無所知，如何如何對電影全沒好感，請立刻去愛電影，請對電影付出一些真正的感情來。

＊＊＊

這裏並沒有甚麼電影學校。

沒有幾個人是由一個小小的佈景師苦幹了十多二十年，然後升為一個大導演。許多人不知怎地一跑進電影圈就成了九段高手，而這些人，他們是從那裏來的呢？

學院派當然是許多人不挺瞧得起的，但是，嚴格的磨練對任何事情都有益。對於那些九段的高手，我們仍希望他們「給我們以顏色」。

有許多人會奔跑，但不會走路，在他已經奔跑得很神氣的這一剎，我們希望他能走幾步路給我們看。能夠拍九十分鐘的劇情片的導演，我們希望他拍一部九分鐘的短片給我們看。在最初的時候，我們要拍九分鐘的短片，那時候，我們是在學習造句。稍後我們要拍九十分鐘的劇情片，因為我們已經開始寫小說；再後，我們又再拍九分鐘的短片，這樣做是因為我們應該好好地寫一首詩而已。

愛寫長篇小說的導演為甚麼不寫寫短篇小說，寫寫詩呢？至於那些長篇小說仍寫得很糟糕的導演們卻又為甚麼不回去多造造句呢？

請給我們以「顏色」。

＊＊＊

這樣的一個短片很叫人欣賞。大會堂映過。

一個老太太一聲不響，老是喜歡種花生。她很努力地買了盆，找了泥，浸了花生，播了種，看花生出了芽變了大。老太太然後把花生偷偷地種在公園裏，每天去採訪採訪，歡喜歡喜，結果公園花匠除草，把花生藤掉得一乾二淨。老太太難過死了，但她拔了藤上的花生，回去又一心一意地種她的花生。

一個簡簡單單的故事，短短的十多分鐘。但這是一個十足十的電影。老太太一句話也沒說。她住在一間狹巷的陋室裏，每當她在狹巷裏，陋室裏，銀幕就黑白了，每當她到外面的世界去，坐在公園裏，銀幕的畫面就彩色繽紛了起來。那種色彩的對照是如此強烈，製片的又拍得那麼瀟灑自如得像風，高興怎麼吹就怎麼吹。

這裏有沒有人拍這種電影呢？應該有人也會喜歡用開麥拉來寫作，應該有人也會喜歡用開麥拉來繪畫。一群人跑在一起討論出一份雜誌的現象是夠多了。一群人跑在一起組織一個樂隊的現象也夠多了，就是：一群人跑在一起要拍一些短片的現象還太少。

＊＊＊

評電影，有時候可以找一群人。

評電影，可以來一次分工合作的評法。電影裏邊有多少東西你去注意呢？最起碼的是導演手法，攝影手法，編劇，對白，配樂，佈景，演技等等，那麼就也去找這麼的一大群人來，每個人專門注意電影裏邊的一項構成。導演的就專去看導〔演〕手法，編劇的專去看編劇的本領，配樂的就去研究配樂，攝影的去針對攝影。

叫這大群人散場後開一個座談會，把自己的心得拿出來，像這樣子評電影一定十分有趣。可能會比單一個影評人要分身乏術地十八般武藝去捕捉一部電影來評論要精彩得多，一個人評影可能會統一些，完整些，但一群人就會細緻些，深入些。

拿一部電影來開一個座談會討論討論，其實就是一篇很不錯的影評了，有時候可能會比光是一群人離題萬丈的座談更中肯而且實際。

有時候，我們希望一個通才給我們他個人的評論，有時候，我們希望一些專才給我們他們獨特的見解。目前，我們似乎還缺乏一個「影評團」的組織，沒能發展到分工合作地去評影，還是停留在自彈自唱的個人評影的階段。

影評的圈子是窄了些哩！

＊＊＊

交替剪接是許多電影中都有的。

許多的電影都懂得在某一場插上交替剪接，這樣電影的「筆」就可以「花開兩枝，話分兩頭」。

當然，電影中只加插短短的一串交替剪接，觀眾是很容易接受的，而交替剪接的出現也往往是逐漸導向電影的高潮，觀眾緊張之餘，就不會覺得悶，不去想電影中的手法了。

交替剪接用得好，就可以成為書本上的所謂意識流了。書本上常常描寫人物在一刹那的感受，一連系的聯想，這些，可以用交替剪接處理一陣。

現在的電影不應該老是直的發展，應該橫一些。一點鐘那個時刻，五六個人物分別在做甚麼，想甚麼，電影可以針對一點鐘那個時刻的一刹去捕捉這五六個人的思想和生活狀況。雖然，這些人也許實在毫沒相連，不過各自過自己的生活。在這時候，交替剪接就是最好的工具。

《色情男女》這部電影，它有許多特色，其中之一，就是整個電影不過是一開始就沒停過地大大在那裏交替剪接了一番。

西西（一九六七年二月，第十四期。）

十

許多東西都會怪起來，電影當然也會。

電影會怪成甚麼樣子，我想也不敢想，但有一點我是知道，電影絕對會怪成這樣的兩種樣子：怪成棉花糖那樣，大大的空空的，一吃下去甚麼也沒有；怪成現代古怪詩那樣，沒頭沒腦的，看也看不懂，讀也讀不通的。

碰上這種電影時我們該怎樣呢？

影評家，請給我們想想辦法。

＊＊＊

影評家，你們知道不知道，有的電影你們實在喜歡錯了，你們告訴過我們有些電影很好很好，因為它們有好多的風姿。電影是應該有很多很多面貌，但是我們只有覺得，你們所說的電影的風姿，其實已經不是風姿，而是很過分的「同情」。

電影如果是個十，影評家，你的假設分數是多少？（電影不是卷子，給分實在是很沒禮貌，是這樣，不過是把它當作地球儀，加一些經緯而已。）有的人喜歡內容五，形式五。有的人喜歡內容六，形式四，還有的人喜歡內容四，形式六。我還想知道你對很偏激的電影怎麼看法，比如有些電影神經病到內容九，形式一；又有的是形式十，內容零。

＊＊＊

影評家，我看，如果你是那類「我喜歡嘛」就把一部電影捧上天的談電影的人（像我西西就是），最好還是不寫影評也吧。因為，這樣做是沒甚麼意思的，你能對別人說些甚麼呀，寫影評又不是寫小說，寫小說你只要對得起自己，寫影評你還得對得起導演先生哪！

＊＊＊

影評家，你喜不喜歡風格，希治閣的電影裏邊，總是貫徹着一個調子的，那就是希治閣的風格。路易馬盧的電影裏邊，總是變換調子的，那就是路易馬盧的風格。

有個導演也有他的風格，他愛哭，你說風格不風格。

我們要喜歡的到底是電影的姿態還是電影的實質呢？我們要喜歡的到底是電影的顏面還是電影的骨骼呢？影評家，你不能因此沉默。

＊＊＊

新潮、新電影，地下電影，實驗電影，還有些甚麼要來？還有些甚麼面目要展示？我們在等待高達，而如果高達不來、高達不存在，我們又怎樣？影評家，你們又將怎樣。

＊＊＊

如果一切要說的都被說盡，影評家，你們還有甚麼好說，如果你們能夠用一百個字說完你們的意思，請不要用一千個字，如果你們要說的時間不外是五分鐘，就不要勉強拖五個小時，如果你們已經沒話要說，就不要再說。

＊＊＊

不要告訴我們娛樂不娛樂，我們這些從來不寫影評的人並不是不懂得看電影的人。我們這些也看電影的人不一定會走在影評家的後面，因此，影評家，請不必替我們憂慮擔心，藝術不藝術，娛樂不娛樂，不是你要為我們去分憂的事情，你要做的只是把你的看法告訴我們，用不着把你猜想中的我們的看法來轉告我們。

＊＊＊

如果電影是上帝，影評家，你可是神父麼？影評家，也許你已經知道的，任何人都可以向神說話，任何人都可以到父那裏去。

＊＊＊

影評家，假設你是一次徵文的評判，厚厚的稿件交在你的手中，你將如何批判，如何取捨？我只是想知道最關鍵的一點：你選的是作品的本身還是作者的名字？

關於作者論，這是我的一個看法。

＊＊＊

影評人如果要選十大名片，應該好好地開一個會，討論討論，來幾次的初選，複選，如果隨便投十票八票加加分就算數，何等草率。若是用這方法選總統，說不定一選選出七百萬個來。

＊＊＊

電影原來是不能夠當作一幅畫的。電影是電影，畫是畫。要把電影硬當作一幅畫，只能把電影大本營裏的實驗電影拖出來。實驗電影可以不要觀眾，電影不能，電影啊，如果沒有了我們這些觀眾，你還有甚麼意義。（里爾克的說法：神啊，沒有了我，你將怎樣？）

＊＊＊

我是一個英文字一個法文字也不認得的。但你們為甚麼偏要在文章裏來那麼多的英文字，法文字。你們偏要寫上一大串的 *Cahiers du Cinema*，一大串的 *Sight and Sound*。這是為甚麼。

* * *

既然你要說的只是東尼李察遜，就不必再 Tony Richardson 起來，既然你已經用中文寫了「疏離」，就不必再用英文 Alienation 一次，猶太西部片這幾個字中國的識字的人大概都看得懂，就無需加以 Jewish Western。我們看影評，看文章，又不是看翻譯。若是報紙的電訊版凡是人名地名全拖上一條原文的尾巴，相信一份日報起碼要多售五毛錢。

* * *

影評家，你們至少也可愛一點起來了。因為你們最低限度已經不再把電影院的說明書內容抄一段來當作影評了。

西西（一九六七年三月，第十五期。）

十一

我們都知道，電影劇本通常是以分鏡頭的劇本最適合，但現在，甚至是分鏡頭的劇本，也已經有點不足。那是說，分鏡頭的劇本，對於拍攝彩色片來說，已經有點不足，換言之，分鏡頭劇本的效用，只適合黑白片，而不能作為彩色片的整個靈魂。如果一部彩色片也有三魂七魄的話，分鏡頭劇本只是那七魄，還缺少了三魂。

在五十年代的時候，丹麥的一個導演早就說過，如果彩色片不注重彩色的運用，那麼導演們還是別拍彩色片，他說得對。說得更對的是，他說：除了分鏡頭劇本之外，導演還得要求一個分彩色的劇本，拍一部彩色電影，起碼要有那麼的兩個相輔相成的劇本。

對於彩色的運用，大家都贊同分三線式進行，一是拍攝前和佈景師，服裝設計師等合作，研究一番，二是在正式拍攝時，配合燈光而繪色，三是在黑房中加工改善。對於這三個步驟，大概一切的彩色片的製作都不會覺得困難。可是何以一般的彩色片並沒有創意呢？這大概就像另一位導演所說的：一個導演拍彩色片時不應該這麼地問自己——在現實生活中，它是這樣的嗎，而是應該這樣問自己——這是不是表現我所要求的情緒的最佳方法。大家也都知道，這也就是繪畫目前所走的路；不是「是不是這樣的」，而是「覺不覺得出這樣」。

現在的彩色片就糟到只有「彩色」，我們試睜眼看一看四周，這是一個彩色的世界，而事實上，這一個世界是否就真的十分美麗。滿街上的紅男綠女，他們的服飾的顏色是否就配得十分適當。光有「彩色」其實就等於沒有彩色，因為我們看不出那種效果，不知道彩色投向那裏。

彩色是否必需誇張呢？那要看情形而定，彩色並不是一部電影的主人，所以《諜海密碼戰》，即使彩色很鮮艷奪目，卻十分空洞。有的導演甚至認為：一部好的彩色電影是一部彩色不被人注意到的電影。但這卻是愛森斯坦大大反對的。愛森斯坦把彩色比作音樂，認為是有戲劇性的效果的，是一個重要的電影因子，必要時不妨強調一下。

以前，幾乎每個人都在大聲疾呼，認為藝術電影必須是黑白的，這麼說，幾乎要把彩色電影打入十八層地獄，現在呢，黑白片的功能大概已經發揮得差不多了，電影圈中的人突然發現彩色電影的前途十分燦爛，而在這個大寶藏裏邊，可以發掘的財產又極為豐富。於是，許多人都向彩色片努力進軍起來。大師們如安東尼奧尼，高達，也都紛紛投入這一個行列。

安東尼奧尼的《紅沙漠》是講意大利北部一個海港的故事。蒙妮卡維蒂這一個不快樂的妻子，孤獨地浪跡在機械城市的中心，有如一朵帶毒的美麗的花。為了表現孤獨、憂鬱感，安東尼奧尼故意把整個荒蕪的地區油了象徵性的黃，灰和白，那是代表鏽，代〔表〕鋼鐵和石塊。甚至連一條街，一攤水果也塗上一層灰色。劇中人兩夫妻的住宅是灰白的，他們晚上的睡衣也是那種顏色。電影中唯一活潑的彩色大概只有工廠中噴出來的美麗的有毒的黃煙，和六個劇中人獃在一起的碼頭邊的一座屋子才是紅的。劇中女主人夢境中的地中海，充滿浪漫蒂克的氣氛，那裏的一個房間是粉紅色的。安東尼奧尼不惜噴漆一般地去把整條風景線改變色彩，就是為了「表現」劇中的情緒，並且像製版畫一般地把每格菲林親自檢查。《紅沙漠》中的彩色絕不鮮明搶眼，相反地，它乃是十分黯淡的，但是，它卻是一部不折不扣的彩色電影。這種彩色的運用，猶如一首詩，像充滿了意象似的。

安東尼奧尼不過是向彩色邁進了一步的導演之一，除了他，致力於彩色電影的並不算少數。費里尼的電影，內容和畫面的豐富是著名的，單是一部《八部半》，我們就對那光線的調子十分佩服。費里尼一九六五年的《魔鬼的茱麗葉》也是一部彩色電影，其中彩色的作用發揮得很透澈，費里尼用的也是畫家們愛用的表現方式，一切的情緒都不是用電影述出來。而是用顏色來表達。看《八部半》時，我們對故事的流向可能感到捉摸不定，至於《魔鬼的茱麗葉》，費里尼給我們的內涵還要多，如果我們「不和太陽賽跑」的話，肩上的擔子也許真的重得要把我們壓扁了。

杜魯福的《華氏表四五一度》也是一部彩色電影。這部電影是講下一個世紀的事，沒有人再看書，大家都把書燒了。那時候，也沒有火災，所謂 Fireman 就真的是「火人」，不是救火，而是放火，放火燒書的人。華氏表四五一度便是紙張焚燒的燃度。為了要使我們由頭至終醒覺到火焰的伸張和熱力的威脅，所以，整片都盡量呈現一片紅色，而觀眾的心目中就一直存有一個概念：火。

從這些例子看來（要舉的話，當然還有阿倫黎里的《梅莉愛》，娃達的《快樂》，高達的 *Pierrot Le Fou* 等），我們大概可以悉知，彩色電影的世界是廣闊的，而且彩色將在電影中佔一個重要的位置，甚至取代其他；其中，可能包括一樣東西：語言。

電影開始的時候，是默片，稍後有了聲片，再後是彩色電影。我們常常懷念默片，因為，有聲電影有時不免變相成為舞台劇紀錄，有如長舌婦。彩色電影的發展，目前可能有兩條路可以走，其一是部分的復古，彩色電影利用色彩表達，所以把語言壓縮到最低限度，這樣，將來的電影不難會復古到成為一種彩色默片，同時，電影將會變得更接近繪畫，過分一點的話，會變成一套很精緻的幻燈片。但這將是短暫的，彩色電影必會跨越過這一個驛站，走到前面去。另外的一條路便應該是安東尼奧尼，費里尼他們已經在走着的，而這條路，正是所有彩色電影應該追隨的。我們即使是看《沙漠梟雄》，對它的彩色感也只能覺得它不外是一部「彩色的壯觀」片，認為它的黃沙是配合得適度地中肯，我們並不能發掘到「創意」。另一部大衛連的《齊瓦哥醫生》雖然也大量地利用彩色來傳達一個詩人的獨白，但我們也覺得這方面的力量微弱，若不是劇情的發展壓抑了彩色的成長，便是「反映自然彩色面貌」過於真切而蒙蔽了彩色的層次。在這情況之下，我們和那份可愛的彩色之間就有了牆，就有了「隔」，有了「離」了。

西西（一九六七年四月，第十六期。）

十二

星有多重要？星老是和電影拖在一起。一部電影好不好，可以點星。一粒二粒三粒四粒。最多大概是四粒。不過《雨夜情殺案》變了五星上將。《雨夜情殺案》當然不是最最的傑作，但它是五星上將，以後的電影傑作將怎麼樣？如果有一電影拖五十粒星，倒算是一種風景。

＊＊＊

你喜歡電影裏邊有很多文學味道的，那你就去喜歡就去說，如果你喜歡電影裏邊有很多繪畫味道的，那你也自管自去喜歡，自管自去說。但你決沒理由要說喜歡文學味道的人影評不到家，或者說喜歡繪畫味道的人影評不夠深度。影評家，你們的影評我都很佩服，你們吵架就十分不夠風度。

＊＊＊

這個女明星一點也不漂亮，怎麼會當起明星來的呢？許多人都喜歡這樣批評銀幕上或相片上的臉。

我就是奇怪，世界上的人又不是個個天生麗質，電影直到現在為止，所描寫的多半還不外是人的故事，世界上的人並非個個漂亮，當然明星也不一定個個漂亮。

＊＊＊

《獨行俠江湖伏霸》又不見了一大段。大盜從獄中被救了出來後，原來殺了許多人，但是，電影院把它剪掉了，我看，對於電影院，我們只有兩個辦法：第一、電影放映的第一天就跑去看，第二，到第二輪電影院放映時再去碰碰運氣。

＊＊＊

美國的電視把費里尼的《八部半》搬了上去，這其實很好，但費里尼這次氣壞了，因為電視把長長的《八部半》放一節，然後插一段廣告，放一節，插一段廣告，大家都知道，《八部半》本來已經夠「散」，這樣一來，觀眾可能會連哪一段是廣告都分不清。現在，費里尼要找律師好好地加以對付。（這一個消息，抄書得來。）

＊＊＊

我不知道新界的電影院生意行不行，新界可以去的地方雖然多，但吃吃蠔，吃吃海鮮的地方實在去厭了，就是還沒有一間「汽車電影院」可以給大家去獃獃。

＊＊＊

為甚麼意大利人現在喜歡拍「西部片」呢？賣座嗎，那不過是拍完了才知道的，「西部片」本來不是意大利的特產，而是美國的，美國還有其他特產，像《仙樂飄飄處處聞》這類歌唱片，意大利人為甚麼不拍歌唱片，而專拍西部片？原因是這樣，意大利人窮，拍「西部片」最省錢。（安東尼奧尼說的。）

＊＊＊

康城影展是四月二十七日至五月十二日，且不管它怎麼也比不上威尼斯影展的嚴肅，但總還是熱熱鬧鬧的，但亞洲影展呢？連熱鬧一下也沒有機會了。倒是柏林影展還是每年不停地在那裏舉行。

＊＊＊

高達拍電影是不編劇的，他喜歡即興。大概有許多導演很喜歡學學他那麼自由自在。其實高達雖然不寫下甚麼拍攝劇本，腦子裏早就把一鏡頭一鏡頭的圖面編好了。他原來無時無刻不在那裏編劇，讀書時編，吃麵包時編，做夢時編，和別人談話時也在編。所以，一到真正拍片，腦子裏甚麼都弄好了。

＊＊＊

不寫好劇本，拍一部電影是不會十分困難的，拍兩部呢？那比較難些，高達現在就有點頭痛，因為他既不搞文字劇本，又同時在拍《美國製造》和《關於她的二三件事》。兩部片一起來，怎會不辛苦。

＊＊＊

有許多電影是從舞台劇搬上銀幕的。在這裏，我們看電影的機會遠比看舞台劇的機會多。有些電影，我們實在很希望看看它們在舞台上的樣子，像《靈慾春宵》就是。電影和舞台劇的距離往往是很大的，看《戀火融融》和《橋頭遠眺》，我就忽然覺得原來電影和舞台劇是相差這麼多的。

＊＊＊

書本是可以改編為電影的，以前我們以為書本是不可改編為電影，我們那樣說，是因為沒有甚麼由書本改編的電影令我們十分滿意過。書本是可以改編為電影的，問題是，我們要從書本中取多少。

＊＊＊

有不少電影是書本改編後搬上銀幕的。它們所以不可愛，是因為書本包涵的太多，電影容納不下那麼多，書本說的是長篇長篇的故事，電影卻不肯只呈現片斷和片斷。《水滸傳》那麼長，大家都知道不要全搬上銀幕，可以截一段林冲出來。《紅樓夢》那麼長，也不應該從頭拉到尾。但糟的是，凡是一拍《紅樓夢》，人物就一串蟹地跟出來了。活像走馬燈。

＊＊＊

香港的觀眾真怪，電影沒完就急急忙忙地跑掉了，所以，有的電影像《夢斷城西》，就不能怪自己怎麼沒見到片頭設計。而這種「電影未完，請勿離座」之類的字幕，大概找遍全世界也找不到有甚麼電影院有，倒是有趣。

＊＊＊

這裏的國語片，要找黑白片，相信以後就更難了，我不是說不喜歡彩色片，但如果彩色得沒甚麼作用，那還是黑白的好，中國的書法幾千年來還是白紙黑字，也不見得有人說要寫彩色書法，也不見得有人說白紙黑字不夠賣座。

西西（一九六七年五月，第十七期。）

十三

這裏的電影，為甚麼老是電影裏的人在走來走去，為甚麼那些攝影機不肯走來走去？對了，攝影機好重，搬來搬去太麻煩了，所以就獃在一個地方，叫那些演員呀，景物呀，全部「快走到我的面前來」。這樣子不好，攝影機應該也走走到演員景物的面前去。但是，如果導演呀，攝影先生們願意鏡頭多動動，製片家又肯不肯築多幾條鐵軌，買幾部可以給你弄得團團轉的拍攝機呢。

＊＊＊

我最怕人家無緣無故地賣弄空鏡頭的了。拍電影原來到現在還有人在那裏用枯樹代表冬天，海浪代表夏天，花朵代表春天這樣子來轉變畫面，又用日出日落代表晨昏。噯，難道這就算是流暢的手法？流暢完全不是靠這些空鏡頭的，這樣子的空鏡頭只不過是把電影硬生生和舞台劇區別一下的最幼稚的方法之一。舞台劇是沒本領用影像畫面表現時空的轉變，但電影可以，雖然可以，卻不聰明。

＊＊＊

我覺得，我們中國人很少會為了久別重逢而抱頭痛哭一場。其中痛哭自然甚少，抱頭似乎是根本沒有的一回事，但是那些文藝片卻嚇死我，動不動就是抱頭痛哭，父母子女，兄弟姐妹，全是一模一樣，這一點就和外國片喜歡拍接吻差不多。高達早就看透這一個弱點，高達是不拍人家接吻的，除了在《慾海痴魂》中拍了那麼的僅僅的一次。高達認為接吻是很「個人」，很 intimate，很 private 的一件事，不輕易搬弄上銀幕，而我們這裏的「抱頭痛哭」

一般上少見，如果有，也實在是很 intimate，很 private 的。

＊＊＊

這裏的電影，最好一天到晚對準演員的臉來拍，學學一個叫做 Sidney Furie 的導演是聰明的，他喜歡用很多很多的東西來作陪襯，這種例子，國語片也可以用用，如果由我拍《黛綠年華》中竹君病癒的一段，開頭時我決不會拍馮寶寶的臉，而會先拍她身邊的那一籃鮮花，因為後來胡燕妮不是說：「馬伯伯送來了鮮花」嗎？Furie 不錯是個很形式很雕琢的導演，但他用陪襯來引領演員出現的手法，很值得我們學學。

＊＊＊

沒有一本書告訴我們 Zoom 這種東西應該怎麼樣才算標準，一般的持機人都可以隨隨便便自由自在地 Zoom 一陣，Zoom 在電影上，和剪輯無關，和割接無關，它純粹是攝影機不必移動，而可以把景物拉前和退後的一種動作。它的好處就是能夠把眾多的物件或人物，抽出重要的放大在我們眼前。在電視上，攝影足球比賽，是用 Zoom 用得最瀟灑的了，一個足球落在某個球員的足下，一個足球如何入網，都可一跳跳到我們眼前來。通常，用 Zoom 鏡是要誇張一件物件的位置，效果是十分鮮明的，偶一為之，使人有「啊！」的感覺，但如果這也一 Zoom，那也一 Zoom，就完全失去了那份訝異的趣味了。《烽火萬里情》中戰爭的一段就湊熱鬧地 Zoom 了一番，其實一兩次已經很夠，一連串的話，着實有點過分，Zoom 到底不是習字，難道越多就越好？

＊＊＊

我們常說有的導演有風格，這和畫家的畫相仿，放一幅馬蒂斯的畫在，許多人都能夠一認就認出來，這就是風格了。舉例來說，希治閣吧，他有風格的。他用鏡老是很經濟，他很少讓他的人物白白浪費時間在走路上，他是個懂得無話則短，有話則長的導演。當希治閣描述他的人物在走路，他絕不叫你看好一陣，如果有一個人走好一陣路，那必定是有事要發生。以《衝出鐵幕》來說，保羅紐曼一直很少走甚麼路，當攝影機着意描述他在走路時，事情就發生了，不是他被絆跌下樓梯，就是他給保鏢在追蹤。明尼里並不算是個最了不起的，但他也有風格，他的電影老是色彩美得迷人，室內設計細緻精純得嚇壞人，像《瀟灑雲夢》就是個典型的例子，像這樣子的導演，即使他不掛名字上銀幕，人家看他的電影，多半能猜中是他，有時候，我們看一部電影不會覺得有甚麼特別，但如果知道那個導演的風格而加以印證一番，趣味就不同了。

***

我這樣想：如果我們要稱讚一部電影，那麼不妨只看一次就可以稱讚，但如果要指斥，到雞蛋中去找骨頭的話，還是看兩次的好。拍一部電影絕不是一件輕而易舉的事，人家拍電影多辛苦，你罵的時候倒輕鬆，所以，要指斥一部電影，必須看兩次，公平一些。我這裏說的要指斥的電影並非甚麼貓王片之類，而是指《齊瓦哥醫生》、《諜海群英會》等等，因為這些電影可愛的地方也是很多的，多看一次感覺會很不同。

***

拍電影，鏡頭要多殘忍就可以多殘忍，全要看導演如何處理，現在的國語片，大家都認為變得和日本武俠片相仿，殺人不眨眼，整條整條手臂切下來，或者是甚麼眼睛挖下來，叫人見了心寒，說真的，這些鏡頭終究不怎麼為觀眾設想，要為觀眾設想，那就要學學《殘酷生活》的宰牛了。是這樣，銀幕上是述宰牛，鏡頭很近，劊子手大刀在手，一斬下去，觀眾要拿手掩眼睛嗎？不必，因為鏡頭跟着一 Zoom（這個 Zoom 可燦爛了），景物被拉後得好遠，我們見到刀斬下去，牛頭落地，但殘忍的鏡頭已給化解了，大家心中很安慰的，像這種電影，贈一個「安慰觀眾」最佳獎實不為過。凡是要拍血淋淋鏡頭的先生們，請為為觀眾着想。

西西（一九六七年六月，第十八期。）

十四

黑白片的命運真糟，它現在又碰上一個大敵人：彩色電視。事情是這樣，荷里活一般的電影在放映了五年之後，就可以賣了給電視去放映，以前，電視是黑白的，黑白片當然開心，五年以後，不愁沒有第二條路可以投向，但是彩色電視一來，黑白片完啦。製片家現在好聰明，拍完一部電影是要一舉兩得的，既要上電影院放映，又要謀將來上電視的另一筆入息，所以呢，在因因果果的關係之下，製片家們都寧願先多花一點錢（事實上也多不了許多），拍彩色片。

我的看法：

就不能不說這裏的製片先生們不聰明，彩色呀，彩色呀，真的，這裏也總要變成彩色電視的世界的。

難怪費里尼也要拍彩色的《茱麗葉夢遊記》，難道他的《八部半》將來能在彩色電視裏威風。

難怪安東尼奧尼也拍《紅沙漠》和《春光乍洩》，實驗實驗彩色當然有趣，金金銀銀秤起來常常就比電影重多幾兩骨頭。（安東尼奧尼我佩服的，加洛龐蒂才要不得。）

就是不知道黑澤明如何，他的《天國與地獄》要是賣給電視能不能也當作彩色片，因為裏面到底有那麼的一陣的紅煙哩！

電視這東西真傷它第八藝術的兄弟。美國的薛尼魯密第一個難過了起來，唉，傷心的當不止他一個。

可愛的黑白片將怎樣呢，大概只好一早就擠進電影圖書館去了。也好，上帝喜歡死得年青的人。

***

人們到電影院裏去，是為了看電影嗎？拿一間餐廳來說，人們跑進去，就為了要吃吃喝喝那麼簡單嗎？多半不完全是。有人是去聊聊天，碰碰朋友，有人是去享受享受冷氣，欣賞欣賞室內的裝置，等等。真的，有幾個人到海運大廈去是為了送船呢，又有幾個人上啓德機場是為了接機。

我的看法：

這樣的說法是很不對的：想拍一部好電影，不如先弄好你的電影院。但這一點甚重要。

電影院，古羅馬時代的浴場是也。既然開電影院本質上是一種生意，而觀眾又實在沒有幾個是為了看電影而去看電影的，那麼，電影院不妨多設幾張沙發，弄個把花園，開一廂茶座，鑲大列的鏡子，設備宮殿也似的洗手間。

你放映甚麼甚麼電影根本很少人在乎，重要的是那是一個很可以成為一個中心的地方，且有人喜歡湊熱鬧。

雪梨就造了漂亮的歌劇院。破爛的歌劇院當然也能聽歌劇。但事情是：聽歌劇的人實在不多。

周報的「大影會」同樣是放映《扒手》，入場券一塊半，但我還是寧願上大會堂給別人四塊錢。而我是喜歡「大影會」的。

***

R. Lester 是個很有頭腦的人。這個人就〔是〕把披頭士扯上銀幕，拍了《一夜狂歡》，《救命》的導演。他一生對於電影，到目前為止，大概幹了兩件最聰明的事：

一、把片頭設計插到電影中間去，在他以前，電影總是一開場就是字幕字幕，自從他一搞，電影就喜歡嘩啦啦映一大段楔子，然後怪有氣派地把字幕打出來。

二、他現在拍了一部《我怎樣打了勝仗》，是有幾個結局的。

我的看法：

如果我現在是製片，那我也該聰明了。我也拍一種有幾個結局的電影，必要時，還可以有幾個開頭，幾個中間，開記者招待會，就把很正統很正派的幾場輯起來。拿到那些有很多感情豐富的人的地區放映時，就多輯幾段哭得你要死的，但結果卻是一個人也不會死掉，團圓大結局的拷貝。拿到那些女學生最多，最迷女明星的小女孩的地區去放映，就要放映女明星大特寫多於一切，談情說愛場面悽怨纏綿，服裝有如時裝展覽，但結局不妨悲劇收場的拷貝。

你說，如果這樣，我還用不用得着買馬票。

我當然也可以拍一部叫做《我怎樣打了勝仗》的電影，結局起碼有兩個。但如果拍的是八國聯軍入北京，結局就得有九式。在這裏放映時，就是中國人怎樣打了勝仗；在美國放映時，就是美國人怎樣打了勝仗；在英國放映時，就是英國人怎樣打了勝仗；依此類推。這種電影，有個好處，除了皆大歡喜外，還可以有機會獲得諾貝爾和平獎。

＊＊＊

意大利的一群名城逢了一次大水災，藝術品遭了不少殃，於是各國前去幫忙的不少，電影界也不落後，甚麼李察波頓等等的都去拍紀錄片，以籌款捐助復興。在一大堆的拍拍攝攝的人群中，又被人發現了一批有頭腦的人，原來他們是廣告公司特別聘請的設計師，在那裏利用千載難逢的機會，用意大利的破落相作背景，替模特兒拍照，好介紹新式的雨衣。

我的看法：

我們這裏的廣告先生，宣傳部長們怎麼了，沒取到一些靈感嗎？如果是我，我就這樣，我們這裏不是有過一次石子戰，流血大事件？這是最佳的廣告題材。我就會拿個攝影機去拍許多許多滿面血的人，全部大特寫，全部特藝彩色，然後加上旁白：「何必這樣呢，請用我們的『好不漂亮』牌化妝品。」然後，我就去拍石子戰，鏡頭對準遠方一隻揮動的手 200M，接着映一件飛揚的東西掉在別人的頭上。有人把東西拾起來，一看，原來是一隻手錶，手錶仍在那裏的的搭搭地響，於是，又用旁白：「請用『好不避震』牌手錶。」

這些都是又新鮮，又配合大時代脈搏的廣告。如果廣告先生們願意這樣做，我們十分高興，他們可以不必老是和電影們死扯在一起，甚麼猜明星呀，填字遊戲呀，就是不知道一些電影和一些手錶有甚麼相干，而且大家手牽手的，誰也不威風。這就是說，你們自己怎麼沒有腳的，要你侍着我，我靠着你，好標榜標榜，宣傳宣傳。真沒獨立精神，也沒氣概。

西西（一九六七年七月，第十九期。）

NOW IN DOLBY STEREO
全新拷貝,配上杜比音響,世界性重新發行
BEATLES
一夜狂歡
難以再拍的電影
無法重組的樂隊
A HARD DAY'S NIGHT
今天
京華
嘉華
華盛頓
利舞台
★A HARD DAY'S NIGHT
★CAN'T BUY MY LOVE
★LOVE ME DO
★WHEN IGET HOME

十五

報紙上的電影廣告總是很有趣。《春光乍洩》是安東尼奧尼的，安東尼奧尼是意大利人，但廣告說《春光乍洩》是新潮戲，而新潮的祖宗實在是很不意大利的法國，真是要命，你能把科西加島叫做西西里島不。

《春光乍洩》一點也不深奧，最後不外是攝影的阿湯傻氣地拾起隱形球。主觀地聽到拍球聲，哪裏值得大驚小怪，一個人既然知道甚麼叫做夢，又知道有所謂現實，那麼打隱形球也不是新聞。影評人對這種電影絕不會怕怕。

＊＊＊

《山河淚》演出一天就收了場，祖達森這個人，事實上，他也替這裏的電影院賺過一點錢。《山河淚》差勁極是事實，上演一天應該是說宣傳的沒本領，像這樣的電影，怎不拉拉「以色列阿拉伯大戰」陪襯陪襯，電影廣告一直很會扯關係。

演《山河淚》的這一條院線，我倒是很喜歡的，它們至少給過我們《色情男女》等等，而且還有《一男一女》要來，這些好電影都不會賣座，我們可以不上「第一影室」看到，實在很感謝這些電影院，我們也希望《羅可兄弟》、《我的舅舅》、《赤鬍子》等片能夠排期上映，說不定，它們居然賣座呢？冒險也是投資致富的一條路，何況，對於大生意人來說，勝負乃是兵家常事也。

＊＊＊

不知道看電影的人有幾個是重於看面而不重於看點的，我是說，看整個銀幕，當作一個整體，而不是單注意演員的臉。如果單看演員的臉的人，我希望他們轉換一個方式。看整個銀幕框框是很有趣的，你可以看銀幕最邊緣的景物的移動，你立刻知道攝影機是在搞甚麼鬼。為甚麼有些人寫影評很會告訴你運鏡呀，技法呀呢？原來他們不過常常死盯着銀幕框不放的緣故。當然，看電影看成這樣，常常容易被人笑是在鑽牛角尖。可是，玩玩嘛，怕甚麼。

＊＊＊

那天，看一部粵語片，情形真怪，粵語片的對白我每句聽得懂，但因為銀幕上配上中英字幕，不知怎地，我讀起字幕來，看粵語片而看字幕，很畫蛇添足，我說別看別看，但一陣又看了，有字在銀幕上總是很糟的，人又是天生愛讀文字的，〔這〕情形我試過好多次，我平日常常從尖沙咀坐巴士到荔枝角游游水划划船，我總是坐巴士的樓上，到了荔枝角下車時，我就是頭昏腦脹了，因為我沿途老在讀商店的招牌。有人說，你得到的知識是扔也扔不掉的，你認得的字是抹也抹不走的。這說法很對，於是，我就在看粵語片時看字幕了。

字幕這東西，真是雞肋，有時沒它不行，像法國片、日本片、瑞典、波蘭等等片；但如果看英語片、國語片，又覺得它們是把畫面剝奪了很多，扯走我們的注意力，真沒辦法。

＊＊＊

如果我請你寫一篇「香港電影概觀」，請問，你大概要看多少部這裏的電影才敢動筆？你會不會看了一部《大醉俠》或者一部《播音王子》就概觀（蓋棺）起來？有人就是這樣，看一部《橋》概觀了德國，看了《古城春夢》和《痴漢淫娃》就概觀了希臘。還有甚麼比這恐怖的沒有？如果有人認為《瘋狂大賽車》開拓了默片所未展現的境界，或者說《蝴蝶春夢》講的是個走着「屍體戀」的人，我倒由得他說，我們大家可以言論自由，但如果用一部電影來概觀，兩部電影又來概觀，這個人是不是很對不起別人的國家。

＊＊＊

如果我是一個大明星，碰上一個大（脾氣的）導演，我該怎辦呢？我就說不幹了，那時候，導演當然沒我辦法，但如果我是一個無名小卒明星，碰上大（脾氣）導演，怎樣呢？本來我該這麼想，誰叫自己倒運呀，但我還是這樣吧，導演們是藝術家，藝術家常常心情不好的，發發脾氣不過是心情不好，藝術家總是這樣的，於是算數。

至於演員們可不可以也是藝術家，也可以常常心情不好，也發發脾氣呢？我就不知道了。

＊＊＊

一般的電影院都習慣放映劇情片，我們知道，世界上除了劇情片，實在有很多很值得我們欣賞的短片，可惜，我們一直沒有機會看到。短片之中，有許多很輕鬆有趣，富教育意味的，對於青年人，學生們很有益，為甚麼這裏的電影〔院〕只知道香港有兒童而不知香港有學生呢？星期日的早場，十一點或者十二點半，常常有電影院放卡通，這是給兒童的，那麼學生呢？難道一天到晚要等到「文藝片」不賣座而優待他們時才記得他們嗎？電影院最好在星期日放映一些短片了，既然可以放映卡通，為甚麼不放映短片呢？香港已經流行 mini skirt 了，流行一下 mini movie 不是相得益彰嗎？

＊＊＊

電影片名是各式各樣的，有的很長，有的很短，有的叫 $8\frac{1}{2}$，真是無奇不有，現在又有個怪片名，叫做 $E=MC^2$。作為片名，它當然很惹人注意，其實它的名氣早就很響，因為它是原子彈的公式。這部片子是愛因斯坦的傳記。居禮夫人、愛迪生他們早就有傳記上銀幕，愛因斯坦是二十世紀的重要人物，他的傳記將會受到任何人的歡迎的。

西西（一九六七年八月，第二十期。）

十六

到現在為止，我們還是不能夠像買唱片一般去把喜歡的電影買回來，這是非常可惜的，因為如果電影不是自己的，我們當然沒法子要看那一卷就那一卷，而且也不可能甚麼時候喜歡就放來看看。

「電影菲林」我們暫時是找不到的了，那麼，我們是否可以找到「電影書本」呢？

我不知道許多人把舊了的菲林怎麼交待，大概是和舊的鈔票一般，一燒了之，我就是覺得很可惜。一般的電影，拷貝起碼不止一個，如果要留存，將來準備放進電影圖書館，那麼留一兩套也夠了，至於其他的，燒了實在可惜，大家怎麼不想想辦法呢？以前我看過一種連環圖，不是手繪的卡通，而是把整套的電影搬到紙上去，畫面和銀幕上的一樣，對白方面，就和其他連環圖一樣，也是採「放飛劍」形式，所差的就是：它不動，它沒有配音。

如果有這樣的書，相信大家一定高興，你說，若是有一本《廣島我愛》你買不買，它不單是整個的電影劇本，還是很令人捨不得放手的攝影名作。若是有一本《春光乍洩》你又買不買，別說那些顏色設計，大家根本就不必到街上去買大衛漢寧斯的相片。

＊＊＊

由電影連環圖，我們當然會想到紙上電影了。紙上電影無論在成本上，時間上，製作上，要比手繪連環圖花功夫，但這還是值得一試的。

以前，香港的兒童大都在街邊看連環圖，於是許多人很擔心，因為那些連環圖不外是上山學仙，放飛劍，現在呢！這類連環圖不見了，許多人覺得很是安慰，其實，小本小本厚厚的連環圖是不見了，但大本大本的薄薄的連環圖才多着，而且幾乎全是鐵金剛的天下。紙上電影會不會為兒童做一點工作呢？兒童對於圖畫特別有興趣，而真正適合他們的圖畫書，大概也只有《兒童樂園》，《小朋友》，和和路迪士尼的那本卡通了。

我們不錯，是對當前的國片感到不滿，因此，對紙上電影的要求也同樣嚴格，我覺得，如果像不少國產片那樣婆婆媽媽，紙上電影有等於無，與其裝飾裝飾書本，不如讓漫畫來替代。紙上電影在我們還是比較新的（外方已經試驗過，但還是連環圖的天下），作為藝術的一環，它不妨放些，前衛些。最近，我看過的紙上電影，覺得它還不外是一篇篇短篇小說。我覺得，紙上電影既然短，走短篇小說的途徑是必然的，但它有一個朋友，就是短短的實驗電影，大家可以攜手同行。

＊＊＊

我們這裏並沒有甚麼影評人協會，如果有，大概一開會就要吵架。即使是一般人一網打盡的一群評影「小伙子」，也是意見分歧，觀點各別。

影評人做些甚麼事的呢？就是按時寫寫影評，給電影標一些星星，平日多看一些電影書（真看不看，不知道），每年就是選十大名片。

去年的十大名片，影評人都選過了。有個「中國影評人協會」選了甚麼呢？第一名，竟是《仙樂飄飄處處聞》，這部電影稱得上是電影是怪事，因為它實在只是張好聽的唱片。但這還不奇怪，選《仙樂飄飄處處聞》的協會居然會選中費里尼的《八部半》。我就不知道他們用的是甚麼標準了，藝術性一半，娛樂性一半吧。把《八部半》和《仙樂飄飄處處聞》狱在一起，開心死羅拔淮士，氣死費里尼。《偷龍轉鳳》也是十大之一，大概是受了日本影迷的影響，日本影迷一見了柯德莉夏萍就發神經的。至於路易馬盧的《瑪莉亞萬歲》，據說是「雖由珍妮摩露與碧姬芭杜合演，但無優異成績可言」。至於《獨行俠》也跟進十大，意大利人真是「發咗達都唔知囉」。這個「中國影評人協會」，其中「中國」兩字，令人十分慚愧。

＊＊＊

一個人在街上走，且問他：上那兒去？如果他答：「睇電影」，他對，如果他答：「睇影戲」，他不對。

許多人還是把電影當作影戲，以前大家喜歡看戲，「睇大戲」等等，因為戲慣了，所以一碰上沒有戲的，就在電影院裏罵一頓。而他們認為的戲當然也是這樣這樣如此如此的才算。

一般的觀眾總以為，看電影而要研究電影知識，是影評人的事，其實不是的，每一個看電影的人其實都應該對電影方面的知識盡量求知，這等於是在沙漠上行軍，電影向前奔，影評人向前衝，難道你獨個兒留在沙漠上等死。

觀眾是應該幫助電影的，他們可以不把電影拖死。大家看的都是瓊瑤的小說，那麼電影也就給拖在瓊瑤的小說的階段上了。大家如果光是看狄更斯，奧斯亭，電影當然也給拖在那個階段了。以前，電影裏邊不是有很多《雙城記》甚麼甚麼的，現在為甚麼不多拍些這樣的了呢？外方人現在在拍《異客》〔，〕拍了《審判》，就是因為觀眾已經在讀那樣的小說。觀眾的興味就是電影的指南，我們常常罵國語片的陳腔爛調嗎，不如罵我們自己不長進吧。

電影是一面很好的鏡子。要看一個家庭的文化，且看他們的廚房，要看一個國家的文化，且看他們的電影。

＊＊＊

我們一直沒見到這裏的國語片拍蝙蝠人。拍鐵金剛其實已經很辛苦了，如果再拍蝙蝠人，那些特技，真會累死人。蝙蝠人沒甚麼意思，最好不必跟人家，至於鐵金剛也不必再拍下去。外國有西部片，這我們也不必學，我們對西部片不熟，而且我們也不是那種國家。日本的武俠片不錯，這方面我們有路可走，我們本來也多大劍俠，大英雄，日本拍他們的武士，我們也來拍我們的劍俠，我們的條件（包括歷史、文化、傳統）並不遜色，意大利拍西部片的條件自然比不上美國，但「獨行俠」倒也並非爛調。

歌舞片可以拍的，這裏的歌舞片竟會把黃梅調忘了，黃梅調的特色是一開口幾乎就唱，但我們的歌舞片偏巧就是不肯一開口便唱，偏要藉電視、舞台、表演才歌舞，我們既看過《仙樂飄飄處處聞》、《夢斷城西》、《雪堡雨傘》就應該明白，拍歌舞片，讓它唱個飽好了，歌舞片最好從頭到尾整個的歌舞起來，不要堆到最後，因為，到最後，本來是夜總會的把戲。

西西（一九六七年九月，第二十一期。）

AUDREY HEPBURN AND PETER O'TOOLE
柯德莉夏萍 彼得奧圖
偷龍轉鳳
威廉韋勒最佳傑作
海運 百樂
七彩濶銀幕
昨滿座
今天五場
WILLIAM WYLER'S HOW TO STEAL A MILLION
ELI WALLACH
CHARLES BOYER
HUGH GRIFFITH

十七

一

當我們到片場去參觀別人拍片的時候，我們實在不必羨慕大製片場有那麼多的演員和臨記；多麼堂皇的佈景和燈光；那麼獨一無二的攝影機和片場。因為這些東西只能夠使一間製片場的規模變得更形龐大，而不能使一個導演變為一個好導演。

大製片場內最值得我們羨慕的乃是拍電影時可以 NG 無數次，在剪輯時又可以把整千尺的菲林全扔掉。無論甚麼電影，只要剪刀捨得動動，拿出來的好成績就會多些。對於業餘的拍實驗影片的人來說，大動剪刀是一件致命的事。

所有的商店都是這樣，買原子粒收音機不貴，買電池可以把你買窮；買電唱機不貴，買唱片可以把你買窮；買電影拍攝機不貴，買菲林可以把你買窮。生意人就總是最聰明的。如果掉過來，電影也不致這麼淒涼了。

沒有一個人在一開始的時候就可以拿出最好的成績來，藝術工作的成績尤其是漸進的。一個畫家大概扔過成千成萬的速寫紙才有不壞的成就，一個作家也扔掉過不少原稿紙才有見得人的小說；但我們知道，速寫簿和原稿紙遠比菲林便宜，這就是為甚麼書報上有很多文章給你看，而音樂美術節的電影少得短得那麼可憐。

二

我不懂法文，法國來的電影，請給我們中文字幕或者英文字幕，不要給我們英文配音，那樣常常會不倫不類。很少的電影對白少得像《男歡女愛》，那個電影容易配。許多外語電影都不的。

《四百擊》我看過兩次，一次是法語本，英文字幕，一次是英語本，沒字幕，大家都聽得頭昏腦脹，而且都認為：英語對白給出來的一定及不上原來的多。對了，對了，「Parlez-vous Français」不過是兩個字，「Do you speak French」就是四個字。

日本片配國語，又是一種怪物，你怎能忍心見一個人打躬作揖地送你到玄關，九十度鞠躬地對你說「明兒見」，那情況應該是「莎揚挪拉」的；即使是罵一句「王八蛋」，也就及不上原來的「巴格也魯」傳神。

電影是國際的。但演員們不一定是，觀眾們不一定是。藝術的可愛，就是它常常仍有它的國籍。除非對白譯得很好很好，不然的話，我們要字幕。

克里曼的《巴黎戰火》不是好電影，但克里曼依然有牢騷，因為英語版和法語版相差很大，本來是很糟的電影，就因此變為更糟的電影了。

我有一張《男歡女愛》的唱片，是法文的，音韻和諧，律調盎然，英語版的電影用英語唱出，也不見失色，怪就怪在中文字幕，不知所謂。

三

群眾總是令人傷心。

大家說：我們喜歡電影。於是我們大家組織一個電影會。大家說：我們熱愛電影，我們參加，於是許多人參加電影會。大家說：我們要看好的電影，要有好的電影消息，研究資料。於是我們就放好的電影，發放研究資料，出版消息。

結果怎樣，說愛好電影的人不來看他們的好電影，說喜歡電影的人不研究他們的電影資料，說熱愛電影的人不看他們的電影消息。

電影會總是虧本。（電影會並不想賺錢。）

群眾總是令人傷心。

不只我們這裏是這樣，外方也是，遠方也是。你到別人門口討一碗飯容易，你找他們坐進你的電影會難，藝術像教堂，朝聖者的精神不知道都在哪裏。

要不要請個明星來剪剪綵？何藩一個大概還不夠，如果找找陳寶珠，找找胡燕妮，五塊錢一張票大概也會滿座。但那時候就不怎麼像電影會了吧，那種會，有名字的，是叫影迷俱樂部。

音樂美術節放映短片，內容欠佳，但製作精神可嘉，可喜的是高朋滿座，大概是免費且又免費（影片與冷氣），《春光乍洩》裏的湯去搶人家的結他柄，正是這種心理也說不定，人看我看，人搶我搶。

四

全世界的人都認為彩色片越來越有神了。我們也發覺，近來的彩色片要比以前的精彩得多。你可以大罵費里尼的《茱麗葉神遊記》不是東西，但他那彩色設計可夠你瞧的。

還有，你當然看過了《春光乍洩》，看了《男歡女愛》，那彩色，你服不服？

你說，費里尼了不起，安東尼奧尼了不起，Lelouch 了不起，對他們全部 viva 一番。

我且向他們潑點冷水。

你知道他們為甚麼能拍出這般美麗的電影來呢？那是因為現在的彩色底片已經和從前的大不相同了的緣故。現在的電影，那些紅紅得鮮艷，那些白白得閃爍，畫面像是透明的。這，都是因為彩色的底片和沖洗的方法的進步，使電影放一異彩。

以前的屋子點油燈，現在的屋子亮電燈，這和屋主的才幹無關，是燈的進步。屋主的鑒賞力就在於他知道電燈比油燈亮，更能照亮屋子。大師們不過是很有眼力的鑒賞人而已。

西西（一九六七年十月，第二十二期。）

十八

彩色電視來了。

這說明了一點：以前，電視放映的多半是粵語古老片，現在，放映的將多半是國語古老片。

這又說明了一點，以前，電視放映的所謂黑白片，其實毫無黑白味，只不過沒有彩色；現在，彩色電視給我們的所謂彩色片，其實也沒甚麼彩色味，只不過是不再沒有彩色。

＊＊＊

不過，彩色電視一來，電視和電視就要開始打仗啦。黑白的電視就應該想想這些：

一份好的報紙，用不着一定要印彩色，一樣有讀者。

一幅王羲之的書法，用不着彩色裝飾，一樣是藝術。

一本白紙黑字的《唐詩三百首》，用不着變成彩色詩集。

沒有人說過，純白的結婚禮服或純黑的喪服不漂亮。

＊＊＊

而且，黑白有它的長處，黑白易於操縱特殊的畫面效果。

加一個紅色濾鏡，可以拍月夜的柔美景色。

加一個橙色濾鏡，可以拍風暴將臨的雲層。

加一個黃色或綠色的濾鏡，又可以拍夢境般的叢林。

畫面可以很白很白，又可以很黑很黑。

＊＊＊

而且，像這五種類型的電影，是黑白的世界：

Serious Drama。那就是《靈慾春宵》這類的電影，畫面多的是大特寫，畫面忙着要捉住觀眾的視線，如果不是黑白，怎麼辦。

Lyrical。那就是《痴戀》（綠眼女郎）那種電影，有時候，寫的是寂寂寞寞的兩個人，單單調調的一間屋子，這些，都是黑白為佳。

Thriller。希治閣的許多電影都是，黑白是最能產生恐怖神秘感的，想想那套安東尼柏堅斯插死珍納李的電影吧，那種屋宇，人物所以如此古怪，都是黑白的功勞。

Fantasy。那就是《色情男女》那類的電影，或者就是《八部半》。裏邊有些畫面白得如粉牆一般，這就全是為黑白而黑白的，彩色無論如何拍不得那種效果。

Social Documentaries。如《血印》之類。那種電影，講情調，講氣氛，需要很仔細很嚴謹的打燈，換上了彩色，燈光一不對勁，畫面全不連接，而彩色片的光線從來是最致命的拍攝大難題。

＊＊＊

黑白給我們一種「隔」的感覺。

我們生活的世界，是一個有顏色的（一般的看法）世界，所以，彩色片給我們的感覺較「近」，較「親切」。因此，黑白片便好像不屬於我們生活的世界，而有一點距離。這距離，正是戲劇特別要建築起來的。

流行音樂所以花花綠綠，是盡量要做到每個在場的人忘我而投入群眾，要大家台上台下打成一片，這就不能用黑白來輔助，而得用彩色。但戲劇不希望這樣，戲劇要求觀眾清醒，所以黑白是〔要〕「拒」人於外，叫觀眾們袖手旁觀一點，否則的話，觀眾豈非個個都跑上舞台把演猶太或秦檜的演員一刀刺死。

＊＊＊

黑白給我們一種沉痛的壓力。

《巴黎戰火》是不能拍彩色的，因為片中用了不少紀錄片。戰爭的紀錄片，應該用黑白，彩色有時候給我們一種很輕鬆（因為它的色點吸引我們的眼睛，叫我們的眼睛隨着彩色到處跑），很快樂的動態感覺，所以，一些「暴動」，「戰爭」，「謀殺」的畫面，是不適合用彩色的，要不然，我們會想，原來戰爭這麼漂亮，原來謀殺如此多姿多采。像《怒海沉屍》，死人死得美麗不。我們既不愛殺戮，就應該黑白它們，使我們有一種沉痛的感覺。

《男歡女愛》，女的在回憶，幾乎全是彩色回憶，因為她的記憶中一切都是甜蜜美麗的。但到男的述說他的職業時，其中操縱妓女做幕後人的一場，便用了黑白，這就是導演本身的一種批判，這種職業不值得誇張。

＊＊＊

於是，黑白的電視就應該重視這些了：

《唐詩三百首》的好，是它的本身。黑白片的一句對白：「愛鄰如己」，就比彩色的：「把他殺死」佔優。所以，別花腦筋在彩色上，花在主題上。用精警簡練的對白來尋求觀眾。比利懷德的《扭計師爺》中的對白精彩嗎？那可不是一部彩色片，但它是那麼輕鬆風趣。卓別靈以前的默片有趣嗎？也是沒有一滴彩色。

＊＊＊

電視和電影一般，是視與聲的，彩色電視在視的方面奔命跑，黑白電視就該努力朝聽的方面也奔命跑，好使大家有所不同。找人來唱很好的歌，朗誦很好的詩，講很精彩的笑話，甚至演很精彩的啞巴戲，猜測古怪的聲音，都可以。如果彩色片也照做，那麼他們是在浪費他們的彩色了。

＊＊＊

如果彩色電視在介紹時裝展覽，拍攝一件件漂亮的衣服的色彩，黑白電視就去拍攝那衣服的剪裁，特寫領口和袖口的設計，扣子的形狀。如果彩色電視在拍攝陳寶珠在穿一件漂亮時裝跳一場舞，黑白電視就去採訪陳寶珠她自己，多特寫她的微笑，特寫她手指上的指環，阿哥哥襪的花紋，然後，多錄取她的聲音。

＊＊＊

節目還是最重要的，內容還是最重要的。你彩色電視放映愛絲德威廉絲的古老游泳歌舞片嗎？我寧願看黑白的訪問秦萍和方盈。如果彩色電視介紹外國新出的一套彩色餐具，那我寧願看黑白電視教我如〔何〕做一個石膏像了。至於看跑馬轉播，誰管它彩色不彩色，如果跑第一的是我心目中的那匹，則我在黑白電視前一樣高興得手舞足蹈，如果我心目中的馬跑個第尾，則即使〔我是在〕彩色電視面前，一樣氣得要把電視打爛。

西西（一九六七年十一月，第二十三期。）

十九

喊呀喊的。總算喊出一些東西來了。大家總是光說，不做，慚愧個死。於是，我們就立正，起步，拍實驗電影去也。人一多，情況就熱鬧，大家湊點錢，有機的借出機來，這麼着，就出發了。

我才不理大夥兒的所謂「實驗電影」到底實驗不實驗，或者電影不電影，但我覺得很開心，因為重要的是跑去做，呆在那裏有甚麼用。

何藩很好，他走在前面，這個人，在這方面他一直是我們心目中的王子，不是乞丐。

＊＊＊

總是聽見有人說：這個明星哪裏漂亮，難看死了。只要人們一翻開明星相片，明星雜誌，就有人把自己當作是選美會評判員一般，把明星從頭數到腳，不是說這個嘴巴大，就是說那個的眼睛小。

大家大概忘記了：明星又不是個個都要演維納斯，而世界上大家公認的美人也只有維納斯一個。

說碧姬芭鐸好了，她才一點也不漂亮，說依莉莎白泰萊吧，又是只剩下一副開麥拉臉。明星要漂亮，又要會演演戲，除非向上帝訂造。我是覺得，一個明星會演戲遠比夠漂亮重要得多。

你說歌迪亞加汀娜還算不算漂亮？我是覺得她在《八部半》裏漂亮得很，但現在，她演了些不湯不水的荷里活話劇，一點也漂亮不起來了。

＊＊＊

參加亞展的影片，我看了《垂死天鵝》，看了《珊珊》，看了《船》。從電影語言上說，《船》最好。

《垂死天鵝》光是推拉，是幕影機大暴動（革命是好的，暴動就太過了）。《珊珊》只有一場看家庭電影作時間轉位有點新意，此外，就是李菁拿了電影戲票後起步時見到佈告板上的海報：救救孩子，這勉強可算是一個意識蒙太奇手法，其他，就「乏善可陳」。

《船》比較活，最初幾場的割用得清脆，「割入」和「割離」的手法橫貫其中，實在好成績。

＊＊＊

《珊珊》得獎，那大概是由於那個故事。

那種故事，也就是《流芳頌》的故事。但我喜歡《流芳頌》，不是光為了它的故事。

題材有時候害死人。如果題材是電影藝術的先決條件，那麼大家以後實在犯不着再動腦筋翻小說，一本聖經就可以拍起來去囊括世界大獎。

幸好世界不全這樣，要不然，即使把《春光乍洩》拿到亞展來，包保它名落珊珊。

＊＊＊

大家為電影做一點事好不好？譬如說，給那些電影導演等等的人好好地譯定選定一個名字。像《廣島之戀》吧，導演的名字就有一大堆的叫法，有的叫他黎里，有的說是雷里，一會兒有的叫他雷內，又有一陣叫他雷奈。當然，大家都沒有錯，就是很直覺的看不順眼。

現在應該這麼辦，找一伙人，找一伙愛電影的人，聚在一塊兒，替幾百個導演實行正名之。然後，印一份大表，中英，或意或法或德，對照。凡愛好電影的，送他一張，略收印費數毫，這件事，且看誰來做。（大影會怎麼樣？）

＊＊＊

這裏除了「第一影室」，多了「大影會」和「青影會」，電影好熱鬧。這件事，值得提倡。要不是有這麼的一些會，《廣島之戀》和《流芳頌》豈是容易看得到的。而且，兩個影會都為了這些電影介紹了許多資料，又特別專文討論，又辦了甚麼影評徵文比賽。我看，再過多幾年，香港的青年電影觀眾就會很多很多，對電影水準的要求也會很高很高的了。

製片家是有眼光的，在這個時候，他們必須明白，再過一陣，他們要請觀眾到他們的影場來，就不容易了。大家都有機會多看點《廣島之戀》和《流芳頌》，還願意看那些專給祖母那代人看的電影麼。

宣傳先生們也要小心了，你們就不能以為一搬出「新潮派」的招牌就騙得到觀眾的了。

＊＊＊

你們在哪裏呢？你們，愛拍拍電影的你們，愛演演電影的你們，愛編編劇本的你們，你們在哪裏。你們不要躲起來，你們最好走出來，我們在找你。最近，你知道，我們在拍「試試的電影」，幾個人走在一堆就做了，但有時候，我們有人會拍，找不到短短的好劇本；有時候，我們有了劇本，又找不到演員。既然你也喜歡電影的，那麼就不要躲起來，快來參加電影會，我們在找你們。

＊＊＊

蜜蜂是不會說話的。當一隻探哨的蜜蜂找到了花，牠就飛回巢去告訴自己的兄弟。但牠不會說話。牠於是跳舞，跳圓圈式飛行的舞，或者跳 8 字式飛行的舞，其他的蜜蜂都看得懂，因為跳舞就是蜜蜂的語言。

「黃葉隨風飛舞」這是文學語言。

一片黃葉在樹梢。特寫。

風吹黃葉，黃葉抖動。特寫。

黃葉離枝，向畫框右方飛去。近景至遠景。

黃葉在風中翻飛。遠景。

黃葉打一個轉向鏡頭飛來。近景。

黃葉衝入鏡頭把銀幕遮黑。特寫。

這，就是電影語言。

＊＊＊

——你在廣島甚麼都沒看見

——我在廣島甚麼都見過了

——你在廣島甚麼都沒看見

——譬如說那醫院

這，不是電影語言，這，叫做電影對白。

西西（一九六七年十二月，第二十四期。）

二十

電影裏邊有好多的 Pan，它是一種非常溫柔的鏡頭方法。它是那麼地緩緩慢慢，又那麼地穩穩固固。所以，以後，當我們在看電影時碰上了一般的 Pan，就看看它們拍得緩慢不緩慢，穩固不穩固。

＊＊＊

Pan 就是「搖鏡頭」，水平線式的兩邊擺，和一盞探照燈找尋東西一樣。因為是在找尋，在搜索，所以就一定要慢，又因為是要把景物清清楚楚地給人看，所以鏡頭就要穩定。

＊＊＊

一個「搖鏡頭」要多慢呢？如果是搖一個四十五度角，該〔要〕十二至十五秒的時間，最「迷你」也得要十二秒。那就對了。誰要是愛去雞蛋中找骨頭，可以在看電影的搖鏡頭時滴搭滴搭地去數。

＊＊＊

有的 Pan 是不慢的，那是快搖，又叫「拉鏈式搖」，就是 Zip Pan，碰上這種搖鏡頭，一個四十五度角可以用五分之一秒搖完它。

＊＊＊

慢搖是給你看畫面每一景物的。快搖不給你看，有的觀眾不耐煩慢吞吞的鏡頭，所以，快搖就產生了。快搖是從 A 飛一般地搖到 B。你看見的只是先是 A，後是 B，兩者之間的一切景物，全部模糊一片。

＊＊＊

「搖鏡頭」的正確方法是從左搖向右。這是心理學，我們人的眼睛習慣那個方向看東西，但可以有例外，如果人物剛巧走左方移動，鏡頭跟着搖，也就變了由右向左。如果所搜索的物件在左，鏡頭也一樣。《播音王子》一開場時，那個找尋謝賢在房中的搖，就是由右至左。

＊＊＊

跟着一隻鳥或一架飛機「搖」，最好天空中找點雲作作背景，不然的話，「搖」的作用完全消失，沒有陪襯物的時候，對比不出動作的進行，也顯不出速率。

＊＊＊

拍賽車的「搖」，或拍物體的移動，要把畫框追逐在物體之前。那就是說，如果拍的是車，畫面中車頭空出的空間要比車尾空的多，鏡頭永遠不能落後。

＊＊＊

拍飛鳥和飛機也一樣，把物體構在畫面的一端，針對的進行方向多留空位，免得它們好像將會衝出畫面失去。你可以在許多電影中捉到這一類的痛腳。

＊＊＊

用「搖」來追逐動中的物體，鏡頭一定要當前衛，永遠不能落伍，不要跟在後面拍，要預知它會到那裏去。這就像漁人用叉插水中的魚，叉所落的位置，必定是魚碰上來的，不是魚已經游過的。

＊＊＊

自己用手拿着攝影機拍「搖」，要記着的是，不要單用手來搖你的機，而是要整個人，整個身體跟着拍攝機一起轉，它轉甚麼角，你自己也轉一個甚麼角。

＊＊＊

用手持機拍「搖」鏡頭時，還要注意怎樣安放自己的腳。你要拍四十五度角，你會把腳由 A 移到 B。那麼在你還沒有開始拍之前，先把你的腳放在 B 的位置上。應該是先把身體扭曲一些，而不是拍完時才扭曲身子。

＊＊＊

中途轉移「搖」的方向是不適當的。那是對靜態的物體而言。如果我們要拍一間建築物，說巴黎的聖母院吧，我們可以搖拍它的圍牆，橫的搖，水平線的搖。忽然，我們碰到了它的尖塔。要是我們把鏡頭向上升，拍塔的尖，然後又降下來，回到原來的圍牆，再繼續水平線式的搖，我們就錯了，在搖的時候，不該轉方向。

＊＊＊

飛鳥會飛，飛鳥不一定要一天到晚朝一個方向飛。它可以東飛飛，西飛飛，一忽兒這個方向，一忽兒那個方向，「搖」也可以跟它來來回回，但靜物不這樣。

＊＊＊

要拍聖母院，「搖」拍它的圍牆，遠遠地搖，用全景好了。最好用「廣角鏡」。然後割接一個中景，再拍它的塔，用不着一天到晚 Pan，因為「搖」鏡頭又不是電影鏡頭中唯一的一種運動方法。

＊＊＊

正正常常的劇情，該用柔和的配樂來配「搖」。因為它是那麼地抒情，那麼地漸進。「快搖」當然得配熱鬧的配樂。那是要看劇情而定。要古怪的話，當然可以偏在抒情時配吵鬧樂，看各人喜歡。

＊＊＊

「搖鏡頭」是不該常常用的。電影所以一天到晚割接割接割接，是因為我們人看東西總是跳躍式。大家且起來走走路，就知道自己的眼睛不會用 Pan 的方法看東西。如果是這樣，我們由尖沙咀碼頭走到樂宮戲院大概已經要去看眼科醫生了。

＊＊＊

除非我們在找尋，我們會「搖」自己的眼。電影也一樣，既然不找，就不必「搖」。而且要知道的是：搖常常是一條導火線，過一陣，那麼就有東西唬你一唬。

＊＊＊

拿破崙背着手來回走，也是一種「搖」，拍電影能夠利用這一點，說不定也大有用處。我現在還不知道鏡頭如鞦韆般作弧形「搖」算不算搖，還是算不算升降，說不定在這方面也大有發展。

西西（一九六八年一月，第二十五期。）

二十一

電影所以要有遠景中景近景，是因為我們在看東西時，眼睛的吸收次序是那個樣子，那是為了由於我們慣於這樣看，所以這樣拍。電影所以要有高角低角平角，是因為電影是要來給人看的，而且要給人看得舒服。那是為了由於使電影成為一種「美」，所以這樣拍。

＊＊＊

走在大街上的時候，我們經常可以看到漂漂亮亮的女孩子，她們是那麼地鮮艷奪目，因此，我們老遠老遠就看見她們，而這，就是遠景所以誕生的緣故。

＊＊＊

那個漂漂亮亮的女孩子，站在一個大櫥窗面前了，剛才，我們老遠老遠地看見她。那時候，我們還看得見她身邊的一大堆來來往往的行人，還看得見，整條的長街和充滿了船一般的鞋行的格子路。但現在，我們，我們甚麼都看不見，只看見她，她一個，站在櫥窗前，抱着一盒盒的聖誕禮物。而這，就是中景所以誕生的緣故。

＊＊＊

我們急於要看看她的臉，那個女孩子，我們不關心她面前的大櫥窗，也不關心她手中抱着的聖誕禮物，我們忽然要把視線投在她的臉上，或者是，我們忽然集中目力去看她大衣的款式，或者去在意她鞋扣的細細的花紋。而這，就是特寫所以誕生的緣故。

＊＊＊

因為我們用這種視覺的次序來看，所以，電影就用這樣的次序去拍。電影總是先遠而中而近，把物件從一個廣闊的背景中疏離出來。

＊＊＊

孩子們讀書不這樣，孩子們讀書不「由遠及近」。孩子們讀書用的是「由近及遠」的方法擴大出去。他們先知道的是爸爸媽媽，然後是叔叔姑姑，然後是小朋友，然後是同學，他們先知道自己的家，再知道自己的街，知道自己的最近的公園，最近的電影院，最近的教堂，然後是，這個區，這個城，這個國，這個世界，這個宇宙。

＊＊＊

電影也這樣，電影可以「由遠而近」，亦可以「由近及遠」，從眾多中抽取獨一，是自自然然的，從一物推及到眾多，也是自自然然的。

＊＊＊

要是埋頭地擠在一間書店裏翻書，看看該買一本費里尼還是買一本意大利電影的時候，有人用書本拍打你的頭。你應該是驚訝地回顧，於是你見到你的朋友，站在你的背後，你一見就見到他的臉，你甚麼都不注意，只看見他的臉。而這，就是特寫所以誕生的緣故了。

＊＊＊

你的朋友對你笑笑，你這時才看清楚了他，他捧着一本新到的《視與聽》，以及一本《電影與電影製作》。你甚至見到你的朋友，今天打了一條顏色柔和的領帶，很配他那身典雅的西裝，而這，就是中景所以誕生的緣故。

＊＊＊

忽然，你覺得書店裏原來有好多人，而且，書店裏原來有好多書，牆上還有新到的名畫仿製品，以及垂呀垂呀的月曆。你的朋友站在這一切之中，剛才，你忽然地注意他的臉，現在，你覺得，四面的景物剝奪了他許多的存在，而這，就是遠景所以誕生的緣故。

＊＊＊

沒有人說過鏡頭一定得由遠至近，也沒有人說過畫面得一定由近至遠，一切得看情況，得看當時的處境。

＊＊＊

遠或近或特寫，和攝影機與物體的距離關係不大，重要的是，決定物體在銀幕框中的大小。拍攝機與物體相距很遠，拍出來的物體依然可以成為銀幕上的特寫，同樣地，機和物體相距近，也拍得出來遠景。

＊＊＊

甚麼是遠，甚麼是近，各人有各人的說法，不外是人物佔畫面的三分之一的是遠，人物頭腳圍在畫面框內，或膝以上納入框內，是中，頭與肩，是特寫。

＊＊＊

到現在還在一直爭論着的問題是：嬰孩整個進入畫框內時，該算特寫還是遠景。對於遠，我們要看嬰孩被疏離的程度，一切的鏡頭都和它的背景有關。

＊＊＊

電影中的割接是因為眼睛看東西時習慣「跳視」，電影中鏡頭遠近是因為眼睛看東西時習慣集中或選擇，並同時捨棄或歸還。

＊＊＊

當有一個人長得比你高，你會向上看他，當一個人長得比你矮，你會俯身和他談話，在生活中，這是自自然然的，而這，也就是高角低角所以誕生的緣故。可是一個矮矮的人可以居高臨下向一個高高的人發施號令，一個很高的人，我們可以從更高的角度來打擊他的權威，在這時候，一切可能並不是出現得自自然然的，而這，就不純粹是眼睛的問題，而是腦的。

＊＊＊

電影不光能用眼睛拍，開麥拉眼只是攝影師之蟲技，電影所需的乃是開麥拉腦，加上一顆開麥拉心。我們看不見開麥拉心，因為它活在畫面框的背面，但我們可以目擊開麥拉腦。

＊＊＊

單一的電影畫面比較屬於眼，組合的電影場面比較屬於腦，拍電影該用甚麼角度構圖，要考慮「情緒」和「連接」，這是腦的事。在一輛火車頂上取景，不屬於一般眼睛的風景，但「連接」的上一鏡是一個人站在橋上，那就毫無錯誤。同樣，拿破崙如此威風，不該用高角拍，但要是描述他從莫斯科回來，高角度就再適合也沒有。前者是「連接」，後者是「情緒」，都屬於開麥拉腦。

＊＊＊

任何電影都該用多量的高角和低角去拍攝畫面，但必需用得輕微，不然的話，景物是不會有立體感，透視感的。

西西（一九六八年二月，第二十六期。）

第四部分

《香港影畫》非專欄文章

印象・凌波

是呀，今天我去看過凌波了。她是可愛的，比電影裏的她還要可愛，比畫報上面的她還要可愛，如果我不告訴你，我自己也不開心。

我是叫西西，我的朋友叫小離，我們一天到晚嘻嘻哈哈，有時看電影，有時吵大架，這天，我對小離說，我們去看看凌波好不好，這次，她不和我吵架，她說好呀好呀，於是我們就跑到凌波的小客廳裏坐着了。

起初，我們是要走很長的樓梯的，樓梯在「邵氏片場」最最左邊的那層樓旁邊，我們走一段，轉一個彎，再走一段，又轉一個彎，還要走一段，還要轉一個彎，真是多得不得了的樓梯哪，凌波穿高跟鞋走這些樓梯一定很辛苦。

凌波住在三樓，走完樓梯轉完彎就到了。三樓上有許多房間，凌波住第一間。我還沒有走到第一間房的門口時，凌波已經走了出來。凌波走了出來，如果在電影院裏，我的弟弟妹妹就會拍起手來。凌波沒有讓我們進第一間房間，她請我們到第二間去坐。噢，第一間是她的臥室，第二間才是她的私人小客廳。

小小的客廳很漂亮，最可愛的是裏邊暖洋洋的，而且靜靜的，還有許多書報，我一看就看見一張紅沙發，上面有兩個肥肥的紅椅枕，我在一本畫報的圖畫上見過這兩個椅枕，它們紅得很神氣，肚子上繡着一個黑色的福字，四邊還鑲着古色古香的花紋。

凌波這個主人頂會招待客人了，她一面請我們坐，一面問我們喝可樂還是喝茶。我們趕忙說不喝不喝不用了不用了，但她那裏肯聽，就去倒了茶來。「我沒有工人，只好自己來了」，凌波這麼說，好像是在道歉似的。她是個大明星，卻自己給我們倒茶，一點架子也沒有，真是難得哩。我越想越不好意思，但是，不好意思也沒有辦法，凌波又不會讓我們自己動手的。我和小離喝茶的時候，凌波又拿了一盒陳皮梅，每人抓一把給我們，我趕忙謝了又謝，謝了又謝。

忙了一陣之後，凌波自己也坐下來了，她坐在紅沙發上，頭頂上掛着一幅她自己的照片，是《女秀才》的劇照。她坐在紅沙發上最適合了，今天，她穿的正是一件名貴的紅紅的嘉泰蓮娜的毛線衣，我一看就知道是嘉泰蓮娜，因為，我是最喜歡嘉泰蓮娜的，不過，凌波那件的花紋和圖案，我在連卡佛也沒見過。

坐了一陣，凌波說，你們來探訪我，有沒有甚麼要問麼，我說沒有沒有，我和小離都不是記者，沒有甚麼要問呀。其實，我肚子裏要問的東西才多呢，凌波小時候梳不梳馬尾，她穿不穿牛仔袴騎單車，這些都可以問的，後來想想，人家梳不梳馬尾，穿不穿牛仔袴騎單車為甚麼要告訴我，我又不是法官。所以，我就決定不問了，我是來看看凌波的，又不是來玩問答遊戲。

我有沒有告訴你，凌波今天沒有化妝呢？我一定一定要說，凌波今天頂好看，她一點粉也沒有塗，不畫眼線，不塗眼蓋膏，不畫眉，啊呀，我不知道她原來美得這般可愛，她的皮膚很白，鼻子很高，眼睛是雙眼皮的，銀幕上的她和畫報上的她都和現在不一樣，書上的和電影裏的她雖然都是漂亮的凌波，但我看見的才真正是美的凌波，眉清目秀這四個字實在是沒有化妝的凌波的最好的寫照。

還要告訴你，凌波剪短了頭髮，她不梳大頭裝，不梳奧米茄裝，也不梳埃及妖后裝，今天，她梳的頭髮短短的，有點法國的味道，很直，很柔。凌波的這個髮型我是喜歡的，我還喜歡她的頭髮的質，她的頭髮很烏黑，很亮，好的頭髮都應該是這樣的，不開叉，不焦黃，不作乾粉絲狀，凌波的頭髮有很好的質素，我想，她一定是每天晚上記得擦頭髮一百下，早餐喝番茄汁，晚上喝鮮牛奶的了。

我是甚麼也沒有問凌波的，但她問我們，你們是畫報的嗎，我說我們是來看看你的，因為我們沒有見過你嘛。於是凌波就噢一聲。她噢起來是很好看的，就和電影裏一樣。凌波和電影裏不一樣的是甚麼呢？是說話哩。在電影裏邊，她是講國語的，當我在樓梯上走一段轉一個彎時，心裏慌死了，我的國語很糟，我心想，這次我要做個大啞巴了吧，可是，我猜也沒有猜到，凌波的廣東話頂好的，我一點也不必害怕做啞巴了。

凌波今天穿一條美國小姐們都愛得發瘋的那種尼龍長袴，黑黑的，襯着她那紅得不刺眼花紋很別緻的毛線衣，和很淺色，淺得看也看不出的粉紅色唇膏，和一雙黑的，只有查理佐丹才有的那種低跟皮鞋，給我的印象是挺秀氣的，我喜歡這樣的凌波，而且，當我發現，凌波原來在銀幕下也是這般好看時，竟很出我的意外哩。

凌波今天用不着拍戲，不過，她配完了音回到宿舍就碰上我們，連休息一回也沒有時間，我心想，還是別打擾她休息的好。這樣子，我們就告辭了。凌波一直送我們出走廊，我們從樓梯上轉呀轉，回到樓下。我記得，凌波的手也很漂亮，又白又細緻，沒有塗花花綠綠的指甲油，只是塗白色的，很典雅。我也記得，凌波沒有戴甚麼戒指，至於她是不是訂了婚，我就不知道了。

我們回到市區後，小離和我又嘻嘻哈哈起來，我問小離，你喜歡凌波不，她說，喜歡。小離也喜歡，那就好了，她是很少喜歡明星的。

西西（一九六六年一月，第一期。）

這是李菁

一個女孩子的小客廳應該怎樣才漂亮呢？

像李菁那樣的就漂亮了。

一個女孩子的小睡房應該怎樣才漂亮呢？

像李菁那樣的就漂亮了。

女孩子，誰不喜歡甜甜的粉紅色的士多卑利雪糕梳打呢，那麼我們就應該把小客廳的門油成這樣了。李菁頂聰明，她就是這樣的。所以，你一跑進她的小客廳，就像跑進了春天。有一種很香很滑很多泡沫的肥皂是藍得很迷人的，迷人得像小嬰孩柔柔的絨被一樣藍，迷人得像聖誕禮物盒上的緞帶球花一樣藍，這種藍，應該放在牆上。李菁就這樣做的。她真是個很懂得顏色的女孩子。

黑黑的沙發好不好看呢？只要配上彩色的椅枕就好看了。你見過畫家孟特倫的畫麼？你知道不知道孟特倫並不重要，你只要知道他畫的那種畫就是叫我們多喜歡一下顏色的就行了。有了顏色，眼睛就開了。耳朵也是重要的，女孩子的眼睛是窗子，耳朵是幽谷。最好就是在牆角站一架可以唱歌，可以背詩，可以吱哩咕嚕的電唱機了。到了你十七歲時，它就會怪親熱地給你唱祝你生辰快樂。有了顏色，有了聲音，客廳就是一個客廳了。李菁，李菁的客廳就是這樣的。

你也喜歡衣櫥不？大衣櫥小衣櫥，它們盛得下所有的贊臣毛衣和馬田皮鞋。李菁有三個衣櫥。是的，一、二、三，三個。一點不錯。如果沒有了衣櫥，女孩子的小睡房還有甚麼情調呢。衣櫥裏面當然應該放滿衣服，女孩子不穿好看的衣服難道叫窗外的一棵樹去穿麼。李菁的衣服在櫥子裏排得很整齊，衣櫥滿滿的，衣服們在裏面一定熱鬧透了，羊毛厘士呀，垂珠錦緞呀，衣服們真可以每天在櫥裏面舉行選美會，說不定它們到今天還選不定那一件是皇后呀。

小睡房是應該活活潑潑的，為甚麼不也放一頭玩具熊在小桌子上呢，李菁就這樣做的。玩具熊從來是女孩子的好朋友，你生氣時擰他一頓他會一哼都不哼，你高興時對他講故事他會聽得眼都不眨一下。那麼洋娃娃呢，日本公仔呢，小時鐘呢，自己最喜歡的相片呢，得回來的獎品呢，這些，也都應該放在小睡房裏。這樣，女孩子的小睡房才是女孩子自己的王國。李菁的睡房就是這樣的。她還有精緻的梳妝台，一面大鏡子前面高高矮矮站着一瓶一瓶亮晶晶的好香的香水。這樣子的睡房，連空氣也甜啦。

有了可愛的小客廳，有了可愛的小睡房，該住一個怎樣的女孩子才適合呢？

像李菁這樣的女孩子就適合了。

很可愛的小睡房是要配給很可愛的女孩子的，很可愛的小客廳是要配給很可愛的小主人的。可愛的女孩子應該是活潑又典雅，可愛的小主人應該是又懂禮貌，又和藹可親。李菁正是這樣的一個女孩子，李菁正是這樣的一個小主人。

我是和瑞瓊一起去看看李菁的，瑞瓊是我的朋友，她會設計好看的圖畫，又懂得甚麼衣服才是最好看。女孩子穿得活潑一點最好看了。穿一件淺藍色的西裝裙，領口鑲一環荷葉邊的衣服怎麼樣？這個款式是今年最流行的兩大款式之一呢，一種是阿哥哥，一種是窈窕淑女，大家都知道的。穿一件這樣的衣服，在頭上束一條闊尼龍帶子好不好，碧姬芭鐸就常常這樣裝扮，於是頭髮就不會跑到前額來遮住眼睛了。李菁就穿一件那種活潑的西裙，瑞瓊也說好看，她所以甚麼也不說，專心在研究那件衣服，看看怎樣縫一件自己穿穿。活潑的女孩子還懂得應該在家裏穿低跟的粗跟的皮鞋，這樣，地板上就不會有一個個洞，每天晚上也不必燒兩壺開水浸浸腳才舒服。聰明的李菁，她就知道的，她就穿低跟的皮鞋。

女孩子都應該學做一個美麗的女孩子，母親給自己的美麗不很算數，真正美麗的女孩子是很典雅的，李菁就是那樣。她站得很直，坐的時候也坐得很直，膝是很乖地貼在一起的，手是很靜地伏在膝上的。書上說的走路應該怎樣李菁也知道，所以，她走路時眼睛不瞪地板，手不會亂擺，腳不會像有些人的翳鬚一樣。

我和瑞瓊去拜訪李菁的時候，她一開門就給我們一個甜甜的笑，然後，她就懂得做一個好主人，請我們坐，和我們聊天。瑞瓊喜歡李菁的照片，她就送了她兩張，當然是簽了名的。李菁懂得在拿東西給別人的時候是要兩隻手拿着的，這樣子就表示尊敬。啊，懂得禮貌的女孩子才是應該被大家尊敬的，女孩子都應該學她這樣才好。她的母親一定會為她驕傲。

一個可愛的小客廳，一個可愛的小睡房，一個可愛的女孩子，你猜我還有甚麼沒有告訴你？是一個可愛的母親。李菁的母親就和她住在一起。那邊睡房門口的一張像個皮球也似的凳子上有一堆毛線，很粗的摩唏，很黑的色澤。「我母親打的毛線衣。」李菁說。好漂亮的一件毛線衣，一定是為了李菁的。如果下次你看見李菁穿一件黑的摩啼大毛線衣，請記得她有一個可愛的母親，可愛的母親創造了可愛的女孩子，可愛的女孩子創造了可愛的小客廳和可愛的小睡房。

西西（一九六六年二月，第二期。）

那是佩佩

我怎麼會想起蒙娜麗莎的呢，是不是為了那些長頭髮，長頭髮不是使我想起蒙娜麗莎的原因。街上有很多長頭髮的女孩子，她們並沒有使我想起蒙娜麗莎。

當我跑進門口，門口站着一個箭咀，箭咀上排排坐坐着三個字，三個字自稱是「艷陽天」。噢，門口裏邊叮叮打打地忙着的正是艷陽天。當我爬進門口，燈色很高，高得像夕陽，這時候，鄭佩佩斜躺在地上，是她，我認識她。她試着用驚悸的表情，伏在地上，然後跳起來，奔上一條上山的小徑。一些攝影機對準了她的臉。她穿的橙那樣的顏色的襯衫和牆那樣的顏色的毛線背心觸着我的眼睛，她垂在肩後的以即興砌成的頭髮觸着我的眼睛。啊，不是那頭髮，那時候，我並沒有想起蒙娜麗莎。

導演喊着開麥拉。導演喊着「割」。不過是兩次，一串鏡頭就順順利利地滑進攝影機去了。鄭佩佩開開心心地站直身子，拍拍身上的沙粒，燈光依然很亮，她踏着細碎的步子走來，我可以看得清楚她的臉，她的眉毛纖巧而柔和的，均衡得像建築物上有秩序的拱門，我不知道我為甚麼忽然會想起蒙娜麗莎，蒙娜麗莎並沒有甚麼眉毛。

鄭佩佩站得竹一般地挺拔，一雙薄底鞋使她英氣勃勃的，她的手直而修長，我喜歡那手；她的肩闊得整齊，我喜歡那肩，它們像一個出色的衣架。

——我可以買衣服穿

她說。

——一點也不用改的

她說。

真的，那些很有氣概的曼赫頓襯衫為甚麼偏要配上那麼氣壞人的長袖子呢？那些很高很黑的皮大衣為甚麼要縫上那麼叫人想哭的闊肩膊呢？鄭佩佩多好，那些衣服不會讓她生氣，她可以穿掛在商店裏的有古怪招牌的厚絨西裝裙，結上水手的領結，她可以穿男孩子最喜歡的雙排鈕扣的大衣。但我怎麼會想起蒙娜麗莎的呢，蒙娜麗莎喜歡用右手柔柔地扶持着左手，蒙娜麗莎又不穿曼赫頓襯衫。

燈光依然很亮，有人忙着走來走去，但鄭佩佩並不，起初，我以為她像她的舞蹈，我以為她會旋轉得像風，但她悄悄地站在那裏，說很少的話，用很輕的聲音。

——我並不住在影城裏

她說。

——九點鐘就來了

她說。

她的聲音很好聽，像輕音樂一般，她說起來不是很快很快的，你可以聽清楚她所說的每一個字，而且，她每一句話的句子都是短短的，因為短短的，耳朵一拖就可以一把全捉住了。她說九點鐘就來了。由市區到清水灣，路才遠哪。她這麼早已經躺在沙粒地上了，許多人還在家裏睡得很甜。九點鐘當然不能算頂早，但是九點鐘已經到了清水灣，那麼，八點鐘就該吃早餐了，那麼，七點鐘就該起床了。如果七點鐘就該起床了，那麼，晚上十點鐘就該睡了。而昨天晚上：我在大會堂，她說，有一場舞蹈，她說。嗯，多辛苦的佩佩，她怎麼夠睡呢，如果不夠的話，牙齒就會痛起來，眼睛也會腫的，那怎麼辦。

攝影棚裏沒有很多椅子，於是我們一起站呀站，站了十分鐘又十分鐘。鄭佩佩像一棵長在地面的樹一樣，一動都不動，她實在是很北方的，說話很直率，就像碰見了老朋友，就像學校裏面下課時碰在一起的同學，這樣子很好，因為像這樣子的人現在已經是很少了的呀。

燈光還是很亮，忙着的人還在忙着，化妝的先生不時過來看看鄭佩佩的臉，她自己也不時用手按按它。現在我想起甚麼來了，怎麼她的臉上有一個疤呢。哎呀，好大的一個疤，所以，她不時地按它，化妝的先生又不時跑來看它。那個疤，是為了拍《艷陽天》。

——我不能和你們一起拍照了

她說。

——一個疤，多難看

但這是不要緊的，她現在的疤不是她自己的，是《艷陽天》裏邊的小女孩的。《艷陽天》裏的女孩子很可憐，剛才我看見躺在沙粒地上，跑上去找她的父親。雖然是在演戲，但臉上貼了化妝的感覺是很古怪的，所以鄭佩佩還是不時按着她的臉。

——我不能笑

她說。

——笑起來，化妝就裂開的

她說。

於是，她悄悄地站在那裏，閉着小小的嘴。有幾次，她差點就笑起來，結果還是忍住了。忽然我就想起蒙娜麗莎來了，我現在知道我為甚麼想起蒙娜麗莎來了，她就是那位一天到晚笑得很甜很神秘的小姐呀。我一下子全記起來了，很甜的笑，很美的笑，我在電影裏見過，我在書本上見過，我在畫冊上見過，我還在鄭佩佩的臉上找到過。她總是那麼開心的，爽朗的，活潑的。現在，她雖然按着她的臉，一笑都不笑的，但你能夠說，她不也曾是一個可愛的蒙娜麗莎嗎？

西西（一九六六年三月，第三期。）

為了相約在明天　今夜漫漫長如年

是的。圖畫裏的都是凌波。穿一件長毛絨衣，圍一條長絲巾的是凌波。站在鋼琴前手拿歌詞的是凌波。正在唱着「昨天是一陣煙，輕煙升入了雲間」的是凌波。唱得口渴了而喝一點水的是凌波。

我們都應該喜歡凌波的，她能夠演很瀟灑的女扮男，又能夠唱頂動人的歌。現在，書裏的凌波正在拿着曲詞練習，可惜，這是一本書，如果這本書忽然變了一張唱片，我們就可以聽到她那清而柔的歌聲了。

凌波的黃梅調是我們熟悉的，現在她唱的卻不是黃梅調。在《花木蘭》啦，《梁山伯與祝英台》裏她唱的是黃梅調，可是，在《明日之歌》這部新的電影裏，她不再唱黃梅調了。我們都知道，除了女扮男，凌波還會女扮女，除了黃梅調，凌波也會唱時代曲。

在《明日之歌》裏，凌波一共要唱三首歌，唱一首「昨日」，唱一首「今日」，唱一首「明日」。這些歌都有點淒淒涼涼的，淒涼成怎樣，我們看看凌波唱的時候的表情，相信就可以感覺得出來了。

看了這幾幅相片，我們或者會問，這是劇照嗎？不，這不是劇照，這不過〔是〕凌波練習歌唱的情形。噯，練習唱歌的表現已經那麼認真，工作態度已經那麼嚴肅，凌波實在是值得我們喜歡的。

你喜歡收集凌波的圖片嗎？那麼這幾幅可不要放過了，把最大的那幅剪下來貼在床前的牆上，把最小的那幅剪下來夾在月票夾子裏，這樣，你就無時無地不和凌波在一起，隨時都可以看到她，還隨時可以意會到她的歌聲。

還得告訴你，伴奏的可不是別個，他是著名的音樂家顧嘉煇，他有個妹妹，就是唱〈不了情〉的顧媚。

《明日之歌》裏一共有三首插曲，歌詞都是陶秦親自撰寫的，是〈今日之歌〉，〈昨日之歌〉，〈明日之歌〉。這是第三首歌詞：

「你要我為明天歌唱，我無法寫成這篇詞章，誰知道，誰知道明天的花兒香不香？誰知道，誰知道，明天的太陽光不光？你要說為明天歌唱，我無力寫下這篇詞章，誰知道，誰知道，明天的美酒甜不甜？誰知道，誰知道，明天的歡樂長不長？為了我們相約在明天，今夜漫漫長如年，聽窗外的風雨，一陣陣打在枕邊，數明天的落花，一朵朵，含着淚點？明天，明天，明天我們的密約變未變？你要我為明天歌唱，我苦苦寫成這篇樂章，我知道，我知道，明天是一片渺茫，你偏說，明天充滿希望！」

西西（一九六六年三月，第三期。）

潛進人體內部去醫病

不知怎的，現在的一些電影，老愛犯一個大毛病，就是喜歡給你提出一大串問題，但是永遠不給你解答甚麼。編劇的以為我們做觀眾的個個都是教育家，行政長官，偏偏我們誰都不是。於是，我們這些看電影的人覺得世界越來越難看，心裏越來越不開心，腦子裏煩惱的事越來越多，完全要感謝電影給我們帶來的死結。當然，電影的確做到了一面好鏡子的條件，可是，單是一天到晚反映反映反映，又有甚麼用呢？

有沒有一種給我們問題又給我們答案的電影呢？除了卡通之外，有沒有呢？謝謝上帝，畢竟還是有的，有一部電影，叫做《奇妙旅程》，並不是一部了不起得要編進電影史的作品，但至少，是一部給我們答案的電影。以前，我們看過一些奇妙旅程的電影，不是旅行到星球上去，地心裏去，就是旅行到海底去，但現在霍士正在拍的這部不是，而是旅行到人的腦子裏去。據說，有一個捷克科學家到了美國，不幸頭部受了重傷，血管閉塞了，看樣子，這個科學家快要死了，但是他是一個很重要的人，於是，大家想辦法救他一命。唯一的方法就是要進入腦子裏利用光槍射通血管的閉塞。人怎樣進入人的腦子呢？辦法又想出來了。一群人研究出新的醫學方法，利用一艘核子操縱的潛艇，裏面坐了五個人，其中有兩個是醫生。然後把整座潛艇縮小至微生物一般細小，注射進病人的血管去。結果就把病人救活了。

這個電影不錯是科學幻想的電影，但我們會很高興，因為它不是搬甚麼大金剛大恐龍等怪物來嚇我們，還把核子潛艇利用到造福世人的用途上去。不過，作為一部電影，是要有點懸疑甚麼的手法的，這部片是做到了。當五個人進入腦子後，他們受到微菌的襲擊，被困在髮根的細胞裏，又受到心臟跳動的影響，他們還因為氣箱破裂，要到肺中去偷氧氣。其中編得最好的情節是潛艇進入腦中的工作時間只限六十分鐘，他們要摒除一切困難抵達目的地，完成工作再回來，時間迫切得很。他們從腦中回到外界的路程也是編得很令人佩服的，因為他們是從病人的一滴眼淚中跑出來的。這個電影的一切背景和航程都有醫學根據，畫面都和腦裏的位置相同，是由醫學界所繪製的。像這樣的電影，雖然沒有大明星，沒有愛情故事，可是我們知道，作為製片方針，它是對的。因為，它一方面提供了最新的題材，有益觀眾的身心，更證明了在劇本荒的時期裏，人家是如何的肯動腦筋。

佛勞倫斯譯（一九六六年三月，第三期。）

耀眼的黑白小方格子

最記得的是甚麼呢？蘇格蘭，英格蘭，愛爾蘭對不對？女孩子最記得的當然就是蘇格蘭了，因為有挺漂亮的方格子絨，可以縫直褶的蘇格蘭絨。蘇格蘭絨的裙子所以那麼漂亮，那麼可愛，就因為它有那麼簡簡單單的，規規則則的一格子一格子。

方格子的布料永遠是時裝界的寵兒，方格子的布料可以縫各式各樣的衣服，越是活潑的女孩子穿它越年青，越是文靜的女孩子穿它卻又越端莊，方格子的衣料是很怪的，它有那麼的一種可塑性。

看看這裏的一件西裝直身裙，它們是用方格子布料縫成的，同樣的一件衣服穿在三個不同的女孩子身上，都一樣美麗。這邊的胡燕妮，那邊的林嘉，中間的何琍琍，各人的體型並不相同，但穿起來，不都一樣活潑動人麼？

衣服的款式是重要的，這襲衣服的特點在袖口，領口和腰帶上面，它們是用同樣料子的再小一點的方格布以斜紋裁鑲在衣服上，領口那一幅布又剛好和腰帶垂直成一個十字，款式別緻，卻簡單大方。然後使人喜歡的便是那條領帶了，領帶上的一朵花實在搶眼得多，女孩子結上了分外神氣。

海蘭（一九六六年四月，第四期。）

胡燕妮

伊是胡燕妮，當伊站在一大群女孩子的中間，你一眼就可以看見伊，伊自自然然地就是一顆恆星，伊自自然然地就亮得叫你驚詫。在眾多人中，你只看見伊，只看見伊一個，伊那麼地光彩奪目喲！

伊很美。不是一件瑞士名廠的毛衣使伊美起來的，不是一雙法國名廠的皮鞋使伊美起來的，伊像大會堂擺着的亨利莫亞的雕像，無需甚麼衣飾，無需甚麼點綴，伊一美就美起來了，伊就是美的本身。

一件那麼淡雅的毛線衣，一頭那麼屬於大自然的頭髮，然後是那很清涼的微笑使你要去記着伊的名字，名字胡燕妮。伊有臉藏在花蔭裏，伊有眼亮在枝葉下，伊有髮浸在草叢中。伊不是從海上升起來的，伊不是從雲上降下來的，伊是從伊甸走出來的，伊屬於芬芳的泥土。

你可以想起柯德烈夏萍，但伊不是她，伊年青得像水滴。你〔可〕以想起依莉莎白泰萊，但伊怎麼會是她呢，伊的臉從來不是擱在化妝台上的，你要從屋子裏打開窗戶，然後看見伊的臉在鮮牛奶似的氣流裏，你要撥開雲層，然後看見伊的微笑在希臘式的陽光裏。

也許，你會想起意大利，那種寬廣的臉的輪廓時常走進過畫框，但伊不是羅馬的喋喋不休的噴泉，也許，你該想起西德，那種兵士們的勇武和女官們的挺秀，啊，那是對的，伊不是給你一種感覺：英氣勃勃的麼。當伊在一條靜靜的路上款步而來。你可以傾聽伊鞋跟的的塔，伊是以一種勝利的姿態走來的。

伊是以一種勝利姿態走來的，你可以從《何日君再來》的來中意味到伊的獨立的存在，伊會從銀幕的懷抱中走過來，活在我們案上的玻璃下，活在我們巴士月票的封套裏，活在我們牆上的一張畫裏。伊將不斷地向我們走來，以勝利的姿態。

但伊的光芒觸及我們的眼睛，怎麼星子只有一顆了呢？你忽然要問，這也許是因為這樣，如果是星，真正的星，一顆也已經夠光亮了，我們所仰望的，至今不還是頭頂上唯一的太陽麼。

西西（一九六六年四月，第四期。）

六個謎

你是影迷不是？好吧，我且問問你，這裏的六位明星——最近的新作是甚麼呢？

第一位是張燕，大家都認得她，她和秦萍，邢慧可以算是三劍俠，因為她們一伙兒一起去過日本，學過化妝，舞蹈和演戲。對於舞蹈，張燕是頂了不起的，和鄭佩佩一樣出名。最近不怎麼見到她，你別以為她不見了，原來她去了韓國，已經演完了一部戲回來，現在告訴你謎底之一：張燕的新作是《幪面大俠》。

第二位是于倩。大家也認得她，她就是剛從美國回來的，她穿過好多阿哥哥裝，很神氣，又在美國拍了許多相片回來，叫人看了很喜歡，她的新作是我要告訴你的謎底之二：是《藍與黑》。當然，《藍與黑》裏的演員不止于倩，還有丁紅，還有杜蝶。還有，還有，還有趙心妍。

第三位就說趙心妍吧，如果你看過《西遊記》就記得她的了。她和張燕一樣，也善於舞蹈，像這樣的女孩子，演青春派的歌舞劇實在是最適合不過的了。在《西遊記》裏邊，她是飾演觀音的，誰知道這個性格文靜的女孩子竟然善靜又善動呢。現在告訴大家謎底之三：趙心妍的新作是《少年十五二十時》，合演的還有邢慧，還有何琍琍和祝菁她們，好不熱鬧。

第四位是夏儀秋，如果有一天她請你到她家吃一次晚飯就好了，她會燒頂好吃的菜，叫你捨不得離開。你一定會記得，她就是《七仙女》中的大姐姐，《大地兒女》裏邊有她，《風流丈夫》裏邊有她，《魂斷奈何天》中也有她。

她的新作是，謎底之四：《歡樂青春》。一部熱鬧極了的電影，合演的還有秦萍，邢慧，張燕，李婷她們。

第五位是沈依，只要看看她的名字，就知道她是個文靜的女孩子了，現在看看她的相片，真是一點不錯，名如其人，人如其名。她和其他許多明星一樣，像李菁，鄭佩佩，也是從南國實驗劇團訓練出來的一顆明日之星，別看她靜靜地一聲不響，她會唱叫人拍爛手掌的平劇。現在給你謎底之五：沈依的新作是《三更冤》，《明日之歌》，《西遊記》第二集[1]等。

第六位，就要說吳景麗了。她在《大地兒女》和《紅伶淚》中已經和我們見過面，她的本領並不小，會跳古典舞。給她一條絲帶，一把羽扇或者一盞宮燈，她就會在舞台上風姿卓然地把你迷住的。她也是南國實驗劇團訓練出來的一顆星。至於謎底之六：我已經告訴你了，就是！忘了嗎？就是《西遊記》第二集呀。

海倫（一九六六年四月，第四期。）

1　此片於一九六六年發行時更名為《鐵扇公主》，邵氏兄弟（香港）有限公司出品。

秦萍圓又圓

噯，秦萍，你來好不好？

我在電話裏那麼地噯她。其實，我也不知道她是不是真有空，總之，電話是打過去了。我的運氣很好，她在；不但在，還來了。於是，秦萍就來了，穿她的滑雪一般的厚外套，穿她的一個樽般的領子和黑毛線衣。

我甚麼都不記得，最最記得她的劉海，秦萍有最美麗的劉海，彎呀彎，長呀長。所以有人說：她像日本女孩；所以又有人說：她像法國女孩。哼，秦萍才不是甚麼日本，甚麼法國，秦萍就是中國的女孩子，秦萍就是我們的秦萍。

我們就去那間喜歡對我們說阿里阿多和莎揚娜拉的雪糕店坐下來，樓下暖暖的，擠滿了人。我們來一個芒果雪糕呀，來一個御煎之御前茶呀，兩個人就熱熱鬧鬧地吃吃喝喝起來。耳朵旁邊響起了一點兒的音樂，這個下午，我們竟這樣地面對面了。

我和秦萍就面對面了，和秦萍坐在一起是熱鬧的。你試過和一幅牆坐過在一起麼？你試過和一盆水仙花坐過在一起麼？牆是冰冰冷的，水仙花是一聲不響的，悶也悶死了人，秦萍就不了，她並不是放在桌子上書架上小几上的石像，她是活生生的，像在天上浮來浮去的紙鳶，像在地上滾來滾去的陀螺。她是流動的，像流水，像時間。如果如果和她一起堆雪人才開心哩，她會抓一團肥肥的雪塞滿你的領子，扔一大塊冰給你嚐冰棒。所以，你知道我是多麼地開心了吧。

為甚麼秦萍會這樣子的呢？為甚麼她不是一面呆呆的

掛在牆上的鏡子，而是貼在天花板下的滴滴搭搭的鐘呢？這樣，我先問問你，你喜歡甚麼形狀的？圓的，方的，三角的？我喜歡圓形，希望你也是。圓形，噯，圓形就是世界上最美麗的形狀。陽光投下來的線是圓的，一個飯碗是圓的，一滴水墮下來時也是圓的，好看的東西，和諧的東西，柔和歡樂的都是圓的。方形就不；三角形也不。有角的東西使你害怕，使你逃得遠遠，再也不回來。秦萍呢？她是圓的，你見過她的臉？圓臉。你見過她的眼睛？圓眼睛。她決不會拉長了頭髮，加長眼線去破壞她所特有的圓的圖案，就連她的手指，也是圓得又可愛又甜的。當我們畫一幅畫的時候，我們懂得如何尋求線條的呼應，當你見到秦萍，你就明白，她竟是這麼的一項組成，我不知道你有沒有玩過心理測驗。如果你提起筆，僅自畫許多圓圈，那麼你大概就和秦萍的性格差不多了，凡是喜歡圓形的，像圓形的人，他們對朋友是友愛的爽朗的，朋友們對她也是友善的坦率的，因為這樣的人，沒有一些刺去刺痛別人呀。

這個下午，和秦萍坐在一起，你根本沒有時間可以去思想，她一個人可以充滿一個空間，她是那麼地充滿了活力，像一個小小的太陽。我們一起看她的相片，彩色的。她扮演一個女俠，噯，她可神氣了，手裏握一把劍，跳上了半空，有的很有趣，她就呵呵哈哈地笑起來，她要笑就笑了，就算天塌了下來她一點也不管。有一張相片裏的她不穿女俠裝，穿的卻是和服，腳下的那雙木屐使我想起《柔道群英會》中的加山雄三，這張相片更古怪，這樣，秦萍又笑了個不亦樂乎。但這樣子，她就懷念起日本來啦。

——噯，如果我不再多講講日本話。將來就一句也記不得了哩。

是的，那邊有個日本人正在埋頭埋腦往一張日文報紙裏探呀掘呀，這邊又有一位日本太太在嘰嘰吱吱。秦萍是去過日本的，學會了許多東西，跳舞啦，化妝啦，穿甚麼甚麼的衣服，梳甚麼甚麼的頭髮，她都學過的，因此她都懂。但懂是一件事，幹又是一件事，遇上大宴會她就小小心心仔仔細細地穿好看的衣服，梳好看的髮型，平日呢，秦萍喜歡簡單輕便的衣服，她的性格是這樣子，我們也喜歡她這樣子，難道大家會喜歡扭扭揑揑的女孩子。

我喝的那杯甚麼御前御後的茶苦得很，秦萍那杯雪糕才甜，她一下子就吃完了。然後坐着，然後聽聽音樂，然後想起了話就說，不想起了就不說。我想，她演時裝片一定會把更多人的掌聲搶過來。她可以演一個女學生，又頑皮又不聽話，但卻又是很乖很乖的；她還可以扮男孩子，穿大毛線衣，戴一頂扁扁的法國帽。這麼神氣的秦萍，誰不喜歡才怪。

我是不喜歡林黛玉的，她這樣〔的〕美人一天到晚生病，風大一點的時候就會把她吹上天。如果中國女孩子都像林黛玉，那就糟了，那時候，中國只有一件事要做，就是一天到晚忙着收集藥材。現在的女孩子是不應該今天病明天又不吃飯，早上哭晚上又嚷着要上吊的，女孩子都應該活活潑潑，像兔子像松鼠，只要不像花豹和野狼就行。秦萍她就不是林黛玉。

秦萍是很喜歡交朋友的，她並不喜歡把自己藏在屋子裏，所以，如果下次你們大伙兒去旅行，說不定秦萍也會嚷着一起去，你只消打一個電話問問她，像我那樣她高興就來的。她的電話又很容易記，是六……嗯，我是準備告訴你的，但是，我還是先問問秦萍再說。

西西（一九六六年四月，第四期。）

夜雨·秋燈·鬼彈琴

你怕鬼不怕？如果有一天，你獨自坐在花園裏彈琴，像圖中的李麗華那樣，忽然，背後卻伸來了兩隻手，凍冰冰的，陰冷冷的，啊呀，嚇死人吧。你明明知道花園甚麼人也沒有的。又明明知道整個屋子只有你自己一個，而且，從來就沒有一個女人在屋子裏出現過。但現在，卻有兩隻手按着你的手，你的耳邊也許還會傳來一陣溫柔的女性化的聲音：「公子，讓我教你彈琴。」在這個時候，你敢不敢回轉頭去看看？

李麗華是回過頭去了，站在她背後的，竟是俏生生的那麼的一個李菁，噯，早知是李菁，我們誰也不怕她啦。不過，《連鎖》這部電影的李菁，扮的卻是一個美麗的女鬼，一聲不響地跑來站在李麗華的背後。《連鎖》大家都知道，是《聊齋誌異》裏的一個故事。《聊齋誌異》裏的女鬼，大家也都知道，都是又漂亮又好心腸的。我本來是頂怕鬼的，但是如果有一個女鬼站在我後面對我說：我是《聊齋》裏邊的女鬼，那麼我就一點也不怕開開心心地陪她一起喝茶。李麗華大概也是這樣，她見到李菁是那麼漂亮，又那麼仁慈，就不管她是人是鬼，大家交了朋友。你看，李菁教她彈琴時她多得意。

起初，是李麗華飾演在彈琴的書生，然後是李菁飾演的女鬼教她彈琴，至於李菁呢，卻由導演嚴俊教她。其實，這種琴真是不容易彈的，如果沒有真正的國樂專家指點，一定會錯得笑掉人的嘴巴。拍這部《連鎖》時有沒有專家指導呢？有，正在指導李麗華的那位呂培源先生就是了。他是邵氏公司國樂部的琵琶名手，你已經聽見過他的名字啦是不是？

愛倫（一九六六年四月，第四期。）

凌波初試新娘妝

你看過凌波穿新娘裝嗎？你一定說沒有，甚至在電影上也沒有見過。

現在，你可以看見凌波穿新娘裝的圖片了，一張是正面，一張是背影，可是你看不見誰是新郎，相信你一定感到有一點點失望。

這張正面的照片，頂上戴着珍珠皇冠，白色頭紗，襟上一朵紅花，還有寫了「新娘」兩個字的綢帶，兩隻手腕都戴了鑽石鐲子，白色手套。

後面，還隱約的看見參觀的人群，氣氛挺熱鬧的。但是你一定會〔產〕生一個疑問，這是凌波真的結婚照片嗎？還是在拍戲呢？你一定想知道清楚，假如是凌波真的結婚，新郎又是誰呢？請你翻到本刊第四十八、四十九兩頁就明白了。

愛倫（一九六六年四月，第四期。）

烽火萬里情

見過凌波結婚禮服沒有？我敢打賭你沒有見過。現在，我們看，美麗的凌波穿上禮服結婚了。因為他愛她，她愛他，他們就結婚了。她當然是凌波，他呢，原來是關山。他們是在結婚，但這是在拍戲。甚麼戲？《烽火萬里情》。

烽火萬里情，講打仗的是不？我想是的。凌波和關山結了婚，應該是開開心心的，可是，關山卻要去打仗了，於是，可憐的新娘子淒涼死了。她一個人在房中懷念丈夫，千言萬語的，提起了筆從何說起呢？寫得倦了的時候，她疲乏地上床躺一會兒，但在這個時候，屋外響起了悲涼的號角，她突然從夢中驚醒過來，唉，「可憐無定河邊骨，猶是春閨夢裏人」。像這樣的感覺不禁浮滿了整間屋子。

《烽火萬里情》讓凌波主演是對的，你看，劇照中的她演得挺活的是不是？導演羅臻一定也很開心，凌波演戲實在不必怎麼指點的啦。

愛倫（一九六六年四月，第四期。）

慾海情魔——令人蕩氣迴腸的影片

我叫做葉青。樹葉的葉，青色的青，圖畫裏邊有好多個我在裏面，有的是穿校服的，有的是不穿校服的。雖然這些照相裏邊總共有三個人，但我一告訴你，你就認得我了，我是最愛玩具熊的，對啦，抱着一頭大玩具熊的就是我葉青了。

我是很幸運，有一個頂漂亮溫柔的姐姐，還有一個美麗和藹的母親。我的姐姐，就是和我一樣穿了校服，在一間學校裏讀書的胡燕妮。我倆常常一起打鞦韆，我很愛她，母親也很愛她，常常買新衣服給她，有一天，姐姐穿上了黑色的西裝裙，插上一朵玫瑰花，她這樣子就可以去參加舞會了。靜靜地也告訴你，我姐姐有一個男朋友的，他呀，叫做何藩。我的母親，不錯，她就是張仲文。我們的一家生活得很好，但是，後來就不簡單了，怎麼不簡單，我因為年紀小，也不懂那麼多。我還是告訴你好了，我們是在演《慾海情魔》，關於我的母親後來怎樣，我的姐姐又怎樣，最好還是不要我說，我是小孩子，小孩子那裏懂那麼多。

葉菁（一九六六年四月，第四期。）

重訪凌波

那天，我跑進影城去玩。你知道，我現在常常跑進影城去玩的，有時候，我跑去叫何琍琍教我跳阿哥哥舞，有時候，我跑去看張徹導演王羽他們嘩啦啦的一大群人演《邊城三俠》。那天，我又跑進影城去了，那天，日本的導演井上梅次正在大廳裏開會，日本的藝術指導岡田先生也在開會。岡田先生是帶了岡田太太一起來的。岡田先生去開會，那麼太太怎辦？他就把太太給我，我對她說了聲喔哈喲，就到處陪了她逛。

我告訴野田佳予子（就是岡田的太太），站在草地上拍照的就是胡燕妮。我向她揮揮手，胡燕妮笑呀笑，笑得好甜。這時候，小路那邊有個人好神氣地走來了，我們站得很遠，趕上去一看，只看見一個背影，一件黑的大毛線衣，一條黑的挺直的西裝袴，短短的頭髮，哎呀，那可不是凌波嗎。

——噢卡達生，那是我們的影后，快去快去。

噢卡達就是岡田的意思。噢卡達就高高興興地和我一起跑過去了。凌波走得好快，一下子就不見了。準是回宿舍去啦。準是回宿舍去啦。

我是認得宿舍的，就是由樓梯轉轉呀，轉轉呀就到的那個地方。我們一下子就到了。

——你不是西西嗎？

凌波說。哎呀，看，她多好記性，她記得我叫做西西的。我就告訴凌波這位是岡田太太，也告訴噢卡達生說這位是影后艾薇。凌波這次請我們進房間裏坐，我一看就看見一張大床，真是漂亮得和公主的一般，這邊是一面大大的鏡子，連着大梳妝台，床邊是一張紅得頂鮮明的高背沙發椅，凌波請岡田太太坐在那裏，又請她抽煙。想不想知道凌波請她抽甚麼煙？四個字的牌子：Kent。

睡房裏有好多風景，床頭牆上當然掛着凌波自己的大彩色照，但是我那來得及看，凌波才是最重要的。現在，她已經脫下了黑毛線衣。

——今天好熱，我得洗一個澡。

門外一個女僕進了來，她去替凌波預備水。今天的確是好熱的，剛才凌波是在演《明日之歌》，她真是頂辛苦的，她現在已經脫下了黑毛線衣，穿的竟是一件黑得叫我喜歡死了的襯衫，那袖子挺挺的，領口挺挺的，襯衫上有個斯文的小袋，凌波那裏買來這麼漂亮的黑襯衫？

——你這樣真神氣，拍個照就好了。

——這那裏行，我呀，像個拆白黨的。

如果拆白黨是這樣子，我甚麼都不喜歡，只喜歡拆白黨。我心裏想，凌波這樣子多神氣，她真是可以演女飛俠黃鶯，還可以演女特務珍士邦。

凌波的頭髮短短的，和我上次見的並不同，今年流行短髮，柯德烈夏萍在新片《如何偷一百萬而快快樂樂地生活一輩子》裏的髮型就是短得迷人的，凌波的並不同，但一樣叫你看得不眨眼，頭髮本來是直直的，但那剪裁使人心醉。

——哪裏剪的這麼好看的頭髮呢。

——安東尼。

怪不得，原來是安東尼。這時，門外的女僕又推門進來，說水在預備着。

床上有一本大簿子，我一翻，全是凌波的相片，有女秀才的，有玩皮球的，好多好多，而且都是大幅大幅的，畫報裏邊沒有，街上的相片攤上也沒有。

——凌波，給我一張相。

——這些都是我私人保存的，好吧，你選一張吧。

其實我真壞，這些相片每張都不同，是凌波自己留存的，但她還是願意送我一幅。我找呀找呀，唔，這張不錯，這張吧，我輕輕地撕下來，凌波也一面幫我忙。

——這張，是我拍來貼在護照上的。

她說。我想，這大概是全世界最漂亮的護照相片了。

凌波並不是只和我說話的，她還和岡田太太說話，你猜她兩個人怎麼談話的？岡田太太是日本人，一句中國話都不會，當然講日語，我們的凌波呢？原來嚇我一大跳，也是一口日語，兩個人里里拉拉了一陣，把我聽呆了。我只好瞪大了眼睛看看凌波，她一面替我在相片上簽名，一面笑，一面說：

——我是去過日本的呀。

我記得，凌波會講英語、國語、廣東話、福建話、潮州話、客家話，現在又是日語，她原來竟是個語言專家。

——哎呀，浴缸的水要滿瀉啦。

凌波連忙跑了出去，一會兒，她又回進來，一路上，我聽到她在哼歌曲，可惜她一進門就不唱了，要不然，我準可以多聽聽她親自唱歌的聲音。

這時候，我想起來了，水是會冷的，凌波一會兒還要自己駕汽車回九龍市區，於是我小心翼翼地拿了相片，謝了又謝凌波，才和岡田太太一起出來，凌波還跟我們說莎揚娜拉，莎揚娜拉。

（這次我去看看凌波的時候，我對她說，我是來看看你的，不是來寫東西的。但是，朱先生說大家喜歡知道凌波的消息，要我寫給大家知道知道，我只好寫了，希望凌波不生氣。）

西西（一九六六年五月，第五期。）

記憶李婷

一

那時候，天氣還很冷，我坐在「香港影畫」裏，從門口進來的是李婷。她穿一件黑色的大衣，披着長長的頭髮，那時候，我不知道她是誰，但是，當她用她那漂亮而令你急急去捕捉的國語說話時，我立刻向所有的人低低地問，她是誰呀？他們告訴我，她是李婷。

朱先生請了李婷來，希望她替畫報照一些髮型的相片，希望我寫一篇專訪，我坐在對面看着她，她一聲不響很乖地坐在對面。

「爸爸好嗎？」朱先生問她，他們是好朋友。

「爸爸好。」她說。她知道朱先生是自己爸爸的好朋友，所以她和別的許多人都不同，她一進門時就稱朱先生做朱伯伯，那聲音，實在好聽。

朱先生說：「去理一理髮，拍些照。」李婷笑了笑，穿起她的大衣，拿起小小的黑手袋，高跟鞋登登地響響，我跟着她一起往外走，轉一個彎，直走了一陣，我們一起上了「美屋」。「美屋」的林靜很熱心地招待我們，李婷不用等，海倫就替她理髮了。理髮店裏大家都在討論莫愁，莫愁常到「美屋」來的，但莫愁亡了。我不知道李婷有沒有說起莫愁，因為她坐在那邊很遠，我卻坐在黑沙發上看畫報。

她們給李婷梳了一個好看的頭髮，我們是帶了書去的，書裏邊有很多髮型，起先我們喜歡短的那個，但李婷說：「我頭髮比較長，不怎麼好看的。」於是，她選了另一個，髮頂上全是圈圈，很有趣。為了要拍照，李婷就在「美屋」裏化妝，我看着她，她對着鏡子，塗粉，上唇膏！還剪了薄薄的膠紙貼在眼蓋上。

「為甚麼要貼些膠紙呢？」我是不懂得化妝的。

「這樣，眼睛會亮一些。」她說，為了拍照。

宗伯伯的沙龍攝影室就在「美屋」樓下，李婷坐在燈下，擺了許多姿態。我記得許多影片的主角對白全是她幕後配的，我想，她該多跑到銀幕前來嘛。相片拍了很多款，有的就刊在早些期的《香港影畫》上，那髮型，我現在還記得。

我們從「美屋」那幢樓宇下來，一直走回畫社，路上的人都向李婷的髮型注目。

「如果今晚有個約會多好，這麼漂亮的頭髮很出眾。」

「可惜，我沒有約會。好看的頭髮到明天就不再存在了。」

我告訴李婷，我訪問過凌波、李菁、鄭佩佩、秦萍。會特別為她也寫一篇。李婷甚麼都沒有說，只說：

「把我寫得好一點。」

回到畫報社之後，我們就分手了，這是我第一次見到她，也是最後的一次。「把我寫得好一點」，那也是她對我說的最後的一句話。

二

李婷是很靜的女孩子。但靈堂十分吵鬧，記者和明星們喧嘩成一個鬧市。悲哀的人並不多，這樣子很可惜，因為李婷是個很靜的女孩子。但是，她是甚麼都不知道了。

我相信她會很安詳的，我相信她絕不是一個傻女孩，因為世界上聰明的人畢竟不多，我們誰也沒有權利指責別人傻，我們並不知道我們是否真的聰明。

張燕哭得最傷心，她是真正來送殯的。李菁也哭，但許多人把悲哀留在心裏。

秦劍一個人很嚴肅地鞠了躬坐在一端，他穿得適度地合理，神情是肅穆的。有一個記者問他：《黛綠年華》還拍嗎？怎麼樣？我聽不見他答話，但看起來，這是一件誰也意料不到的事。

李婷睡在靈堂後邊。潘柳黛進去看了她。「她很安詳。」她回來說。安詳那就好了，我想。許多人從裏邊出來都哭得沒法控制，我只坐在外邊，看着走來走去的人，有人忙着拍照，有人低低地談話，我只見過李婷一面，我所見到的她的樣子，她永遠就是那個樣子。

《黛綠年華》在六月就開拍，我好多次到片場去看看大家，我見到很多人，秦劍請過我吃過三文治，胡燕妮請我吃過西瓜。我常常見到祝菁，有一次，歐陽莎菲也在。但李婷呢，我見不到她，想不到，就再也見不到了。

那天是星期六。我在胡燕妮的小房間裏玩，看她的小怪娃娃。後來我們一起在祝菁房裏聽唱片，看小貓，大伙兒一起吃牛肉炒河，喝汽水。那天是星期六。我去看胡燕妮的時候，知道她們搬上了新宿舍的六樓，於是我問：「舊的宿舍呢，還有誰搬了沒有？」

「沒有，她們還住在那裏，李菁、方盈、李婷她們。」那是星期六。第二天就是星期日，晚上，李婷的名字就印在報上。那麼美麗的聲音，從此是專留給上帝了，那麼年輕的孩子，從此就交給神來守望了，那麼寧靜的靈魂，從此就留在我們的記憶中了。

死得年輕並不是悲劇，因為上帝最疼愛他們。

西西（一九六六年十月，第十期。）

凌波金漢家素描

凌波好嗎？

你們寫信來問我。

凌波結了婚怎麼了？她住在哪裏，她的家是甚麼樣子的，插不插花，種不種萬年青？

你們都這樣問我。

於是我又去訪訪凌波了。

影迷・記者・鐵門

她住在窩打老道山上。我一到她的門口就嚇了一大跳，因為門外站的全是女孩子，幾個幾個一堆，當然，你們那麼地站得腿也酸了，肚子也餓了，就是為了凌波的緣故。我按了一下門鈴。然後按了又按，門縫裂開了一點點，我一瞧，嘿，是金漢嘛。我於是嗳了金漢一聲，金漢也嗳了我一聲。「我以為你是影迷」，他說。他開了鐵門讓我進去。關上鐵門，關上木門，像軍事重地關了一陣。

「是影迷就不開門對不對？」金漢點點頭，攤攤手。「唉」，他那麼地歎着。

「你知道，不是我們心狠，不是我們不愛她們，她們一早就來了，有時從早上七點鐘來獃到晚上十點鐘也不走，那隔幾十秒鐘就按一陣鈴，如果每位影迷都請她們進來，我們只好把自己變做蠟像，把家裏變作博物館了。」

我看看金漢，想想，真的，如果大家那麼地愛凌波，實在不應該多打擾她。

喝粥・冰水・廚房

凌波呢，我四處看，她從一個門裏出來一站站在我面前。哎呀，好久沒見啦。她笑嘻嘻地，指指門裏邊，「我在裏邊喝一口粥」。在裏邊喝粥，那麼裏邊準是廚房了。我要看看廚房，我一跟就跑進去。這個廚房有趣，有兩個門，東邊一個，西邊一個，東邊的門向大門口，西邊的門外邊是餐廳，這樣的設計真聰明，廚房裏邊很乾淨。凌波說，煤氣還沒裝好，所以暫時用用石油氣。對了，窩打老道是新闢的住宅區，電話和煤氣都沒這麼快可以裝好。廚房裏最漂亮的是一個大雪櫃，兩層的，上邊可以開，下邊也可以開，金漢就去攪了一杯甜甜的冰水給我，那個杯子，好大，像個花瓶。

新衣・紅鞋・換裝

我跑回廳子裏，小心地關好門，你猜這是做甚麼？原來廚房門如果不關好，屋子裏的冷氣都會從廚房的窗口溜掉了。我關好門，回到廳裏來，我就對凌波說：今天來，是有兩件事，我數了數指頭，一件，是訪訪你這位新娘子的家，另一件，是請你穿一件新衣服，拍幾張照。我從一個紙袋裏拿出一件紅的衣服，布上全是叫你看了眼花撩亂的圖案。這呀，是最流行的「光合藝術」的花紋，「我們特地給你設計的，是很會做衣服的亦舒小姐親自買布，親自裁，親自縫的」。凌波把衣服擺在身上比了比，笑呀笑。

「金先生」，凌波說。真怪，她怎麼叫金漢做金先生的，我們大家都知道，金漢又不姓金。喔喔，還用問，這就是一種情趣。凌波「金先生」了以後，就說：「替我找找紅鞋子好不好？」當然先生們是應該給太太們去找皮鞋的，因為太太們總是給先生們釘掉落了的鈕扣。這樣，金先生就去找鞋子，凌波小姐就去了換衣服。

紅椅・禮物・假花

我趕快告訴你廳子裏的模樣吧。廳子有四面牆，我只好把它們分做東南西北。但我不能肯定到底哪一邊才是東。這樣吧，把門口當東。和門口同一個方向的牆這邊放了一張大沙發，大紅的，金漢說它的顏色很怪，和一切家具都打不上交道，但因為是新結婚，紅色是一定要的，所以就有了這麼的一件東西。大沙發的左邊是一張茶几，茶几旁是一棵大的室內植物，那些葉子比金漢的手掌還要大。植物頂上的牆上掛着一個玻璃框鑲着的福字，那個字，很名貴，是張大千手筆，是張大千送的禮物。大沙發的右邊，也是一張矮茶几，茶几上放着一個南洋的木雕，直直的，很好看。茶几旁是一盞飾燈，三個燈盞，燈柱由地面一直升上二樓頂。這是東。

南邊是一列窗，窗簾有兩層，外邊是白紗，裏邊是黃的暗花的傢俬布。布簾紗簾的外邊還有百葉簾。光線實在美麗。窗下是一張長長的沙發，比剛才的紅沙發還長，上面放了一堆紅藍黃綠的椅枕。沙發的左邊有三張怪椅，木的腳，粗繩的面，很新式的，在有名的傢具店可以找到它。

西邊了，西邊的整個牆都用來變了一個大壁櫥，下邊有門可以開，一格放唱機，一格放錄音機，一格放收音機，上邊是空成一格格，可以放書，放古玩，紀念品。這裏，你可以找到凌波的電影獎品，結婚紀念品，瓷相等，最多的當然是結婚的紀念品，都是人家送來的。

北邊，北邊沒有一幅大牆，只有半幅，因為這個位置是凹字形的，牆佔一小部分，牆的背後就是廚房，牆連着的就是廚房的兩扇門。這幅牆上掛着一幅大油畫，是別人送的。牆下有兩張單人沙發，中間是一張雕花的茶几，這茶几，我認得，是九龍尖沙咀海運大廈那間「美廉市場」裏的好東西之一。茶几上有一個瓶，玻璃的，長的，裏邊是一枝康乃馨。這屋子裏我甚麼都喜歡，就是不喜歡那花，因為它是塑膠的。不過，我倒知道，在窩打老道山上，買花實在不容易。

在北邊，除了牆，還有一個特別設計的架，可以放很多小玩意，上面〔的〕東西可多了，據說都是影迷送的，現在我數一些出來，看看是不是你送的：接吻的公仔，相親相愛的貓，睡在地上的洋娃娃，青青的鐵樹，木和布砌的帆船……數不完了，因為凌波出來了。

拍照・姿態・餓了

她穿上那件光合藝術圖案的西服了，原來長短肥瘦都適中，她還戴上頭巾。啊，還戴上一個假髮，這個假髮是你一點也看不出是假的，要不是剛才我見她的頭髮比現在的短，我才不會知道。

「好看不好看？」凌波問。

「了不起，了不起。」金漢說。最要緊的還是金漢，他前世也不知燒了多少香，竟娶了這麼漂亮能幹的太太。

於是凌波站在餐廳裏，拍照的先生替她一幅幅地拍，金漢也替她拍，她的姿態都很自然，她想不到甚麼姿態時就看看書，站得和書裏的一樣好看。

照拍了好多，足足幾個鐘頭，金漢給我看他們在日本拍的照片，又給了我一杯甜冰水，這次，他在餐廳裏的雪櫃裏弄水出來。噢，原來餐廳還有一個雪櫃。對了，一家人其實是應該有兩個雪櫃的，一個放飲品，一個放菜。

凌波還在拍照，拍了好久好久，於是她說：「我肚子餓了。」是呀，拍照拍了四個鐘頭，我也肚子餓了。凌波說，去吃雲吞麵吧，我當然第一個拍手叫好。於是她去換一件衣服。

搖頭・門鈴・昏倒

門外按了幾千次鈴。金漢走回來時總是搖搖頭，「影迷」，他說。於是他坐在一邊，拉開紅沙發邊茶几的抽屜，拿出照片來簽。「這些都是影迷親自送來的。」

我走到門口去看看，門鈴還是響，我輕輕從警眼看出去，外邊全是女孩子，有的躲在門邊，有的躲在樓梯角，她們一個也不離去。凌波告訴我，有的竟然在門口昏倒了，要工人拿藥油給她，只好扶她進來。

睡房・浴室・亂闖

我溜了去看看那些房間。走廊那邊有許多門。一個門內是小客廳，很雅緻。一個門內是凌波的小睡房，連浴室，浴室是奶黃的。另外一個門內是睡房，這當然是留給小凌波的了。還有一個門，裏邊也是一個浴室。我又溜了去看廚房的後邊，裏邊有一個工人房，工人房裏邊又有一個浴室。工人今天請了假，要不然，我可沒這麼容易跑進去亂闖。

聽話・示範・瞪眼

在家裏，你猜是誰聽話些？金漢聽話些。金漢不時把那些椅枕放放好，他說：「凌波不喜歡東西一團糟的。」剛才有一陣，凌波在拍照，金漢坐在沙發上，坐呀坐忘了形，竟把腳踩在沙發上，凌波一看「嗳！」了一聲，金漢馬上就把腳放了下來。不過，凌波也聽金漢的，凌波拍照時總問金漢甚麼姿勢好，金漢就自己示範一番，想不到這個人，扮女人姿態居然很精彩。凌波和金漢是很親愛的，一杯水兩個人喝，一張沙發兩個人坐，一人拿一個公仔你打我我打你，要不然就是你看看我，我瞪瞪你，這些鏡頭，拍照的先生一點也不放過，都攝下來的。你見到凌波穿的那件像飛機恤的襯衫麼，金漢說是他選的，是日本買回來的，奇怪的是，這件衣服的牌子原來叫做 IVY。

哥哥・姐姐・媽媽

凌波換過了一條西裝衫，薄底鞋，拿了小手袋，我們就去吃雲吞麵了。金漢一開門，影迷就在外面叫他「哥哥」，她們一見到凌波就一直喚着「姐姐」。她們給她相片，求她簽名，又給她信。凌波都收下了。但是她們一起擠進電梯，凌波沒辦法，只好從樓梯上走下來。唉，你們這樣怎行，凌波快要做媽媽了，如果你們一天到晚擠住電梯要她走這麼多梯級，怎算是愛惜姐姐呢？

皮蛋・生薑・油菜

我們坐進凌波的白白的汽車，金漢自己駕駛，影迷們一直在向凌波揮手，有的一直追着汽車奔跑，凌波真替她們擔心，總是說：「不要跟，小心跌倒。」

我們不久就坐在店裏，凌波喜歡生薑皮蛋，喜歡油菜。她一面快快活活地吃雲吞麵，一面說生薑好吃。這時，我看看窗外，剛才凌波門外的幾個女孩子怎麼會在對面的呢？她們怎麼知道我們要到這裏來？我們誰也猜不到，她們一定是叫的士追蹤來了。

從店裏出來，凌波和金漢在街上走了一回，拍了一些照，但是，就是這麼的一點時間，街上竟然站滿了人，如果再不走，說不定要給重重包圍了。於是，我們急急回進車裏，金漢和凌波把我送回了「香港影畫」。

西西（一九六六年十月，第十期。）

SAUL BASS　片頭設計家蘇貝斯

替一部電影設計演職員字幕，並不是一件輕易的工作，設計人不但要明瞭整個電影的內容和氣氛，還必需要有獨到的眼光。以前，片頭設計的作用只不過像電影院的一張說明書，報道一下片名，演員或工作人員就算數，但到了今日，片頭設計已經和電影內容連繫在一起。設計得成功的片頭字幕，是有畫龍點睛的效果的。

除了一部分藝術電影作品，故意為了求簡潔起見而採用很純樸的片頭外，一般的電影大都對片頭設計很求精，像《諜海密碼戰》，片頭的設計就是一片光合藝術的面貌。《鐵金剛勇破魔鬼黨》就很聰明地以潛水的圖案來作啟幕介紹。以電影來說，幾乎沒有一部是沒有片頭設計的，尤其是一些規模較宏偉的電影，像《齊瓦哥醫生》，《埃及妖后》等，片頭的設計就更加精細了。

在許多的片頭設計家的名字中，蘇貝斯是一個很值得我們重視的名字，我們也許看過不少電影，很佩服片頭設計的效果，但我們卻不知道原來就是蘇貝斯的功勞。在這裏，我們介紹一下他的幾部比較為大家熟悉的電影的片頭設計。

不少人都看過《夢斷城西》，這部電影的片頭設計的重心是在最後，而不是在序幕前，由於這樣，許多人也許不知道，或者有的電影院根本不放映，就沒有機會看到了。《夢斷城西》的序幕設計是很簡單的孟典蘭（Mondrian）式的線條，配以變幻的色彩，一轉轉到實景的紐約海港景色。這個設計雖然很簡潔，但卻是十分精美的。《夢斷城西》的片名演員工作人員字幕是電影放映完才放映的，為了和電影內容相配合，蘇貝斯利用了紐約城西的大街小巷的實景（雖然也是片場搭的）來表現，而這些實景都在電影中出現過。蘇貝斯把設計的字都放置在不尋常的位置上，而且大小的比例很懸殊，由於字所佔的背景都不同，效果是十分強烈的。片名《夢斷城西》幾個字是寫在磚牆上的，噴氣黨是寫在橫木板上，鯊魚黨是寫在水泥地上，其他的一些工作人員表分別不規則地塗在門板上，碎裂的粉牆上，交通標誌牌上。這個設計使我們特別能感覺到空間的位置，而且我們很肯定地認識到它的現代性。到拍攝這些字幕時，蘇貝斯並沒有利用模型來加以放大，而是把文字直接畫在牆板上，然後照實拍錄下來，以一具電影攝影機來拍攝這些大大小小的字，並不比導演拍一場戲容易。

《風雲群英會》也是由蘇貝斯設計電影片頭字幕的，由於這部電影的內容是沉鬱雄壯的，片頭設計就必需相當莊重嚴肅，而且帶點悲情。其次，《風雲群英會》要描述的是一群奴隸的叛變，並且反映羅馬凱撒時代的社會情況。蘇貝斯在設計上因此誇張了人類的手，一種祈求，一種盼望的感覺從手中透露了出來，表示了這些手是在求助。連接的一串設計是以羅馬的雕像為中心，象徵電影中出現的羅馬上層人物，最後，鏡頭直逼凱撒斯的分裂的頭像，由眼中推進去，而展開正片的奴隸礦場。羅馬君主凱撒斯頭像的分裂正象徵羅馬帝國的衰亡。這一個設計給我們的感覺是特別強調了力，《風雲群英會》正是一部以力為主的電影。同樣地，這個設計也以空間為重。

荷茲保賀斯演的《碧血千秋》是描寫一個青年暗殺甘

地的故事的。這部片在一開始時就指明，謀殺甘地的時間僅餘九小時而已。因此，這部片要我們注重的便是時間性，一分一秒的時間都是和劇情息息相關的。蘇貝斯的設計的確是我們滿意之外，還不得不加以佩服的，他除了快速地以一列印度文介紹了地點外，立刻用一個袋錶作整個設計的中心，這次，蘇貝斯並不像《夢斷城西》般用搖攝，而是推鏡頭，並且不斷地用大特寫，描寫錶面，描寫時針，按次是分針，秒針，誇張針的移動和機件的旋轉，最後由錶面的秒針小鐘面轉為火車的圓輪並和正片溶合而為一，這一個設計的確把時間把握得很密，觀眾的心和眼就立刻投向整個電影了。

《觸目驚心》是希治閣的，希治閣的電影本來就有許多吸引觀眾的手法，因此，蘇貝斯就不在片頭設計上特別製造氣氛，而只急速地來一陣線條；這些線條時直時橫，彷彿和人在捉迷藏，只求播出一種撲朔迷離的效果，線條衝出來一陣之後，就漸漸隱退，讓希治閣來統治我們了。這樣，蘇貝斯便不至於喧賓奪主。

《神女生涯原是夢》的片頭是許多人都十分欣賞的，那也是蘇貝斯的設計。這個電影描述的是三十年代，地點是紐奧連斯，蘇貝斯以一隻黑貓來代表劇中的羅蘭士夏飛。這裏誇張的是貓的眼和腳步，背景襯以鐵絲網和大水渠。這樣的設計給我們的是一種逼人的壓力。

蘇貝斯不但專設計電影片頭，還設計銀幕廣告，能夠設計很活潑的卡通。此外，對於電視片頭的設計，蘇貝斯也一樣悉心以赴，像電視的一個神秘故事節目的開場畫叫做 ALCOA 的，就由蘇貝斯負責設計。這次，蘇貝斯砌了一個建築物的模型，然後用攝影機對準來拍，起初，我們看見建築物的圓頂和方頂，稍後見到直立柱型的高樓大廈，但最具效果的卻是 ALCOA 五個字在建築物頂中露出來，並且走向我們面前，直到剩下一個大大的 O 字。

此外，蘇貝斯設計過的廣告和片頭十分多，像《玉樓春劫》，那是眼睛、花朵和淚水的組合。像《八十日環遊世界》〔，〕那是一個車輪到處轉，轉出了不少景物來。另外還有《金臂人》，《七年之癢》，《迷魂記》等等。不勝枚舉，以後讓我們逐步介紹。

蘇貝斯並不是一開始便投入電影界做片頭設計工作的，他本來是一個專替別人設計廣告的畫家。直到一九五五年，他才自資在荷里活的日落大道開設一間廣告所。自從蘇貝斯的設計面世後，一般的設計人都紛紛模仿他的技術。這位今年已四十五歲的身體肥肥胖胖架着眼鏡的設計家對設計的心得是：你必需不時求新，必需冒險和進取，否則，你的創造的水塘就會乾涸了。蘇貝斯自己也永不重覆一個題材去表現，他每設計一項主題必深入思想，多方研究，在《戰國英雄》中，他就以火為中心，把畫面焚燒出來，字幕全出現在火焰上。他在把握電影內容上總是很有力的，在他，他的「創造的水塘」從不會乾涸。

傳統的歌劇在未上演前總先奏一陣序曲給觀眾欣賞，時下的書本和唱片，總配上一個鮮艷奪目美麗不已的封面去捕捉你的眼睛，而電影，一個使我們驚歎的片頭設計，是多麼重要哩。

貝西譯（一九六六年十月，第十期。）

樂聲 百老滙
後天盛大獻映
今天起訂座
瑪莉蓮夢露
七年之癢
癢 ? 妙
霍士新藝綜合體電影
the seven year itch

豪華 快樂
明天盛大獻映
金臂人
法蘭仙納拉
蓮娜栢嘉
金露華
THE MAN WITH THE GOLDEN ARM

電影片頭設計家蘇貝斯的：電視片的片頭設計

上次我們介紹過蘇貝斯。但大家一定奇怪，我們提起的《風雲群英會》和一套電視節目片 ALCOA 的片頭設計去了哪裏了？原來這兩部片的片頭設計由於篇幅過擠，給擠扁了。這一期，我們把它們再刊出來，給大家補看一下。順便，我們再介紹一下蘇貝斯的一些電視片的片頭設計。

《東部午後》是蘇貝斯替另一個電視節目所設計的片頭，這個電視節目是晚上放映的一串有娛樂性的採訪節目，由於時間是午後近黃昏的那一段時間，所以蘇貝斯一開始便指出了時間，把一個大大的太陽亮出來。電視節目的所謂東部是指紐約的東部，這一地區〔是〕高樓大廈林立的地方，蘇貝斯便以這些高樓大廈作背景。當太陽漸漸下山（說得準確一點是：當太陽漸漸落在樓宇背後），城市的燈光，便亮起來了，於是，漸漸的，太陽由圓而半圓，而成弧形，而沒下去，城市呢，萬家燈火地姿態成城市的外貌，然後，燈光密密地佈滿了銀幕畫面。這一個密密的燈火的畫面可以告訴我們照相機的走動，穿過城市的過度時期，然後，攝影機又慢慢後退，呈現出銀幕上的 PM 兩個字母，最後，在 PM 之下，再出現 EAST 四個字母。但這一些字不是呆呆地亮着的，而是不斷地在作明滅明滅式的閃耀，到了最後，滅了就不再亮起，而是漸隱節目的主題。

電視節目中常常有卡通出現，蘇貝斯對卡通也是熱心以赴的。有一個電視節目是宣傳一種特製的中國食品的，於是就請蘇貝斯設計一套卡通來豐富節目。我們知道，電視的節目，雖然是某一個商人可以利用半小時或一小時來推銷自己的商品，但節目的內容不一定句句都是廣告的。有的商人喜歡給觀眾看半小時或一小時豐富的節目，然後在最後一秒鐘才告訴大家，這個節目由某某公司主持。現在，蘇貝斯正碰上這麼的一個節目。所以，他設計的為中國食品宣傳的卡通並不是廣告，完全和食品無關，卻是一套叫《出售曼赫頓》的音樂短片。這套卡通片長六分鐘，是一小時電視節目中的一小片斷。這套卡通有個編劇，叫做史坦法列柏。他寫好劇本，才由蘇貝斯繪製。《出售曼赫頓》是講美國歷史上的一段趣事。原來當時紐約的曼赫頓是給紅番所佔居的地方，這時，有一個美國人叫彼得·史杜維生，很偶然的就把曼赫頓買了下來。當時曼赫頓不過是個荒蕪的廢地，史杜維生不過用二十四塊錢，就從紅番手中買過了這一塊如今貴重了不知多少萬倍的土地。而彼得·史杜維生，他就是當時紐約的市長。這是一套很有趣的短片，而且還是一套歌舞片。從設計中我們可以見到高大的紅番，和矮小的史杜維生，穿了毛鬆鬆的獵裝，頭戴垂着毛的帽子。然後，報紙上登着曼赫頓島的消息，史杜維生一想，這地方可以發展，自己可以穿上漂亮神氣的西裝，這地方將來會很熱鬧，許多人表演歌舞。於是史杜維生就上山去找紅番，買了曼赫頓。

另一套《蘋果與橙》也是蘇貝斯設計的。這也不是一套廣告短片，而是哥倫比亞廣播公司贊助的，除了蘇貝斯，還有一個藝術指導洛杜斯克。這部短片的目的，是表現一種新的廣告技巧，把兩種不同的廣告方式合在一起。我們知道報紙雜誌的廣告和電視上的廣告都是以視覺為主的，所以，它們之間有很多相同點，現在，〔要〕把這兩種廣告的優點合而為一，創造出一種新的技巧來。這裏刊出來的圖片不是整部短片的全部，只是一些片斷，所以看起來有「不知所謂」的感覺，不過，我們只要知道，這不過是一種研究，把紙上的廣告和電動的廣告互相輔助而產生的結果。從圖片中，我們可以看得出的是：有的圖面是屬於紙上的〔，〕呆的，有的是電動式的，很有動感。現在，兩種放在一起，呆的時候就呆，像那蘋果和橙，動的時候就動，像那一群移動的人。這種嘗試，現在我們也許覺得不很新鮮，但我們要知道，蘇貝斯設計這短片時，已是三、四年前的事，今日的電視廣告，電影廣告，已經很能把握這一技巧了。

貝西（一九六六年十一月，第十一期。）

寫寫莉莉

一

大家都叫她莉莉，莉莉，莉莉。那個很活潑，有一個酒窩的姑娘，大家都叫她莉莉。莉莉住在邵氏影城的宿舍裏，和胡燕妮一起，房間的門，面對面。每天莉莉見到燕妮的時候會說：珍妮你好。每天，燕妮見到莉莉的時候也就會說：莉莉你好。你可以叫胡燕妮做燕妮或珍妮，但何莉莉，她的名字只有一個，中文的：莉莉，英文的：也是莉莉。

莉莉很甜。有的人不甜，甜有甜好，不甜有不甜好。有的人不甜，但瀟灑，但神氣，但柔，但風姿。何莉莉不別的，就甜。莉莉像她的名字，就是莉莉，莉莉不別的，就是甜，甜得很活潑，甜得永遠是一副春天的模樣，儘管許多別的人也可愛，別的人可愛她們的瀟灑，可愛她們的風姿，莉莉就是可愛她的甜。

莉莉不矮，不高。我們一見到于倩，會說：于倩高。但莉莉不。但莉莉不矮，我們見到莉莉時，沒那種高矮的感覺，沒想到要把她分類，沒想到她到底高還是矮，沒想到她別的，因為是甜把我們全捉住了。我們看見春天，怎會也分別分別春天高還是矮呢。

我沒想到莉莉高還是矮。像那天，她站在宿舍的樓下，跳阿哥哥。天氣不冷不熱，她穿黑鞋黑長衫，綠綠的滿是荷葉邊的短襯衫，燕妮和祝菁圍着。熱鬧的街上還沒有流行《十七歲》裏女孩子愛束的頭巾，但何莉莉用絲巾束在髮尾，起勁地跳阿哥哥。「教我，教我。」我對她嚷。她跳，「是這樣。」她說。但我笨死了，學不會，只好看着她跳得那麼開心。「她是我們這裏的舞蹈家。」燕妮說。「她最出色。」祝菁也說。我相信她們。我看得出她果然跳得漂亮，大概，我沒見過誰跳得比她可愛些了，除了，除了可愛的亦舒。

那時候我一點也沒想到何莉莉有多高。那時候，何莉莉住在影城四樓的宿舍裏，宿舍裏老是熱鬧，胡燕妮已經拍完了《何日君再來》。胡燕妮很會演戲。何莉莉呢？何莉莉會不會演戲？我不知道；重要的是先要讓她演，演了給我們看。《何日君再來》裏她演了一點點，但那不夠，一點點，太少太少，不算不算。誰會不會演戲，我們不能預先知道，起初，于倩會不會演戲，我們也不知道，但現在，我們都知道。何莉莉會不會演戲，到明天我們也就知道，我們希望她會，希望她不但會，而且演得好，像胡燕妮。

我相信她會演。像那天，攝影棚裏搭了一個大佈景，人很多，我在眾多的人群中看見她。人很多，有范麗，有金霏，有不知甚麼國籍國家的，但你還是在人群中看見她，穿一件白的裙，一架有鐵軌墊着的電影攝影機就在她背後，導演和她談，和她說，她很明白地點她的頭。我相信她會演，因為她是那麼鎮定，而且一如往日似地很甜。她除了抹抹額上的汗，並沒有甚麼不妥。我相信她會演，因為她仍是那麼地快樂，一點也不疲乏〔，〕加上一點也不混亂。

開麥拉的時候，唐菁拖着她的手，她做了驚異而又奇怪的表情，匆匆奔入山洞去了，電影攝影機跟着她推了進去。那鏡頭不過 NG 了一次。我記得，貝蒙多那傢伙，據亦舒的紀錄，NG 七次。我也記得：有一個俠士，NG 了六七次，結果找了個替身。莉莉應該可以演戲，就希望她會演得好，越演越好。對任何一個愛演戲的，我們都願他們幸運，像蘇菲亞羅蘭和馬車路那般，有很多很多的戲可以演，也希望他們更幸運，像阿倫狄龍和柯德烈夏萍那般，碰上了克里曼和威廉韋勒。

到《鐵觀音》上映時，到《香江花月夜》上映時〔，〕我們就全知道。願莉莉是我們心中的另一個胡燕妮，願她是我們心中的另一個于倩。

二

這裏有整整的六個莉莉。一二三、四五六。莉莉莉莉莉莉。莉莉和以前的莉莉有點不同。我們應該看得出，莉莉短了她的髮。莉莉還是圓眼睛，莉莉還是小嘴巴，但莉莉沒了長的髮。短髮使任何女孩子都神氣，所以，莉莉的甜要有了神有了氣。你可以還從眼睛裏看出來，還可以從笑容裏看出來。

莉莉愛笑，她常常仙杜拉蒂地把笑送給你。那種笑，很年青，甚至是花，也不常那麼燦爛的。莉莉從一個島上把年青的笑帶到這裏來，她和燕妮一起來，從那個島到這個島，不過是一年，兩年，她的笑就在這裏滿溢了。

莉莉白。黑的是她的眼瞳，是她的髮，是她天氣不冷不熱季節的西袴。莉莉白，她不塗灰水一般的粉，也不按粉。她不畫大家一窩蜂也畫的眼線，不塗印刷廠錯印一般的唇膏圖形。你一看就認得她是莉莉，你在街上遠遠就可以 Hi 她。你可以 Lili 她。因為她的鼻子是她的鼻子，她的雙眼皮是她母親給她的雙眼皮。

莉莉愛穿西裝。她穿旗袍是甚麼的樣子的呢？她該穿給大家看看。但西裝很適合她，她有豐盈的襟骨，有圓的肩。有不方不稜角的臉。她還愛她的游泳衣，愛她的草帽，它們都很適合她，她也很適合它們。

莉莉是可塑的。她有很多的型。型扁型圓，要看這是甚麼模。我們知道莉莉已經投入，她給我們看到不少姿態。如果模好，莉莉也將是一座美麗的塑像，我們喜歡塑像，因為東方雖然也是整個的一半，東方的光是太弱了。

莉莉在這裏給我們一列臉譜，正面和側面的臉譜，笑的、淘氣的、很乖的、很甜的臉譜，她把臉放在毛鬆鬆的大毛線衣上，這張臉，我們不久就很熟悉很熟悉了。我們已經熟悉很多的臉，凌波的臉，李菁的臉，胡燕妮的臉，到時候了，莉莉的臉將要我們去認記。

莉莉是動態的，她像音樂的拍子，當你眨一眨眼睛，她已轉變了很多風貌，她不是恆常地維持一個位置的，她愛流動，像水，甚至是手的方向，嘴巴的閉合，也是每分鐘在變幻，有人靜得像石塊，有人輕得像花絮，莉莉很實體，很堅，但她不像山，不是天生座落在泥上的。她應該像火車，很固體，但很流動，她應該像船，很有重量，但很飄忽，很輕盈。

你很難把莉莉的臉分析，說她這一剎像誰，那一剎像誰，把一切拆開來就不再有意義，合起來，它們就是莉莉的本身。或者你會說：莉莉不很東方。是的是的，這個女孩子活潑得像荷里活的新一代，而我們也知道，很東方很東方的女孩子都隨時代而老去，所剩無幾了。

西西（一九六六年十一月，第十一期。）

狄龍‧三十一

狄龍去年三十。狄龍今年三十一。而且就是十一月，而且就是八日，狄龍就三十一了。去年，狄龍過生日的時候，有人問他：「怎麼啦，三十歲囉。」狄龍眉頭都不皺一皺，「怕甚麼。」他說。「我又不是碧姬芭鐸。」真是，狄龍又不是碧姬芭鐸。狄龍還說，三十歲，挺年青的。如果你們下次再問他：How old are you? 他說不定會給你答：I am thirty-one years young. 狄龍真會這樣答你的，你知道，他現在的英文已經不那麼飯桶。

你說，狄龍現在在哪裏？在荷里活吧，拍《越過河岸到德州》吧。不，狄龍已經回法國去了，甚麼德州薩州斯州，一早已經拍完。他還趕上康城的電影節，不過，狄龍才不上電影節去湊熱鬧，他一跑，帶了太太妮妲梨，和小狄龍（叫做安東尼，兩歲），跑到漂亮的聖杜比曬甜太陽去了。在聖杜比，狄龍足足住了一個月，沒片拍，自由自在的，這個傢伙可神氣了。這裏給你看看他的樣子。

穿花條子襯衫，站得彎呀彎的就是阿倫狄龍，也穿花襯衫，也站得彎呀彎的就是他的甜心。兩個人一起拖着扯着的就是他們的寶貝。一隻對着你站，一隻背着你坐的，就是狄龍的十三個好朋友中的兩個，這二隻東西不是狄龍帶到荷里活的白萊弟，也不是《氣蓋山河》中的小頑皮，因為狄龍沒帶牠們上荷里活，也沒帶牠們見見畢蘭加士多那大明星，所以，就帶了牠們到聖杜比來舐甜太陽。

現在的明星們流行甚麼新裝呀，你是不是這樣在想了？噯，一點也不錯，就流行家庭制服，一家人都穿一模一樣的衣服。這種衣服一九三〇年流行過的，近日又復古了。大家知道「鴉路」（Arrow）有一種羊毛衫，是情人裝，顏色花紋都一樣，一件男，一件女，穿起來，很兩位一體。明星們當然還要跑得快一些，這裏，狄龍穿的，和他太太穿的就完全一模一樣，連皮帶也一樣，手錶也一樣，小狄龍也穿那種顏色款式的長袴子，大概買不到這麼小的小襯衫，只好穿穿黑運動衣了。這三個人，一起赤了足，手拉手，你說和諧不和諧。還有，你注意了嗎？狗怎麼腳也黃了哩？

這一點，你一定注意到：狄龍的頭髮怎麼這麼長？上次，記得大家恨死了他，因為他在《喋血凌宵閣》裏竟然不理千千萬萬的女孩子的反對，敢作敢為地剪了一個陸軍裝，最近，在《百夫長》裏也剪陸軍裝，頭髮短得像個鞋擦，狄龍當然接到許多女孩子的信，罵了他一頓。現在，他留長了頭髮。可是卻不是好看的《怒海沉屍》裏的模樣，而是要命的那麼的比尼克。啊啊，希望大家先別生氣，我來解釋一陣。狄龍本來頭髮不會留得這麼長，這把頭髮所以這麼長，完全是因為狄龍的下一部片要他這樣子，那部片，叫做《西邁提斯》。[1] 就是寫唐吉訶德的西邁提斯，也就是寫傻瓜大戰風車的西邁提斯。

今年六月，狄龍在聖杜比。早些時候，他上了一次西班牙的馬德里，《西邁提斯》就在馬德里拍，狄龍在馬德里見到阿娃嘉娜，她也演《西邁提斯》。再早一些，狄龍逗

1　阿倫狄龍在西西撰寫此文時已宣佈擔演此片的主角西邁提斯，但最終未成事。該角後由賀滋保荷斯（Horst Buchholz）飾演，電影發行時更名為 *The Young Rebel*。

〔留〕了一陣在巴黎，那是克里曼把他留下來的，因為克里曼叫他幫幫忙，演演《巴黎在焚燒嗎？》。再再早一些，狄龍就拍完了那部《百夫長》，和 CC 啦，安東尼昆啦，他們一起，這些，大家都知道的。

狄龍在聖杜比有一間神氣的別墅，這次渡假，他還在咪加繆的《異鄉人》的劇本，因為維斯康堤已經約好叫他演那個很有氣質的異鄉人。那個電影會在阿爾及利亞開拍，到時候，阿倫可又要剪短頭髮了吧。

現在是九月了。九月的狄龍在做甚麼，跑到那裏去了？法國的消息還沒有來，說不定，他上馬德里拍戲去了。但消息是會來的，而且，十一月是狄龍的生日，消息是會來的，到時，我再告訴大家吧。

西西（一九六六年十一月，第十一期。）

電影的側面：美工……佈景……美術指導

電影，實在不是一連串的畫面和畫面，而應該是一連串的情緒和情緒。那是美國電影大師葛雷菲斯所說的。電影，常常是由於那些角色使觀眾動容，但使這些角色鮮明顯著的技巧，是屬於電影的設計工作人員所負責的。因此，佈景便是電影中一門吃重的工作。因為佈景不但只是環境襯托，實在可以影響情緒的起伏。

通常，有了一個劇本之後，設計就接着進行。這一項工作將落在藝術指導的身上，而藝術指導，就成了導演與攝影師之間的橋梁。藝術指導是一個電影美術部門的中心人物，一個美術部門的其他分工合作人員是相當多的，如果從最低層數起，美術部門的人員有這些：

學徒：這些人的工作是打雜式的，替大設計家大指導們遞遞文件，做做跑腿，拿拿咖啡三文治，當然，他們可以跟着大設計家大指導們學習，說不定，將來就可以青出於藍。

初級美術師：這些人最好是藝術院或建築學校出身，技能比天才更為需要；他們的工作是抄抄寫寫，繪圖畫則，還要製造一些粗陋的紙工和塑像。

高級的美術師：這些人應該是夠經驗的，能繪各種各樣的透視角度的場面設計。電影的佈景設計，為了便利攝影起見，透視是高於一切的。這些人除了必需是個美術的通才，還要有點專才，像熟悉一些某代某朝的建築和某城某鎮的特殊的室內裝飾。

助理藝術指導：這些人先要有高級美術師所懂的一

切。加上自己可以控制一個小型的製片工作。他們必需能夠自己親自設計一部電影的全部場景，能夠負責估計佈景設計的支出，並且要和製片家一同計劃製片的工作人員的開支，加時工作的薪酬等。這些人還得明白工會的規則（只有我們中國沒有這種工會），知道一切物質用品目前的價格，還要懂得如何建省時省力的佈景，另外要懂化學物理。助理藝術指導的主要責任是看整個設計部門的工作是否順利進行，有否互相衝突，各分部門是否已得到要得的資料和圖則，能否準時照計劃工作等。

藝術指導：通常我們又叫這些人為設計師，他們當然是已有助理藝術指導所知的一切知識，但他的助手並非只有助理藝術指導一個，其他還有場景美術師，和道具採辦、道具陳設等加以協助。藝術指導最基本的責任是注意場景的設計，背景和服裝，是否能夠產生編劇所要求的情緒和氣氛，又是否能協助導演給出劇本所要求的精神來。藝術指導對整個影片的經濟情況必需瞭如指掌，作為藝術指導本身的專長，他們必須對彩色攝影和打燈光的技巧完全熟悉，尤其是拍攝電影的旁門左道，知得越多越好。機械工程方面的知識，雖然不是頂重要，也是知道的。一般的藝術指導常常負責做服裝的顧問，在接受美術的訓練時，一個藝術指導要學的多數包括歷代服裝考據，和歷代社會發展史在內。

構圖師：這些人要粗略地知道一下建築學、透視學，會畫動作就行。這些人的工作是把電影中任何一場景物準確地以草圖紀錄下來，當然，重要的是，他們要注意畫面是從攝影機的哪一個角度拍攝的，是中景遠景，還是別的。

畫襯景師：他們雖屬於美術部門，但不在這部門內工作。這些人的工作是真正地去畫佈景，他們的本領是要懂歷史性的裝飾和設計，對建築透視，野外景色，調子，線條都能隨意把握，還要是個運用色彩的專家，能把一座古代建築物的全景畫在佈景的窗口外面，使得拍到這場戲的時候，可以從窗外看到遠遠的屋頂。

道具採辦員：這些人是只獨立協助藝術指導的。他們要熟悉當代的室內設計風格和裝飾，並且要懂時裝的趨勢和轉變。對於歷史背景更不可不知。這些人熟知世界各地的風俗人情，三教九流的社會也無孔不入。道具採辦必需確實知道物件的價值，不管是原料或現成品。

資料部門是協助美術部門的，某朝某代的某一物件〔，〕資料部門可以供給最準確的史料和考證。裝飾設計部門也是協助美術部門的，如果要搭一個特殊的佈景，或設計花紋如地氈，有花紋的欄杆，鑲嵌玻璃窗或武士時代的徽號，盾牌，都由裝飾設計部門負責的。

設計佈景是不輕易的。這時，藝術指導就要接受考驗了，如何把 2D 的圖則變為了 3D 的實景呢？整個美術部門要做的正是這一項工作。

設計是比建築難，建築是照圖行事，設計卻要憑空想出來。在設計佈景方面，各國的設計大致可分為三派。

美國的佈景設計往往是「壯觀派」。一切都是好看美麗的，甚至一間小茅屋也裝飾得很美觀。德國的大概是「幻想派」，而這，正是目前的一些「蝙蝠人」，「占士邦」片所設計的道路。第三派是「寫實派」，這是受了紀錄片的影響的，佈景崇尚自然，就地取材。一些「新電影」為了省錢搭佈景，也喜歡走這一條路。

不管是那一類的佈景派，佈景是必要的。除非完全用外景，否則，沒有佈景根本沒法拍電影。在哪裏搭佈景呢？應該是在片場內。拍外景花的費用一般上算起來往往比搭佈景還要花得多，就說如果在香港拍片，題材方面是描述澳門一條小街的，澳門離香港很近，但在澳門找一條小街拍片，牽連的事物太多了。街上的行人都要隔絕，明星們都會受影迷包圍，甚至要出動警衛人員等等，錢花多了是一件事，工作的速率慢才是一部電影的致命傷。因此，就算是澳門這麼的一條小街，在片場搭起來是比較省事得多。當然，這方面「寫實派」很反對的，因為實景總比佈景真實。至於遇到古代場景的戲，那更需要搭佈景。片場佈景大致分為兩種，一是在戶外搭的露天景物，例如，街道，這常常是露天的，戶內在攝影棚內搭的則多數為室內佈景，其他如露台，花園〔，〕當然都可以片場搭。

佈景是無所不包容的，亭台樓閣，窗門樓杆，都在內，一般上以屋宇廳堂為主，但橋梁，燈塔，炮台也是屬於佈景的範圍。如果電影中需要一條船，像《聖保羅炮艇》就是搭一艘炮艇。羅拔准士是用的真船，因為這船真的要在水中航行，但如果需要一條古代的戰船，或者只做做背景，或局部入畫面，通常這是搭起來，這比真正去購買一艘省錢。

這裏有幾幅圖就是平地造船的經過。起初，美術師把船的圖則畫好，工作人員便把船在平地上用鋼架建起來，這艘船為甚麼要建得這樣高，較旁邊的樹頂和屋脊還要高，這是為了觀眾可以看到真正的天空，和自然景色〔，〕

而不必由佈景師畫雲畫天空了。當然這艘船只是供拍船上場面用的，真正在海上的船或者就用模型代替了，船面是要搭得很精細的，至於船底，一看就拆穿西洋鏡。但這假船依然要很堅固，一定有許多場戲就在船面上拍，要站一百幾十人。另外又有一艘船也在片場搭的，這艘船就建在平地上，遠看過去，好像在港邊停泊着。這一個船是為了拍碼頭景色而造的，可能只搭一面，我們可以從另一圖中見到碼頭的佈景和圖則。

佈景是很假的，但當我們看電影時，為甚麼不覺得它假，還覺得畫面透出情緒來呢？這，並不是演員的最大的功勞，而是燈光設計的緣故。我們要知道，一堂佈景看來栩栩如生的技巧完全是以光來控制的，沒有光，一切都是黑的，有了光，才顯得情緒來。光可以從百葉簾透入，可以從燈籠透出，可以從火堆中烘照出來。沒有了光，電影也就沒有了意義，而這，就是藝術指導，照明師即燈光師和攝影師的責任了，而這，也就是為甚麼導演和藝術指導也一定要懂得打燈光的技巧的緣故了。

貝西選譯（一九六六年十一月，第十一期。）

邵氏新發掘紫貝殼主角：江楓

你每晚抬起頭來，在星光燦爛的晚上，可曾看見那東邊蓬萊島的上空，一夜之間多了一顆亮晶晶的星辰？

是的，你一定看到了，那是你所盼望的新面孔——江楓。

江楓，名字多麼好聽！這一個新星，是一九六六年度之內所發現的新希望，在未來的日子裏，她將是我們最熟習的銀幕偶像，她的聲音、她的容貌、她的舉止、她的風範，都給我們留下深刻的印象。

我們由江楓的外型看來，她是那麼沉靜，文雅，成熟，含蓄，像是綻開的蓓蕾，在開放出誘人的花蕊，隨風吹散了芬芳，令人沉沉的陶醉。

江楓，走進了水銀燈下，是由於許多個少女所夢想的幸運之神，走到了她的身旁，她看見報紙上登着招考《紫貝殼》女主角的消息後，被同事聳恿去報名，結果打敗了四百五十個競爭的美麗敵人們，獲得第一，從此邵氏機構裏，又添了一顆嬌艷而嫵媚又氣質高貴的新人，主演她喜歡的瓊瑤名著改編的《紫貝殼》。

江楓說過：她對書中女主角許珮青無比的神往，為她不知流過多少眼淚，現在，更不知要博得多少觀眾的眼淚了。

菲（一九六六年十二月，第十二期。）

方方盈盈

現在的方盈和以前的方盈有點兒不同了。以前的方盈是個長頭髮的，很 Beatnik 模樣的方盈，現在呢？方盈變了個短髮圓面的姑娘。方盈留長頭髮好看還是梳這樣的圓圈裝好看，讓大家自己去講講看，我看，她這樣子活潑了許多，是不是？

活潑

告訴你，我根本沒和方盈講過一句話。我沒對她說：方盈，我特地來看看你。方盈也沒有對我說：噢，你是記者嗎，你是畫報的嗎？我當然不是記者，我也不是畫報的，但我一天到晚在影城闖，見了好多好多人，有的人和我講許多話，有的人一句話也沒跟我講。像方盈，她是一句話也沒跟我說過。

菜籃

一句話也沒說過，那最好。像那天，許多人在大會堂看《獅子與我》的試片，方盈就坐在我前邊，看電影時她坐在我前面，散場了她走在我前面，我一直跟着她，覺得很有趣，她穿一件藍色的裙子，袖口短短肥肥的，右手垂下來挽着一隻菜籃那麼大的四四方方的藤籃。有幾個小孩可就在笑，唉，這個人，怎麼挽個菜籃來看電影呀？但我很喜歡那個籃，它是那麼地有趣，而且那個籃，就像人家挽了去野餐似的，只是兩邊沒有蓋。

姿態

這是下午，方盈挽着那個籃走着，有兩個穿得很神氣的男孩子陪着她，我忽然想，嗳，這不是挺有趣的，他們這模樣叫我想起《狂戀》來了，美麗的方盈活像《狂戀》裏邊的金露華。我一直跟在方盈後面，看她走路的姿態，因為我們本來一句話也沒說過，那很好，我可以自由自在地跟在她的後面，要不然，她回過頭來見了我，只要說：你是西西呀，那我還好意思左看右看她走路的姿勢嗎。

無言

方盈喜歡講國語。她和鄭佩佩聊天的時候，就是你國語來我國語去。而且她倆一人佔一張沙發，笑得很開心。

她們坐在編輯部的一個堆滿雕塑的小房間裏聊天，我走過門口見到佩佩。我喂了她一聲。她眨眨眼，甚麼都不記得了。我說，唉，不認識我啦，我給你寫過一篇東西，在《香港影畫》。她噢了一響，記起來了！你是西西，因為你那次完全不是這個樣子。佩佩叫我坐，我沒坐，跑掉了，我看見方盈坐在裏邊，方盈一句話也沒跟我說，我也一句話也沒有跟她說，但我記得她穿的衣服很好看，很「阿哥哥」的，就是那種一大條橫線一大條橫線的那種。

氣質

我們一大夥人都十分喜歡方盈，我們一大夥人是那些甚麼羅卡、戴天、陸離⋯⋯這些。以前我們一碰上就談談電影，佩服那些歐洲的了不起的女演員。我們這夥人那時候就十分喜歡方盈，我們說，她是很有點氣質的，她能演很新潮的電影，是塊很好的材料。那時候，我們說：方盈最好努力一點，多讀點書，多文化一點起來，她就是很出色的了。真的，只要方盈努力，她真的可以成為知識份子所佩服的演員。日子雖然過了很多，我們還是寄望於方盈的。

忙人

這些日子的方盈很忙，她其實一直都很忙的，忙得老在天空飛來飛去。就在今天，她又飛到日本去了，我們本來想：和方盈聊天吧，寫一篇專訪吧，但方盈到日本去了，等她回來，日子又要多久呢？等不及。還是把方盈最近的照相先給大家看看。許多人都剪了短髮，這裏的方盈比較有趣，她的短髮和李菁不同，也和何莉莉的不同，短得很直，平常可以跳跳蹦蹦，如果要赴晚會，在頭頂心加上一個卷呀卷的假髮就一樣可以出眾。

你看到方盈皺眉頭的那張了沒有，許多明星都是以皺眉頭叫人喜歡的，像阿倫狄龍啦，泰倫士史丹啦，他們一皺眉，大家都認為神氣，方盈呢，她也好看，但願她所以皺着眉完全是因為陽光耀眼的緣故，而不是心裏有甚麼擔憂。女孩子是應該開開心心的。另外一張一〔面〕皺眉一面笑，大家可以滿意了吧。

西西（一九六七年一月，第十三期。）

瑪嘉烈・邢慧

十二月的彌敦道上很熱鬧，好看的櫥窗裏邊響着叮叮叮的聖誕音樂。但我站在外邊，我和邢慧站在外邊，我們打從一個又一個櫥窗走過。街上的行人都朝邢慧看，他們認識她，他們都說：邢慧哪，邢慧哪。當然，誰不認識邢慧哩！邢慧就和凌波，李菁，秦萍她們一般，一上街，大家就認出來了。

邢慧穿着一套很新的西服，黑的，有金黃色的花朵鑲在身前身後，她捧着一本銀色封面的《香港影畫》；我也捧着一本封面上有個 CC 的，我們笑，我們走，我們把路人拋在背後。我們接着來，我們來到了那間門口有大石獅，門口有大噴水池，門口有貼錯的門神的酒店的裏邊喝檸檬茶，吃有很多酒的味道的蛋糕。

我們坐在裏邊咪書。邢慧說她喜歡柯德莉夏萍，當然，看看夏萍在新片裏穿的條子襯衫和牛仔袴就羨慕死了〔，〕她仍是這麼高又老是這麼瘦。邢慧說，她還喜歡慧雲李，因為她頂會演戲。邢慧不喜歡 CC，卻有點兒喜歡安瑪嘉烈。邢慧應該多喜歡點安瑪嘉烈的，因為她們都叫做瑪嘉烈，又都到過日本。

邢慧喜歡的女明星不挺多，男明星呢？要命，竟然是阿倫狄龍。那叫許多人都開心了吧！我記得那天我碰見凌波，我說：凌波，你喜歡哪一個外國明星啊，她說都很喜歡。我又問，喜不喜歡阿倫狄龍？她說：誰是阿倫狄龍呀？那時候，我真是傷心死了。邢慧喜歡阿倫狄龍，因為她這麼一喜歡，我們就談了個整整兩個鐘頭。像話盒子。

邢慧喜歡電影《蝴蝶春夢》。她說喜歡那個故事。唉，那個故事，誰不呢？我問她：如果有個男孩子把妳捉了去，很愛你；很乖，但又很頑皮的，你會不會愛他呢？邢慧紅了一陣臉，起初她說：唔，不知道啦，但後來她還是乾乾脆脆的說：愛，真的，怎麼不愛。我說：我也愛，這時候，邢慧臉可不紅了，她說，如果有個男孩子要追求你，我就叫他照《蝴蝶春夢》這麼辦吧。啊喲，我可沒想到邢慧這麼頑皮。但她不禁使我一聲不響了一陣，我只好對她笑笑。這個人，她其實對我一無所知，於是，我不和她再談這些。你知道，女孩子碰在一起就會甚麼都大談一頓的，我們講完了明星講完了電影，就談衣服和化妝。邢慧會化妝，她說，女孩子用的化妝品，三五樣就夠啦，粉，唇膏，一點胭脂，一點眼蓋膏，畫一點眉就行了，人家叫你買的甚麼水甚麼膏，十件有九件是騙錢的東西，女孩子不買也罷！邢慧還說，女孩子化妝淡的漂亮些，要化得別人看了不覺得有甚麼痕跡的那就更好了。我看看她，她倒是這樣的。邢慧還說，女孩子參加宴會如果不化化妝，是沒有禮貌的，那就像男孩子不打領帶一般要不得。所以，邢慧只要一離開家門，就端端正正地化好妝的，所以，如果你們哪一個男孩子要追求邢慧的話，就一定要記得好好地結上領帶。對於領帶，邢慧是特別重視的，我問她：聖誕節來啦，如果你要送一件禮物給你的男朋友，那你送甚麼，邢慧想也不用想，就說：領帶啦。看，領帶重要不重要。

我們剛才在街上走的時候，女孩子才多呢！有的女孩子穿很短很短的裙子，穿花紋盎然的襪子，邢慧說：她不愛穿這些，在服裝上，邢慧是這樣，不去胡亂跟那些潮流玩把戲，她愛古典，喜歡《亂世佳人》那個時代，喜歡以不變應萬變。這樣子的女孩子很難得的啦，許多人一窩蜂在那裏湊阿哥哥的熱鬧，邢慧卻能夠眾人皆醉她獨醒。

一個人醒着當然有許多好處，醒的時候就不盲目，不盲目的時候就看得見別人，也分得出自己，邢慧是看得見自己的，不但看得見，也很明白，她明白自己最好不要演女特務，不要演古裝，多演點時裝的，歌舞的，她就這樣辦了，所以，你別以為怎麼邢慧的影片不多呀，原來，她是有好多角色不演的，她寧願少演點不喜歡的角色，多演點適合自己的。當然，適合她的角色，我們也都知道，就是《歡樂青春》，《少年十五二十時》那些。

邢慧會跳舞，最本領的是芭蕾舞，交際舞，新一點的並不太喜歡，但都會。這些舞，她都是在日本學的。在日本，她學的是舞蹈，不是藝妓的那種，是普通的。她去了日本一年，日本話學了很多，會講。日本文呢，就不大會讀，所以，她現在在香港請了老師教日文，這樣，不但會講，連書也可以看了。邢慧喜歡看書的，她看瓊瑤，喜歡文藝書。國語片邢慧也常看，愛看文藝片。因為她喜歡文藝書，愛看文藝片，所以也喜歡演文藝片裏的女孩子。邢慧喜歡悲劇，但反對悲劇裏的女孩子一天到晚不想辦法解決困難而只會哭哭哭。國語片的明星裏邢慧喜歡的是誰呢？是尤敏和王萊。

女明星一年要穿多少衣服呢？這個數目誰也不知道，我就問問邢慧。她說：我並不常常買衣服，平日的幾套就夠了，重要場面的也是幾件。

邢慧是很少穿古古怪怪的衣服的，也不是一天到晚買衣服的，她說：女明星並不是一件衣服穿一次就扔掉，不過一件衣服拍過一次照，第二次就不穿起來上鏡頭了。至於那些舊衣服，當然都是送了給好朋友。

邢慧喜歡甚麼，說了些甚麼話，我都告訴你了。現在要說說邢慧自己了。邢慧是怎樣的呢？她是白白的，所以，穿黑的衣服也很好看，她眼睛大的，鼻子高的，鼻子尖端，有一點小小的痣，如果不是仔細看，你一定看不出來，下次你見到邢慧時，只要看看鼻子尖端有沒有一顆很小很小的痣，如果沒有，那準是別人假冒她。

邢慧走路的時候是一直朝前面看的，人不會兩面擺，也不會東張西望，如果要她駕駛汽車就好了，她一定不會把車子亂闖，車牌永遠也用不着交給警察老爺們瞧的。

邢慧給人的另一個印象是：她不是一顆聖誕樹，樸樸實實的，既不戴指環，也不戴甚麼頸鍊，這樣子給人的感覺就是自由自在的，一點也不累贅的，是邢慧在穿衣服而不是衣服在穿她的。

應該說邢慧是很乖的，她很聽媽媽的話，當然，有個這麼愛護自己的媽媽邢慧是頂幸福的，而做媽媽的有個像邢慧這麼聽話的女兒也該心滿意足啦。邢慧長得和她媽媽一模一樣，兩個人出雙入對，像好朋友，又像兩姐妹，誰不喜歡哩？

西西（一九六七年二月，第十四期。）

燕妮集

以前，我寫過一篇 AD 集，說的是阿倫狄龍，現在我寫的是 Jenny 集，說的是胡燕妮。

一、燕妮這個人

燕妮這個人是很怪的，這種怪，只要碰上她，就可以覺得。你一碰上她，就覺得她怪美麗。她不僅僅是漂亮，真的是美麗的。以前，我們不很熟悉她的時候，老是喜歡說她像甚麼柯德莉夏萍，其實，燕妮的氣質和夏萍完全不同，柯德莉夏萍美麗得很靜態，燕妮卻是動態的。

許多相片裏的燕妮都是長頭髮的，無論正面側面都給人一種沉默的感覺，事實上，燕妮喜歡活活潑潑，還是個十足十的頑皮蟲（像方盈）。燕妮不是書裏邊寫來寫去的那種「神秘的東方美人」，而是活生生的，如果要拿她來用藝術品作比喻，她是希臘的雕像，不是拜占庭的鑲嵌畫。

燕妮的第二怪是怪坦率的。碰上這個人，你可以當她是朋友。「明星朋友」這個名詞聽來似乎有點陌生，因為一個人如果當上明星，就很少會和普通人輕易交上朋友，但燕妮是例外，她真的對任何人都一樣友善，如果要拿地域來區別她的個性，那她是屬於北方的，而非南方的種族。

喜歡坦率的人並非是一個話盒子，燕妮很健談，但別以為她是一個廢話箱，相反地，她說的話往往很有意思，對事物的看法也很獨特，甚至對話中的諷刺性和幽默感一點也不缺乏。

燕妮還有兩怪，一是怪大方的，二是怪堅定的。她很大方，這並不是指她的外表，燕妮走路大大方方，坐立大大方方大家都早知道，這點大家沒有一點兒要懷疑的。燕妮的大方是指她對她的事業。她從不斤斤計較哪份畫報刊她的文章最多，也不緊張這個月有甚麼畫報拿她做封面。她從不計較這些。但怪的是，許多畫報偏偏拿她的相片來做封面。可能是你越在乎那些封面，那些封面就越和你無緣。

自信、自立、自強不息，這些都可以用來描寫燕妮，她是很堅定的，在她，她的生命似乎有一個目標，她從來不會對任何事感到氣餒，當她需要去獲取甚麼，她是會努力去把它贏回來，書裏邊早就告訴過我們的：不折不撓，不畏艱難，勇往直前，雖千萬人吾往矣的精神，我們是在燕妮的行為中見到了。

二、胡燕妮的朋友

每個人都有朋友，而且朋友大都可以分為兩類：普通的朋友，談得來的朋友。燕妮也有兩批朋友，普通的朋友幾乎遍佈影城，談得來的朋友呢？以前是祝菁和何莉莉。燕妮和莉莉是同學，和祝菁本來是朋友，大家早在台灣就認識的。當影城的舊宿舍還沒有改建時，燕妮，莉莉，祝菁就住在一層樓上，燕妮的房門口就對準莉莉的房門，她們三個人是影城的三劍俠，總是吃在一起，玩在一起，最近，祝菁精神不怎麼好，一個人孤零零的，三餐茶飯幾乎就全是燕妮照顧的。影城裏本來就很熱鬧，但現在，祝菁回台灣還未回來，莉莉也在台灣忙着拍《船》，就剩下了燕妮一個了。不過，燕妮過一些日子也會回台灣去走走，她一直很懷念自己的姐姐，最近，她姐姐生了個女兒，燕妮還寄了不少禮物過去。

在影城裏，燕妮孤獨不孤獨呢？並不完全孤獨，有時候，朋友並不能治孤獨的。而且，除了祝菁和莉莉，燕妮的朋友圈子也擴大了，她的談得來的朋友裏又多了方盈和沈依。燕妮本來並不是個多愁善感的人，碰上方盈這頑皮蟲，正好歡天喜地。方盈是個最鬼計多端，最愛湊熱鬧的女孩子，她總是帶頭帶大夥兒的姐姐（她年紀挺小），晚上爬上車頂上睡覺談天，晚上又找燕妮兩個人一起扮鬼。有一次，燕妮就和方盈沈依三個人站在電梯口蒙着一條大白床單，上來的剛好是一位馬來西亞籍女星，直嚇得她花容失色，魂飛魄散。而這邊，燕妮和方盈她們卻哈哈大笑。其實，她們的膽子也真大，因為那時候，李婷死了還沒多久啊！

三、燕妮的才能

做一個演員，燕妮會演戲，除了演戲，燕妮還會別的。許多的女明星其實也和許多的女孩子一樣，是有她們的特長的，如果她們不演戲，大家就一看看得出她們的本領是甚麼，可是因為她們一演了戲，大家就只看到她們演技的一方面了。燕妮的母親是德國人，她的小桌上就有她母親的相片，燕妮因此會講德國話，但這並非是她的才能。燕妮會拍照，而且拍得很好很好，她的桌子的玻璃底下就壓了不少的照片，都是她自己持機攝的（相片裏的人嘛，可以告訴大家，是康威），她取的角度很怪，而且喜歡用「大特寫」的拍法。如果她一直努力，並且有時間的話，說不定她真可以做我們這裏的另一個何藩。那麼我們不但有「攝影王子」，連「攝影公主」都有了。

那天我在她的宿舍裏見到她（三房一廳的宿舍，電梯直達，秦萍住在她樓下，門口對門口住的是李菁），她對我說：「好久沒搞拍照了。」我只能想：這是多可惜的一回事。她還說過：「我喜歡拍照，那天我們一起到街上去拍吧，我自己會拍，會沖曬，我以前甚麼都自己來的。」可是，現在她沒有這麼多的時間了，最美麗的她，最有趣的她，都裝在別人的攝影鏡框裏。

四、現在的燕妮

不要以為燕妮還留着長頭髮，她已經把它剪短了，在《黛綠年華》裏，她的頭髮短是假髮的緣故。現在，她是真的〔剪〕短了她的頭髮。燕妮的房間裏多了一唱機，以前，她的房間裏有床，櫥，梳妝台，椅子，大衣櫥，現在多了唱機，當她碰上朋友來訪，就會開唱機，以免房間裏太靜寂。以前，祝菁有個唱機，燕妮喜歡擠到祝菁那裏去湊熱鬧，現在，方盈她們都〔到〕燕妮這邊來。

燕妮參加了方盈、沈依她們的「大食會」，幾個人一起買東西一起吃，如果大家都一起窮了，就暫時散會，到有錢就再熱鬧一番。其外，燕妮完全和以前一般，還是照樣愛穿裙子，襯衫，照樣愛扮鬼臉。

有一點，燕妮是應該和以前的她不同了，因為她到過香港來了一次，必定因此而懂得了許多，如果她曾經快樂過，我們願意為她高興，如果她曾經悲哀過，我們願意她會想起：生命並不是一束玫瑰，一切的災難都是為了磨練我們而來的。

西西（一九六七年三月，第十五期。）

傻仔王羽

要找王羽，非找張徹；要找尊榮，非找尊福；要找三船敏郎，非找黑澤明，不可。

張徹在導《大刺客》，片名挺神氣，王羽飾聶政。山頂上的大招牌說是拍外景，地點：垃圾堆前。炎夏拍外景，好極。至於垃圾堆，我倒抽一口冷氣，不過，且也舐舐甜太陽去。

垃圾堆前面原來也不醜怪，垃圾自己並不很垃圾，遍地多是大小木塊，這點我早知。此乃本地特產，我們習慣稱這裏為鋸木廠的。木塊山前是片大空地，如今搭了真正的府第牆垣，地上鋪如假包換的水泥，樹木青青綠綠，非假佈景也。我四周一望，但見導演居中，不見王羽，咦，大刺客何在？副導演阿熊說：在化妝。有理有理，女明星要化妝，男明星也當化它一二。可不知要化多久，可以猜謎。此時十時許焉。

至正午時分，有大刺客一人，身披黑麻夜行衣，手持漆黑鑲金雕花寶劍，頭挽書生髻，足登粉烏靴，施施然來矣，王羽也。王羽嘛，我們見過幾百次了，打從他演甚麼《獨臂刀》，《斷腸劍》，甚麼甚麼劍起，我就見過他不止一次地在拼命，每一個人都知道他一演戲就像中了邪，真個是生龍活虎，哪吒托世。

大家握手寒喧畢，分賓主坐下。這一下可糟，原來這位「大俠」一聲不作，很怕羞似的。

我想想不對，我這個也不是正牌記者，對於所謂訪問，簡直就是見而不訪，答而不問的多。這麼着，就呆了三分鐘。

我只好說：王羽。然後大概是咳了兩聲，或者是吞了一陣口水。我說：王羽，《香港影畫》有一大把羽迷要我給你寫篇東西，我就來啦。

王羽很開心，我想他是很開心的。但是他說：

「訪問我幹甚麼呀，我是傻仔呀。」

各位王羽迷，你們叫我訪問王羽，這就是結果了。

這麼着，我們又呆了二分鐘。幸虧此時天色大晴，導演下令開麥拉，王羽「對不起」了我一聲，威威風風地攜劍下階而去。

這一鏡是「大逃亡」，聶政等一行三眾被鷹犬窮追，其中一人中箭身亡。此鏡 NG 兩次，王羽演來十分輕鬆，步伐沉穩，猶如一馬。王羽演戲時有個怪現象，彷若有啦啦〔隊〕隨車親征，只要他一提步，大伙兒就會喊：王羽，快跑快跑，而他也就真的像上足了發條，打足了氣似地，在拼命。

那次拍《斷腸劍》就是了，不知誰那麼一喊：王羽水皮。後來，王羽大概動了真氣，演得像個賣解的，劍風招招凌厲。

「大逃亡」演畢，王羽提劍歸座。這次大家嘻哈不已，我看那劍倒也有斤來把重，也不知是真是假，還以為是紙紮泥塑。

王羽把劍直插下地，石塊上火星迸裂，證實此劍乃純鋼所煉，並非凡品。我當時一驚，覺得如此鋒利兵刃，演戲時豈非會輕易傷人，但王羽說：

「我王羽，從來不失手的。」

好一個王羽，果然豪氣逼人。我見那劍有趣，順手拔過來照王羽頭上一揮，卻被俠士用劍鞘解去，王羽這一招，正是名家一出手，就知有沒有，我趕緊原劍璧還，沒敢再討教第二回合。

花開兩枝，話分兩頭，且說我這邊人在訪王羽，那邊心裏卻記掛着下午要上學。

張徹說：「別急，待會叫王羽送你去。」我一聽，眼珠子連打了兩個大轉。王羽送我去，誰不知道這個人乃是天不怕地不怕的飛車劍俠，於是，我響都不敢響，靜候一旁。等王羽又去演「大逃亡」續集時，一溜了之。

本來，我想問問王羽，為甚麼要叫黃魚，幹嗎不叫鮀魚，或者紅衫，或者烏頭。本來，我又想問問王羽，怎麼他老演英雄，從來不演演狗熊。可惜，我怕了他的跑車，只好逃掉。

不過，這些我可以告訴大家。以前，王羽一有空，就在片場裏徘徊，有他的戲他在，沒有他的戲他也在，常愛穿一件鮮紅色的飛機恤。王羽頭髮不長，人很瘦，一天到晚笑嘻嘻。至於他的眼睛，是小小的。唔，忽然想起這一件：剛才我告訴你我和王羽握手來着？對了，我一見王羽時，他就伸出手來，但他伸了又縮，我也只好伸了又縮，可是他縮了又伸，我就也縮了又伸，你以為他是在搗甚麼蛋？不的，原來他的手腕上有血，他一伸手，見到血，怕弄髒人家不好意思就收回去了，但看看，血不多嘛，不怕，於是又伸了出來。怎麼手上會有血的呢？實實在在的，阿熊說他在化妝，化妝那需化個把鐘頭呀，其實他在那裏練空手道。怎麼練？把許多的瓦片疊在一起，一掌劈下去，全部一掌兩斷。

王羽說，他剛才劈了十八塊瓦片（真是乖乖龍地咚），就掛了那麼點的彩。我看，說不定，我們這位中國劍俠過不了多久就可以去和那位「正拳割瓦十九枚」的日本行家比劃比劃了吧。

西西（一九六七年八月，第二十期。）

影城行

那天，碰巧是星期六，我跑到大街上去看看聖誕節的燈飾，逛呀逛，逛上了「香港影畫」去探探各位朋友。誰知道，這一逛，竟給總編輯把我一把捉住，要我到影城去打一個轉，隨便寫點甚麼回來。接着，又塞了一大堆信給我，讓我好去帶給明星們。於是，編輯先生封了我做他們的「親善大使」，我呢，其實是個很飯桶的郵差。

有兩位攝影先生和我一起去，我們在彌敦道上就坐進了的士，嘩啦啦的上影城去了。的士的司機先生說，你們進影城嗎？我說是呀是呀。他說：車子不能駛進去的哩。車子當然不能駛進影城，影城的大鐵門一直守得很嚴，有一位印度先生守着這一大關，別說等閒人不能的士進的士出，連大明星也會被擋駕。

且說王羽吧。王羽可算是鼎鼎大名的大明星了。王羽本來有漂亮的跑車，有一天，他因為拍戲弄傷了腳，所以沒有自己駕車，就坐了一輛的士入片場。的士一駛到門口，印度先生不開門，要王羽下車走上山。由大鐵門走上山，這條路是斜路，別說叫普通的人走，就算爬山冠軍來走也感到吃力，何況是傷了腳的王羽。因此，王羽很是生氣，心想，我王羽，堂堂的大明星，回來拍戲，又傷了腳，連大鐵門都不肯開，真是豈有此理。於是一氣之下，立刻從的士中跑下來，揍了印度先生一頓。關於影城的大鐵閘，王羽倒是替不少人出了一口氣。

我們坐的那輛的士，在大鐵閘前停了停，就掉頭回去了，我走過大門時看看那位印度先生，他個子蠻大的，不過，我們的王羽是「大俠」，而且還會空手道，看來，印度先生不會是他的對手。不過，我心裏忽然又在想，印度的聖泰也哲雷那導演應該變變題材了，為甚麼他不多拍拍他的那些苦難的同胞呢？他們離鄉別井，卻是為了替別人守門而來。

＊＊＊

我先要去看看胡燕妮。電梯上了六樓，我找到了她的那一層，但她拍戲去了。喔，對了，她現在十分忙，有一個新戲要她演。於是我跑出來，在走廊上一站，原來我站在的地方對着一扇門，門上有一個福字的門飾，這裏是誰住的呢？當然是沈依了。沈依，我從來沒有到她家裏去坐，而且，我正有一封信要交給她。這樣，我就把福字上的一個環打了兩下。

沈依的母親來開門，一請就把我請到裏邊坐下了。哈，房間裏邊才熱鬧，正正中中對着門口坐着的竟然是個最頑皮的方盈，另一邊已經站起來的可不就是沈依。沈依今天打扮得好漂亮，短短的頭髮，額前是整齊的劉海，穿的是一件大家叫它們做「阿高高」，其實就是很潮流的意思的一條裙。裙是橙得紅紅的，上半截是一橫一橫的彩色，又紅又黃又橙。在冬天穿一件這樣的衣服實在使人見了喜歡，要知道，冬天是那麼地冷，又那麼暗沉沉。沈依給我的印象是很活潑的樣子，而且我覺得她並不像人家所說的很驕傲，鼻子也沒有朝天。

我把帶來的信給了她，原來是一張很美麗的聖誕卡，像一本書的模樣，裏邊印滿了聖誕歌。沈依很高興，因為她也喜歡那張聖誕卡。

沈依的母親忙着端茶，然後就坐在大圓墊上打毛線衣。原來明星們的母親都是打毛線衣的好手，像李菁的母親，就自己織毛線衣給李菁穿，沈依的母親也是，我看着她正織着一件細細的灰藍色的珠冷，織得又齊又輕便，真是佩服她。沈依身上也披了一件大毛線衫，橙黃的，花紋是一格格的，每個格子裏有小直條小橫條，是很精細的手工，至於那幾顆鈕扣，是墨水瓶蓋那般大的玻璃鈕，沈依真是好運氣，不愁沒有漂亮的毛線衣穿啦。

忽然有人打門。進來的是一位攝影記者。他一進門竟見到了一個大大的方盈。啊呀，啊呀，我找得你好苦，原來躲在這裏。方盈笑呀笑。原來方盈的個性和別的女明星不怎麼同，她是不喜歡拍照的，所以，攝影記者找她拍照，總是碰釘子。

方盈這時沒化妝，而且過幾十分鐘後就要趕去配音，攝影記者也沒有辦法，只好替沈依一個人拍照。於是沈依把她腳上的粉紅色的有很多毛的漂亮拖鞋換了，穿了一雙漆皮的彩綠色矮跟鞋，站在房間裏拍照，我和方盈坐在廳子裏吱吱喳喳。

我在大會堂碰見你哩，她說。但那天看的是甚麼電影，方盈不記得了。這一陣，大會堂的電影，她看了好多，她說，那次的瑞典電影節，悶死我了。

方盈人就這麼坦率，她說那電影悶，就說悶，絕不會說好看。如果是別的人，大概一定會說，啊呀，那電影真了不起，好看好看。但方盈不這樣，她老實地叫悶，雖然，那天她看的是英瑪褒曼的《第七封印》，還有些默片。

今天，方盈穿的是甚麼呢？許多女孩子知道了就會開心的。方盈穿的是一條男孩子款式的米色牛仔袴，（就是拉鍊裝在前面的），然後就是一件黑的小圓領從頭上套的毛線衣，花紋是一條條，扭脆麻花那般扭在一起的條紋，腳上是一雙米色的麂皮平底鞋，這一身打扮，實在瀟灑。要知道，方盈留的又是短頭髮。如果要找一個女孩子演 *Breathless* 裏珍西寶那個角色，除了方盈，再也找不到別人了。最近，方盈看過了珍摩露的兩部電影，她喜歡演教師那一部，不喜歡東尼李察遜導的一部，其他的電影她說喜歡《春光乍洩》。

沈依的房間裏很暖，因為開了個暖爐。但除了暖爐，是那些室內的顏色叫人舒服，尤其是牆，因為牆上是特別鋪上的白色和金色的牆紙，使人不會感到白粉牆那種冷冰冰的味道。香港地方比較潮濕，許多人都不愛糊牆紙，但牆紙實在漂亮。

我在廳子裏坐了一回，就擠到沈依的房間裏去，問問她可肯送些相片，她說好，就給了我相片。我又要她親自簽名，她又說好。她一面簽，我一面看呀看，原來她房間裏的梳妝枱是金色和白色的，足足有她的床那麼長，枱上的化妝品多得厲害，真不知沈依化一次妝要用多少化妝品，又要多久時間。

床上有一件橙色大衣，當然是沈依的。沈依今天穿的全是橙顏色。你喜歡橙色是不是？我問她。她說是。唔，讓我想想看，喜歡橙色的人的個性是怎麼樣的呢？有人說，喜歡橙色的人有藝術家的氣質。那麼沈依呢？她家裏沒有掛畫，她大概不會喜歡畫，我猜她比較喜歡音樂，因為廳子裏有不少的唱片哩。

我一直贊成女孩子該穿得漂漂亮亮，至於明星，我更希望她們潮流得早，所以，我十分開心的看看沈依的大衣，又看看她的高高裙，沈依真是捨得穿貴衣服，她那件裙，我問過她了，連卡佛的，至於那件大衣，我知道，新到的貨，我在店裏見過，兩百塊錢有找，款式像個斗篷，卻一點也不肥。

攝影記者雖然要和沈依拍照，但方盈在，當然不放過她，他問，方盈，你的台灣朋友怎麼樣呀？方盈轉轉眼珠子。甚麼台灣朋友，我一點也不明白，她說。那個畫畫的，說要找你拍電影的，他說。

方盈說，關於那個畫畫的，全是外邊人在傳說，至於要拍戲，方盈自己也作不了主，因為她和公司簽了合同，怎會隨便替人家演。於是，攝影記者沒話好說，專心去替沈依拍照。

不知怎的，我最怕拍照，方盈說。她說，有的畫報和畫刊氣壞你，從來不替你着想，見了相就胡亂登出來，不管你美麗得像天仙還是醜得像八怪，真叫自己心寒。這點，方盈倒是說對了。所以，外國有些大明星根本就不和攝影師打交道，隨便甚麼人都不可以替自己拍照，像碧姬芭鐸，就有私人攝影師，一切要刊登的相片，自己可以有權選擇，因為這是保障自己的「美麗的一面」的方法。而且，誰知道攝影師的本領好不好，難怪大明星見了攝影先生就躲起來。

方盈雖然不愛拍照，但相片還是很多的，我又問她要照片，但因為她這時是在沈依家裏，如果回宿舍去拿，趕不及去配音了。而且，那天天氣冷冷的，我也不好意思要她走來走去。不過，方盈答應了下次給我。

關於聖誕節，方盈和沈依說暫時還沒有節目，影城裏雖然有舞會，但方盈說：悶死人，我寧願坐了汽車去遊車河。去年，方盈參加過影城的舞會，還抽過獎，獎品是交換的。方盈和胡燕妮兩個人去年包的獎品是一人一罐罐頭（別忘了，她是頑皮蟲），抽回來的是一盒糖。今年，參加不參加，還要到時才決定。

＊＊＊

從沈依家裏跑出來。這次，去找誰呢？唔，該看看李菁。因為胡燕妮，沈依，李菁都住在一層上，每人佔一個前座、中座、後座。

李菁的廳裏有好多人，因為到了幾個記者，他們大概吃了不少點心，因為大餐桌上又是茶杯又是點心盒。李菁則在房裏，我記起來了，李菁近來在看醫生，因為傷了腿，所以多數躺在床上休息。於是我到房間裏去看看她，這時，醫生也在，正替她治理。

李菁因為不能多走，所以穿了一件粉紅色的睡袍坐在床上，小腿腫腫的，我猜她一定是很痛了，但她說，現在不痛，因為已經好多了，早些日子，腫得更厲害。李菁的精神倒挺好的，她還是和以前我見她時那樣很愛笑，而且笑得很甜。我一直覺得她是最和藹可親的，因為，當你越見明星越多，就覺得可以真令你喜歡的也就越少，有的明星見面不如聞名，有的明星不過是敷衍敷衍你，假得直令你倒抽冷氣。

我也把帶來的信給了她，她謝了我又謝，真教我不好意思。還特別要我在這裏祝大家聖誕快樂，新年快樂。而我們，大概也希望她早占勿藥吧。

早些日子，我在相片中見到李菁長了一頭長頭髮，今天見到她，才知道她原來又變了短髮型，說不定，她是戴了假髮了。但短頭髮使她看來活潑又精神。我看，她大概又要拍一輯短髮型的相片了。

從李菁家裏跑出來，肚子餓了，我只好上片場那餐室去祭五臟廟，剛到餐室門口，就見裏邊又是熱熱鬧鬧，很多人都在那裏忙着吃吃喝喝。我探頭一望，瞥見一個胡燕妮。啊哈，是你，我指指她。她捧着一隻碗，回過頭來笑了笑，作了一個「咦，你進來啦」的表情。我一腳踏進門裏，翻了兩封她的大信給她，有一封是一疊大書，外國寄來的，郵票總共有十多個，有的是和平鴿，有的是聖誕紀念郵票。我把最大的一份郵件交給胡燕妮時，郵面上已經被撕掉了一個大角落，那是說，郵票全給攔途截劫掉了。郵票給誰搶了？我忘記告訴大家了，剛才在沈依家裏時，方盈把我帶來的信全翻看過，見到胡燕妮的郵件上有漂亮郵票，就撕了下來。她說：一會兒告訴胡燕妮，說是方盈要去的好了。她又說，胡燕妮不集郵的。

於是，我就告訴胡燕妮，方盈把郵票先撕去了。她們好朋友，從來無所謂。至於方盈的影迷們，你們如果有漂亮郵票記得寄點給方盈。

胡燕妮坐的那一桌上，有好多人，坐在她左邊的是喬莊，我喂了他一聲，也交了一封信給他。在胡燕妮右邊坐着的，是導演羅臻。他戴了一頂鴨舌帽，穿得暖暖的。在許多導演裏邊，羅臻應該是最勤勉，最迷書的一個，因為只有他訂了電影的《視與聽》，《電影軍》，《電影文化》這些書來看，所以，我很尊敬他。雖然，他現在拍的電影我還是覺得是他嘗試中的一項失敗，不過，能夠嘗試，已經不錯。

一個導演，多看外國電影，多迷電影書本是好的，我希望別的導演也學學羅臻，訂些電影書來看看，要不然，即使你多有才能，也會用盡。而且，電影不能永遠停在一個點上，時間從來最無情。

有一伙人叫了一桌飯，剩下幾個空位沒人坐，我就坐上去了。這次吃的是幾個普通的菜，和一個大飯桶裏盛的飯，不過氣氛很熱鬧。我不時回頭看看胡燕妮，她穿一件棗紅的毛線衣，一條斜紋格子 A 字裙，頭髮垂在肩上，臉的輪廓不是那麼鮮明。她們那一桌正在吃一個火鍋，燒燒煮煮的，大概是剛拍完戲，才那麼人齊。

我這一桌上的全是攝影部門的先生。有一個說，你們外邊這些人怎麼把我們影城裏的明星描像得像是神仙生活似的呢？我當然明白，做明星的也實在不是天天快樂的。工作太辛苦了，不快樂了，片子上映不賣座，也有得愁了，交上了一個男朋友，要不要結婚，更加煩，每天對着鏡子照，最怕的卻是時間。

我又回頭去看看胡燕妮，但那桌子上的人全不見掉，大概又回去拍戲了，另外一張桌子上，坐着一個王羽。他穿着是白的武士打扮，額上有一條縫。你怎麼啦，我說。給人斬了一刀，他答。我瞧清楚了一眼，看得出是化妝。我只和王羽講了一句話，就趕緊吃飯了，因為同桌上，我吃得最慢。

＊＊＊

我知道佩佩剛梳了頭髮，因為要拍照。做明星就是這樣的了，常常要拍照，梳梳頭髮，於是，我跑上去「喂」她。她也「喂」了一聲我。佩佩去了日本七個月，又回來了三個月，頭髮還是那麼長，長到腰際；臉也還是那麼清，不是繪畫板。

佩佩的頭髮長，所以可以梳辮，梳髻，現在她梳了一條馬尾，圈在一邊，髮上又插了一朵黃花。現在雖然過了秋天，這裏吹的並不是西風，佩佩也沒有比黃花瘦。

頭髮梳好了，佩佩就要拍照。有沒有女孩子想做女明星？我且告訴你一個女明星怎樣拍照吧。拍這種髮型照，你是不適合穿上衣的。不管有領沒有領，你要不穿上衣。照片內的你，要露出頸，露出雙肩。於是，佩佩只好把粉紅色的毛線衣脫了，用一條大白布圍着自己，連掛在頸上的媽媽送的暹羅佛像也脫了下來。還好，這一天天氣不冷，要不然，真會冷病了。

佩佩沒有病，卻在傷風。傷風是怪病，佩佩也沒有辦法，只好由得鼻子去唱歌。她大概拍戲辛苦，不夠休息，又着了點涼。

要拍照，佩佩還要化妝。佩佩以前是不愛化妝的，但現在只好化了，要是拍照及參加晚會也不化妝，就要給叔叔們罵了。這次，她在日本學了三個星期化妝，畢了業，還拿到一張文憑哩。她不過五分鐘就化了妝，還把心得給我講了一遍。

我老在奇怪，明星們為甚麼要跑進電影圈去。佩佩說，她真的愛演戲。她又說，最好就是有一個替身，要演戲的話，可以自己去，如果要拍照，應酬，就叫替身去。這樣，做演員的才是真的又舒服又快樂。

＊＊＊

秦萍的廳裏放了好多好多聖誕卡，這張看看，那張看看。人家寫信給我的時候總是說：你甚麼時候去看秦萍，記得問候她呵。於是，我記得很牢很牢，就像人家到「三藩市，記緊頭上插些花」那般。

明星們各有各的喜愛，有的愛鞋子，有的愛大衣，秦萍喜歡帽子。所以，誰要是想送禮物給秦萍，最好就是送帽子了。她用它們配衣服，像這天，她用黃色的帽子配一身毛線的衣裙，後來又用一頂藍色的帽子配一件藍色鑲粉紅邊的襯衫裙，秦萍所以把衣服換了又換，因為又有一位記者先生到了。

因為要拍照，我們就幫秦萍的母親把櫃頂的大聖誕樹搬了下來。那是一棵白的樹，和秦萍一般高。秦萍呢，大概有十張大聖誕卡排起來那麼高。

一個人的簽名有時候會變呀變。秦萍的簽名就和以前不同了些。以前，她簽的名像水波紋，一圈一圈的。現在不了，現在的簽名像被輾路機輾過似的，擠得很扁很扁，大家只要看看她的簽名就會發覺了。

原來，明星們廳子裏都插了花，李菁那裏餐桌上和茶几上擺的是菊花，秦萍這裏的也是菊花，還有兩朵大芍藥，花都放在唱機櫃上。唱機這時播放着一首名曲，是靜靜的《沉想曲》，這首歌，是《泰綺思》裏邊的。誰讀過小說的《泰綺思》，誰就知道那是一個人在那裏想呀想。秦萍是個不大作聲的女孩子，她一定是很愛沉思的吧。不過，女孩子太靜不怎麼好，希望秦萍頑皮些，因為，現在的世界，是個 Swinging 的世界呀。

西西（一九六八年二月，第二十六期。）

電影筆記：如果高達不是導演，他會怎樣？

我常常想：要是高達不是導演，他會怎樣。

高達也許會去畫畫，他一定會把二十幅一模一樣的瑪麗蓮夢露的招貼畫排列成一隊軍隊。

高達也許會去唱歌，他一定也呢呢喃喃背書般吟哦起來，而且一面吹口琴一面彈結他。

高達也許會開舖子，他一定開一間雜物店，像以前這裏，但搬回了加州的美廉。

但高達是一個導演。

＊＊＊

高達的電影常是空空洞洞的樣子。其實他總是有話要說。而我所特別喜歡的，乃是他說的方式。

當我跑到大街上，世界就在我的面前。高達在電影中呈現的，就是這一個世界，而且是那麼地逼切，而且是非常地即景。

起初，高達就是高達。高達不過是個聰明的懶惰高達。他看別人的電影，把美國變成法國，把二三十年代變成六七十年代，把堪富利寶加變成安娜卡蓮娜。

＊＊＊

高達拍《斷了氣》是為了喜歡「疤臉」。他拍《小兵》是為了掉轉一個方向描寫「扒手」。他拍《一個女人是一個女人》是因為「睡衣遊戲」是一部活潑的趣劇。

《賴活》是為了杜萊葉。杜萊葉說：「人類的臉乃是最美的風景。」所以《賴活》中的娜娜哭了，她的悲情就浮在聖女貞德的臉上。而《小兵》的維朗妮卡，她姓杜萊葉。

《槍兵》是為了羅沙里尼的電影概念：「真實之光彩」。高達把紀錄和劇事合在一起描寫戰爭。以後，高達就一直這樣繼續他的寓言。高達的寓言常是消極的，像《槍兵》，那是沒有熱情的也真也幻〔的〕故事。電影裏邊沒有英雄，無所謂恐懼。勇敢和膽怯都不存在。電影裏邊甚至沒有一個大特寫，因為大特寫即是感情效果的標記。

＊＊＊

字幕表上總亮着導演的名字。對高達來說，人們可以一看他的電影就知道有他。因為高達的電影雖然空空洞洞的樣子，其實他總是有話要說，又有他自己說的方式。

高達習慣隨時隨地展示現代的風景。他是一隻風信雞。但這種景色要你抬頭去尋找，或者就在教堂的尖頂上，或者就在破牆的洞中，要你放眼去搜索。

＊＊＊

漸漸大家就懂得了，高達的電影中有很多語言。但這種語言不常是聲音。

劇中人喜歡講話的，而且會講很多。他們有時直接瞪着眼，像演說。一大段的電視訪問對白，兩個人同時發表意見，都是高達的特色，很多很多的人就在學他。

很多很多的人就在學高達，誰能說安東尼奧尼不是呢。《小兵》裏面攝影師提着攝影機像機關槍似地掃射着維朗妮卡，她就如鑲嵌畫似地在銀幕上被逐漸砌配成形。《春光乍洩》豈不這樣。

＊＊＊

高達是個話匣子。電影才那麼的幾十分鐘，他能吐出多少聲音來呢。很多的話，高達不用聲音說。它們不是對白，它們滲透到電影的很多角落裏去。也許那是一本書，也許那是一張唱片的封面，也許那是牆上的一幅畫，懸在柱上的路標。高達用種種的方式來和你交談，而且他着實吸引你。

＊＊＊

當你和朋友交談，你們談甚麼呢。米亞花露的短髮是美得如何出奇吧。高達也談這些。所以珍西寶在一九六〇年還不到就把聖女貞德的髮飾帶回法國了。高達喜歡法國，他常常和你談她。甚至很細微的事情，他都引用一個法國的名字。他會說：啊，她的嘴巴活像李絲莉嘉儂。

車輛很擠的時候，高達談得更興起，他會說：這就是我的朋友古達，法國最超卓的攝影師，所說的：麻煩之最律。當他這樣說，你不禁就會呵呵地笑起來，因為古達是高達所有的電影百分之九十九的攝影人，他們是那麼地老朋友。古達總是提了手提攝影機跟着高達滿街蕩，自從《慾海驚魂》就是了，擠逼的車子在他們來說就和蒼蠅一般。麻煩之最律。

畫和書，高達都喜歡和你談。他常常說：暗藍的天空叫我想起保羅克里的畫。他又說：我在籌備一間畫廊，我去買了三幅莫迪里安尼。

高達喜歡很多畫家，他的電影牆上經常掛着他們：畢加索，雷諾亞，那些漂亮的女孩子，就像珍茜寶，安娜卡蓮娜一般，讓我們也背熟了。

高達愛講故事，讀整段的小說，他愛提高克多。他會把高克多的小說讀給你聽，威廉像野兔般飛跑，他沒聽見槍聲，停下來，氣喘喘地回轉身。忽然他覺得腦前一陣痛楚。他跌倒了，聾了盲了。一顆子彈呢，他對自己說。除非我假裝死掉，不然我就完了。可是在他來說，故事和真實原來是一體，威廉湯瑪士死了。

《慾海驚魂》的貝蒙多就是那樣死的。高達的電影，故事和真實原來是一體。

* * *

高達很真。他會說：多奇怪，昨天我不和你在一起，我想念你。今天，我和你相處着，我卻想着別的事物。高達也和大家一樣，不知道人到世界上來做甚麼。他說：你從那裏來，你在那裏，你到那裏去。但他活着。他說：只有一件事情剩下來：學習不要傷心。但我是快樂的，因為在我前面仍有很多時光。

* * *

你和別的朋友談甚麼呢？高達甚麼都談的。他談電影的時候就說攝影就是真，電影乃是一秒鐘二十四格子的真。他談音樂的時候就說巴哈音樂適合早上八點鐘聽，一首《布蘭登堡》在早上八點才奇妙。莫扎特是晚上八點。貝多芬很深奧，貝多芬屬於午夜。他談演員的時候就說我覺得演員很笨。我看不起他們。你要他們笑他們就笑，叫他們哭就哭。爬也就照做了。

* * *

高達嚴肅。但有時他興高采烈，和你一起遊戲。在房間裏騎着腳踏車轉圈子，拿着一把掃帚彈結他。一隻嘴巴同時抽四支煙，臉可以塗成一片藍。高達喜歡超現實的類比遊戲。

來，玩一種叫做 Rorschach 的遊戲吧。高達會說。一個圓圈，一個四方，一個三角，你把它們配成圖畫，好讓別人猜測你的性格。一個四方形可以長成一個小小的士兵，一個圓圈可以長成女孩子。高達則把它們變成字母變成句子。我愛你 Jevous aime。那時候，高達把這句子寫給安娜卡蓮娜。安娜卡蓮娜是個傻女孩。

＊＊＊

小心一點兒，仔細一點兒，任何人可以認識高達。在一顆鈕扣上，在一管霓虹燈裏，在路標的指針邊，在字的行列間，高達都藏着他的信息。任何人可以認識高達，小心一點兒，仔細一點兒，而且知道他的習性。

很光亮的場景，一切都白得刺眼，高達會把它突然投向黑暗，因此，暗面上總存着白的過渡影子，這麼瀟灑的溶入，是高達的習性。

一個劇中的奇異人物，我們看不見他，但知道他在，每當名字被提起時，鈴聲突然響，或者噴射機猛然掠過。這些聲響從來不即興，這是高達的習性。

問題是長在漫畫氣球上的大問號。感嘆是符號的！真的活生生的人可以穿一件廣告的內衣，高達喜歡砌圖剪貼，這是他的習性。

＊＊＊

世界上其實只有兩種線條形象。一類是直線，一類是圓圈。圓圈是罪是惡是劣是壞是差勁是一切的不如意不快活，所以人要朝前直行。只是圓圈困擾我們，時間永無止境，生命是一個弧。樓梯是旋轉上升的，人從這邊走過去踱一個三百六十度回來，機械齒輪循環不息，高達的電影中充滿它們，這是高達的習性。

＊ ＊ ＊

《美國製造》就是美國製造。但新的姿態是法國式的。所以，終場的那個 END 或者 FIN，字母各有不同的顏色。一個藍，一個白，一個紅。隨你怎麼說，法國的旗色或美國的旗色。這麼做，是高達的習性。

＊ ＊ ＊

終於要這樣地想：誰將是更偉大的導演，安東尼奧尼，還是高達。高達是那麼地普普，像一對米字圖案的太陽眼鏡，像一頂窗櫥裏的越南帽。因此很多人不禁為他擔心。高達說這些是會過去的，正如航行，正如搖擺樂，正如迷你裙子。時間很快就會告訴我們。

但是我一點也不擔心。正如我也不擔心安東尼奧尼，他沉穩如山。我是一點也不擔心高達的，因為他總是份明日的報紙。高達就是時間。時間過去，時間現在，時間未來，時間存在。正因為這樣，我們把等待兩個字留給高達。我們不對別的導演作同樣強烈的渴求。

我們等待高達，等待他的《一加一》，他的《週末》，他的《中華兒女》，甚至《男性女性》，《阿爾伐城》，等等。只是高達開始厭倦我們了，他把電影旅行放映，大家不是看，他們搶走他的菲林格子作紀念品。高達說，別花錢來看我的電影，去做些更有意義的事。但大家不懂得他的意思。

等待高達，高達回來。但誰是高達，一個導演。他的電影常是空空洞洞的樣子，其實他總是有話要說。在他，故事和真實原來是一體。他的景色，要我們放眼去搜索，在一本雜誌的封面上，在一則廣告的背後，在閃亮的酒店招牌下，小心一點兒，仔細一點兒，任何人可以認識高達，而且知道他的習性，知道他。

米蘭（一九六九年八月，第三十二期。）

電影筆記：電影中所見到的「臉」

電影喜歡給我們看臉。

為甚麼要是臉。人有兩隻手，兩隻腳；人有很美麗的軀體。但電影喜歡給我們看臉。

為甚麼要是臉。所以小野洋子拍了她的電影《第四號》，但她的《第五號》又回到臉上。而且所有的臉都在笑，所有的笑都美麗。

電影，不管是誰的，安東尼奧尼嗎，費里尼嗎，索里尼嗎，柏索里尼嗎，都給我們臉；高達也是，娃達也是。葛達也是。很多很多的臉，臉被放大起來，孤立起來，群聚起來，臉就成了電影的標誌。

＊＊＊

當看到臉，我們就認得出他們是誰。我們一眼看過去，認得出他們是米亞花露、奧利化列，我們甚至學懂一眼看過去認得出有一個雷諾亞有一個愛森斯坦。不過是一些臉，我們可以辨別誰是誰，而且我們能夠證實那個年代。

平面的銀幕上，臉有時是一本書，有時是一幅畫，有時是一座雕刻。杜萊葉早就說過了：「臉是風景線。」那麼多年了，從隱秘的他人之顏到變幻的山巒景色，電影，它竟是一段由假面蛻換真面的歷程。

把臉投在玻璃上、鏡面上、水上、銅盤上，電影就是它們的延續。人們喜歡凝盼自己，人們都是一朵很愛追憶自己的水仙花，電影就把我們都種植在湖畔了。

格里菲斯把一張臉孤立起來的時候，我們喧鬧着要他把腳還給她。但是，從這個時刻起，我們不得不漸漸把臉當作一個遠方的陌生星球；在它的上面可會有水，可會也有如同我們這裏的阿米巴呢？我們不知道。

關於臉，我們是一點點地洞悉的。

卓別靈的臉原來是啞劇臉，一〔如〕《天國孩童》裏舞台上的巴布蒂斯。卓別靈也在臉上貼厚厚的粉，泥一般的粉，好讓它們乾成一座圍牆；眼睛是要在背後不時流很多的淚的，嘴巴是要來歎很多的息。卓別靈的臉是一個假面，但它〔是〕真的，它的名字是：我是一個可憐的，你已經見過了很多的，或者就是你自己的，那種淒涼型。富裕者有很多種面孔，貧窮的人只有苦臉，啞劇臉是它們的傳真。

＊＊＊

雪庫臉是世界的第一次戰爭後降落的。德國畫家們筆下的它們是恐懼、哀傷和陰暗，即使這樣，它們冷得像機械。畫家們說：這是表現的時刻。滿街的臉在銀幕上掠過，我們看它們不清楚，只有聲音響着：我們沒有一點感情的影子。他們的臉本來一如池水，一如清新的雨後青綠新葉，但如今是灰是炭，是粗暴的直線，有一隻野獸在裏邊居住。

表現主義早期的電影都是那種樣子，演員們從舞台上來，帶給我們鋼鐵的臉色。感情冰塊似地凝固在假面背後，而且冰塊溶解得很遲，因為戰爭不曾被輕易忘卻。

庫里肖夫給我們呆滯的臉，它們上面沒有感情的籤記。庫里肖夫和我們玩一種叫做「聯想」的遊戲，他給我們臉，然後再給我們其他。自己去把它們鏈接起來，他說。於是我們把臉和食物連起來稱它為「飢餓的感情」，又把臉和孩子連起來改稱為「慈愛的標記」。這種遊戲很吸引我們，因為臉雖然呆，卻是那麼活生生的。

愛森斯坦也給我們活生生的臉，而且他把它們誇張得十分厲害。臉很多，但出現的時間短促，次數頻繁，它們真像石頭，灰麻麻的；但額上的一灘血，總是一顯現時就停留在額上，皺着的眉總不會為我們而舒平。這些臉是空間的，像鎮紙玻璃裏邊的一隻螃蟹，並不隨着時間而稍移及變換它們的位置。

＊＊＊

如果說臉是石塊一般的，杜萊葉的臉最具岩的特質。它們都是一座一座的雕像。杜萊葉很細意刻劃銀幕上的臉，彷彿他是在那裏和羅丹比賽。年青漂亮的苐罔妮蒂，她的微笑是那麼地甜，但杜萊葉把笑都困鎖起來，用強烈的光投在她的四周，使她的臉像一幅地圖。大家看《聖女貞德》時總不禁要問：她真是一個會說話會微笑的女孩子嗎？但她瞪着眼睛，光線令她的輪廓出落得異常鮮明，我們甚至看得清楚每條頭髮的紋理，因此，我們很快就背得出：這是杜萊葉。

＊＊＊

你可知道文藝復興時期的意大利，可知道一個叫做米開蘭基羅的畫家？他是陽光的孩子。當雷諾亞把一些臉給我們看時，我們就覺得，雷諾亞就是電影上的米開蘭基羅。一切的臉都是活的，一切的臉上都是陽光。生命充滿了活力，人們彷彿從一個幽暗的墳地中出來，從古埃及的帝王谷中出來，從羅米歐和朱麗葉殯葬的地窖中出來，於是人們舒展他們的頸項，旋轉他們的腳踝，在希臘競技場上奔跑。

雷諾亞給我們甜美的臉，泥土的臉，充滿森林平原氣息的臉。他的臉是流動的，它們圍着我們旋轉。它們不再跛足似地蹲在一個角落，而是星球也似地運行。一剎那間，波的采尼的春天就到了。春神是披着紗的女孩，風就是她的使者。雷諾亞給我們很多的臉，同時也給我們風。

雷諾亞的父親就有畫印象畫的雷諾亞，做孩子的把父親的畫看了又看，一些洗衣服的婦人呀，一些坐在鏡子前梳頭髮的婦人呀，她們都是生氣勃勃的樣子，雷諾亞就把那些臉放在銀幕框內給我們看。那些臉，因此也像印象派的畫，活活潑潑的樣子，歡歡樂樂的樣子，而且雷諾亞竟是十分十分地德加。

人的臉漸漸在電影中多起來，電影真的好像鏡子，那一個可不就是大街上小店裏的老闆麼，那個可不就是住在閣樓頂上的喜歡跳舞的女郎麼，臉漸漸像一列火車駛進車站來，人們站在月台上守望窗裏邊的臉，它們都是熟稔的，默片裏邊好多的臉不能說話，聲片裏邊好多〔的〕臉常常唱歌，她們化一點妝，喜怒哀樂着一些表情，這些臉，我們都喜歡。

然後，我們就見到一種方法臉。記得馬龍白蘭度或是占士甸或是洛史德加麼，他們用他們的方法演技，他們不是王，但演起來真的和王一樣，他們演起寇來也真的是寇。他們會哭，會悲哀，會憤怒。他們真像，這些臉，每一個城市都有，他們就去學他們。

加利谷巴才不去學別人，他的臉是他自己的。他說：我是不會叫自己演一個王的，因為我又不是王。所以，加利谷巴給我們看他自己的臉，那是一張樸樸實實的臉，忠忠厚厚的臉，凡是銀幕上要這樣的臉，人們就去找加利谷巴，同樣的，當人們喜歡看一個天真無邪的甜臉，他們就去看瑪麗蓮夢露。可是，誰給我們王的臉呢，我們不能請乾隆或者康熙，因為他們早已死去，我們又不能請依莉莎白第二或者尼克遜，因為他們有整個國家的職任負在肩上，於是我們就去看馬龍白蘭度，就去看彼德奧圖，他們給我們王的臉。

＊＊＊

第昔加給我們新的卓別靈，意大利的新寫實都這麼辦，他們把假面拋得老遠，叫街頭上的小販呀，擦皮鞋的小孩呀，賣報的童子呀，窮得像一個子兒也沒有的小偷呀，跑到我們面前來，讓我們去仔細端詳他們的臉。故事裏的臉雖然是臉，但那是故事的，就像再真的塑膠花還是塑膠，塑膠如果不是花可以是碟子是水桶，但樹上的花如果不是花就不是別的。

就不能說普杜夫金沒有給我們茅屋前的臉，泥巴斑斑的臉，但那些臉死釘在日曆一般的四方框內，而且他們不會哭，而且他們不會天氣般風雲變色，一些攝影機低低地蹲着把它們高高地聳立起來好掩飾它們的呆相。但意大利的新寫實，即使是一隻髒狗，牠的臉也有牠的感情。

＊＊＊

誰能夠忘記法拉哈迪。他的名字是記錄片之父。他給我們的臉不是故事的，不是小說的，不是開頭怎樣結尾怎樣的；那種臉和別的都不同，因為它們就是臉的本身。電影給我們千千萬萬的臉，有的是假臉，有的是真臉，都是銀幕臉，但法拉哈迪，他給我們的臉是上帝一手創造而不曾修飾的。

丹尼爾史波里，一個畫家〔，〕雕塑家，把一張桌子綁在牆上，桌子上膠滿了髒碟子，杯子和煙蒂，這樣子他就把它拿出來展覽了，他叫它做《馬素鄧香的早餐》。

大家都說，藝術就是真。生活劇場，普普藝術都在叫：它們是怎樣，就告訴大家。於是，電影就擠在真的潮流裏把那些臉急於向我們展示。他們說：為甚麼安地華荷要拍一個人睡，竟拍了六小時。為甚麼有一部電影就是一個人吃飯，就甚麼也沒有了。那些臉好粗糙呵，就像電視節目裏走進熒光幕前的從街上被拉進來的過路人。這就是因為真的緣故，地下電影也是為了真，不為別的。

三年前，小說家早在嚷，我們鬥不過真實。真的，小說家幻想了那麼多的奇跡，但現實超過他們豐富的奇想，最暢銷的小說竟會是《惡向膽邊生》和《波士頓殺人王》的原著，它們都是真實的故事。

希治閣的電影，空中樓閣的架構，但太空人降月的傳真給觀眾帶來的懸疑，驚訝和滿足，遠超過無數的緊張電影。真的力量是那麼的逼切，電影的臉，竟顯現在杭思朗的臉上。

這是臉最真實的時代，我們明顯地看得出那是兩個主流。安東尼奧尼和高達給我們真的藝術臉，由地下蛻變的美國新寫實致力於呈現真的原始臉，而且，這些臉就像英瑪褒曼《面具》中的那兩個，漸漸走向，終於溶而為一。電視派導演的崛起正說明了，紀錄的風格將入侵夢境。

高達是對的：真幻原是一體。

電影的歷史，實在是一段由假面溶入真面的過程。

米蘭（一九六九年九月，第三十三期。）

電影筆記：安德魯狗的故事

從前。

露台。晚上。一個男人自露台邊磨他的剃刀。他朝窗外看天。輕雲正遮掩着圓月。

睜着眼的年輕女人的頭。剃刀邊緣移近她的一隻眼。輕雲掠過圓月。剃刀的鋒切進女人的眼，把它分割。

《安德魯狗》的序場帶來的恐懼是強烈的。布紐爾的作用，是絕早就警告我們，他要帶領我們進入的是一個不尋常的世界。在整個電影中，布紐爾的影像不斷騷擾我們的感覺，他的確是把我們所熟悉的世界完全粉碎了。

可以這樣說。我們用我們的眼睛看電影。布紐爾就是那把剃刀，他切碎我們的眼球，他扭轉我們的視線。《安德魯狗》是布紐爾和達里一起編的劇本，他們心中都有共同的超現實的夢想。電影拍出來只有短短的十七分鐘，但那不是有關一頭狗的故事。題目的意思是：一頭安德魯狗吠叫，是誰已經死去？

＊＊＊

八年之後。

荒蕪的路。雨正下着。

穿着暗灰色衣服的男人騎着腳踏車。他的頭上，頸上，腰際都是荷葉摺邊。他的胸前垂着一隻方盒子，盒面上是黑白斜紋的圖案。男人踏着車，手卻放在膝蓋上。

建築物的三樓上一個房間裏。穿着色彩鮮麗衣服的年青女人坐在房中看書。她聽到聲音就把書扔在榻上，很快地走到窗前。騎着腳踏車的男人正在樓下，車子滾進了溝渠。

女人衝出房門，奔下樓梯。騎着腳踏車的男人躺在地上，毫無表情。女人投向他的懷中，熱情地吻他的唇，他的眼，他的鼻。

雨是下得那麼大。

小小的鑰匙開啟了盒子，拿出一條領帶來。雨和盒面和領帶和包裹領帶的紙巾，都是斜紋的圖案，它們交織着，在銀幕上溶成一個型。

看《安德魯狗》的時候，大家都不明白為甚麼它不是一個「完整」的故事。其實《安德魯狗》並不是故事，它只是一些夢想。正如有人說，它可能是一些畫，一首超現實的詩。

＊ ＊ ＊

同一的房間。

女人站在床前，看着床上的衣物。騎腳踏車的男人的衣服，如今整齊地排列在床上，依着人的形狀。女人把原來的領帶解下，結上了盒子裏取出來的那條。然後，她坐在床邊，守望着。

女人突然轉過身子，騎腳踏車的男人就在她的背後。他凝視着自己的手掌，手上全是螞蟻，正從掌心中的一個黑洞裏爬出來。

沙灘上仰臥着的女人的腋毛。一隻海膽伸展的刺。一個女孩子被俯覽所見的頭頂。一群圍在女孩子四周的人正準備向警員的防衛線推進。

很多人嘗試解釋《安德魯狗》，就像人們追尋夢的意義。他們說：螞蟻在掌中爬行是腐蝕的意思。但是沒有人知道布紐爾和達里原來的思想。超現實的畫從來沒有叫觀眾去解釋每一個細節。電影是一個整體，《安德魯狗》要表現的也只是用超現實的方法來拍一部電影而已。

＊＊＊

女孩子持着一桿木條打算去拾起一隻被切斷的手。手躺在地面，手指甲是有顏色的。一名警員走過來申斥她。然後他蹲下，拾起手，包起來，放進騎腳踏車男人懸在胸前的盒子裏。男人把盒子交給女孩。群眾的好奇心逐漸死亡，他們四散而去。

布紐爾的超現實作品有它自己的特色。布紐爾從不偏重賣弄電影技巧。他把一切不尋常的事件和境況砌配起來，使人們覺得它們是那麼意外地可能。把一些衣服，照人的形式鋪砌起來，這樣的超現實，是內容上的，不是電影技巧。

英瑪褒曼的《野草莓》，序場的老教授在自己的夢中行走，看見的鐘並沒有分針和時針，一具棺材裏的死屍又竟是教授他自己。像這樣的超現實夢境，是最布紐爾式的。它們都是內容的配對，不是拍攝的技巧。

波蘭斯基要不同些。波蘭斯基的超現實常在電影技巧上，不在內容素材上。想想《冷血驚魂》的那些恐懼，恆常是希治閣式突如其來的，它們代表時間。布紐爾並不這樣。《安德魯狗》是那麼地悠閒，調子緩緩的，布紐爾用很輕柔的力來粉碎我們的現實世界。

＊＊＊

三樓上窗前的男和女一直觀望着樓下的街景。女人仍繼續向下看。女孩子如今是單獨一人了，她一動也不動，飛快的車輛在她身邊駛過。突然，其中之一撞到她，她就躺在街上，模糊成一片。

男人走到年青女人的面前，瞪望良久，眼中充滿慾火，他用手握緊她的乳。臉上表情恐怖的他，嘴角流出血來。年青女人向後退走，掙扎着躲在一張桌子後面。男人憤怒地四面望，然後拾起地上的兩條繩。他盡量拉繩子，繩的一端卻連着一大堆東西，先是一塊大樹皮，然後是一隻瓜，兩名天主教傳教士，最後是兩座大鋼琴，裏邊是兩頭驢子屍體。男人拉着這些東西，碰翻了桌椅，女人則逃出房去。男人扔下一切追蹤着。

在解釋《安德魯狗》的時候，大家對兩條繩連着的鋼琴和傳教士感到最興高采烈。影評人說，那個男人，那麼使勁地拉，是因為背負着他教育上的苛責。當然，布紐爾總是在電影中諷刺很多東西，像宗教，像教育，它們往往把一個活生生的人困纏得不得脫身。布紐爾就朝這些圍攻。尚維果說得好：小心惡犬。它會咬噬。

＊＊＊

女人逃進一個房間，迅速地關上門，但男人的手已經伸進來，它被門壓着。掌心的黑洞裏，螞蟻不斷爬出來。

女人轉身朝房間看。那邊是一張床，同一的人躺在床上，衣服上仍是充滿了荷葉縐邊，一個盒子仍垂在胸前。他沒有移動，只瞪着眼。

布紐爾的電影常常用「愛」來作主題，在他，愛是一種需要犧牲很多別的美德的東西。為了愛，人們拋棄家庭，地位和名譽。愛的失敗，又常常是反叛的動力。

《安德魯狗》豈不也是一則講述愛的故事呢。在愛的面前，障礙是那麼接二連三地誕生。

＊＊＊

清晨三時。

陌生人在敲門。男人在房內床上。女人前來開門。陌生人走到床前命令男人起來，並且用暴力拉他。陌生人把荷葉邊一塊一塊扯下，連同斜紋盒一起扔出窗外。男人搶救不及。他叫陌生人走，自己面對牆站着，懲罰自己。

陌生的人一直背對着觀眾，如今他在房中搜索，他轉過身子，他原來就是騎腳踏車的同一個人。

＊＊＊

十六年前。

陌生人走到書桌前。桌上有兩本書。陌生人取了書，叫男人像十字架般伸開手，他把書放在男人的每一隻手中，作為懲罰。兩本書忽然變成兩管槍。男人用槍威脅陌生人，要他舉起手。但男人還是放了槍。陌生人倒在地上。

受傷的人不在室內，而在公園裏，身旁坐着一個婦人。她背着觀眾，裸露着肩。受傷的人企圖抓緊婦人的肩，結果又跌在地上。一名警員跑來，把男人帶走了。

當我們看波蘭斯基的《冷血驚魂》，那些碎裂的牆，那些男人的突現，或者牆上伸出手來，這些都是超現實的畫面。波蘭斯基的牆手，還是取自高克多的作品，而高克多，也是超現實主義的中堅份子。

自從電影中出現了超現實主義，電影就變得又多姿多彩了。科學幻想的故事，恐怖怪誕的故事，都擴展了表現的領域。費里尼的《八部半》，夢和幻想交織成一幅美麗的電影花〔氈〕，回溯起來，就是布紐爾的樹所結的果子。

無疑的，《安德魯狗》不過是一部一九二八年時代的實驗電影，但在眾多的超現實電影中，它是最起始的一部。

* * *

房間裏。壓着男人的手的門如今開敞着。女人進來，房內空無一人，也沒有傢具。牆上有一小黑點，那原來是一隻飛蛾，蛾的身上有一個骷髏頭的圖形。穿着有荷葉邊衣飾的男人突然用手打自己的嘴巴。當手放開時，嘴巴竟不見了。女人則在塗唇膏。在男人的臉上，長嘴巴的地方長出毛來，女人大叫一聲，她朝臂窩一看，一條毛也沒有了。她對男人冷嘲地伸一伸舌。披上一條披肩，開了門。她走出去，進入另一扇門，門內是一巨大的海灘。

一名男子在海邊等待着。兩個人相見時彼此快樂。他們〔沿〕着水邊散步。海浪漸漸柔和地沖擊一些物體上來，那是：斜紋盒，荷葉邊。最後是腳踏車。

兩個人一直在海灘漫步。天際出現了兩個字：

春天。

一切都已改變。我們現在見到的是一望無際的沙漠。男人和年青的女人在銀幕正中。他們都有半個身子被埋在沙中。他們衣衫襤褸，被陽光和昆蟲在吞蝕。

這就是《安德魯狗》。喜歡思想的人可以用腦去想。如果不明白它到底是甚麼，是無關重要的。因為，它不過是一個電影。超現實主義的第一部實驗電影，由西班牙的布紐爾和達里一起拍的。知道這些，就夠了。還有，《安德魯狗》講的不是一條狗。

米蘭（一九六九年十月，第三十四期。）

電影筆記：我們等待我們的連尼卡

我們等待我們自己。等待我們做很多很多的事，關於電影，關於我們所喜歡的媒介。我們不要光看着別人。我們自己來結網捕魚，自己來掘一些井。

我們等待我們自己來拍一些卡通，像《黃色潛艇》那樣，我們把夢和幻想放進動畫裏，我們用一些線條，一些顏色，來點綴自己的花園。

藝術節的廣場上，遍地將佈滿畫家們的作品，畫抽象的畫家們，砌圖案的雕塑者，展覽光暗構〔圖〕的藝術家們，他們給我們他們的心。牆上則是黑白黑白的攝影，彩色彩色的一幅幅相片沙龍。畫家們，攝影家們，怎不也拍一些卡通呢。很多人都那麼辦。

也許你不知道贊連尼卡是誰。他學過音樂，學過建築，畫過很多海報，又替小孩子畫故事插圖，然後，他畫卡通。他把荒謬的《犀牛》變成一部短短的動畫，它真美麗。贊連尼卡不過是很多很多畫動畫中的一個。我們也等待我們的連尼卡。

有人把赤裸的軀體砌成雕塑，身體不斷地移動，雕塑就每一分鐘變換它們的形狀。然後有人把雕塑拍攝下來，記錄雕塑不同的樣貌。這是一種實驗。

＊＊＊

我們等待我們更多實驗的電影。背相機的人是那麼多，陽光又常常燦爛。我們可以把三部電影一齊放映在牆上，又可以把幻燈片同時打出來，還可以讓歌手在銀幕前唱他的民歌。我們可以在底片上逐格子耍把戲，可以在菲林上刺洞洞，可以把一個個畫面變圓變扁。我們可以依照我們的意思去拍攝最古怪的電影，我們可以假設自己是另外一個愛迪生，另外一個愛因斯坦或者愛森斯坦。

我們也可以很乖。可以老老實實，從頭做起，嚴格地，正統地，拍一部短片，像一首書本上的鋼琴練習曲，必須用心地仔細彈。

重要的是我們去做，去實驗，去研究，去學習。去看了再看想了再想做了再做。讓有的人去笑好了，讓有的人頂着一管鼻子朝天走路好了。

起初〔，〕人們把安地華荷的《睡》當做畫展的《日出．印象》。但一幅《日出．印象》，現在的畫裏都要提起它，而一部《睡》，和《睡》那樣的實驗或地下或其他的電影，像《青樓紅杏》或《獨行殺手》一樣，有電影院上映它們，有製片公司發行它們，有觀眾結結巴巴去看它們。它們是電影，電影像臉，有很多種樣子。

我們等待我們的電影有各種樣子。

＊＊＊

別的電影來過，像《天師捉妖》，像《冷血驚魂》，我們曾去看。我們等待我們更多的觀眾，去看的人應該多，多的不該只是普通的你和我和他，而是在電影工作場工作室工作廳裏的人。對攝影師說，我想要一個《冷血驚魂》那樣的眼睛。但攝影師不明白，因為他不知道那個眼睛，因為他沒有去看《冷血驚魂》。導演只能再要求別的，但他也不知道別的。於是導演只能夠歎氣。影評人常常一手按着「作者論」一面說，你這個導演飯桶。原來飯桶還有很多人。

應該希望更多的電影從業員上電影院去，看《董夫人》的燈色，看《男歡女愛》的紅黃藍白黑。看《一代舞后》的剪接，看《獨行殺手》的故事。然後，來拍我們的電影。然後我們知道該怎麼做。先知道別人已經怎樣了，先去看，先去知道，我們等待去看電影的人。

我們等待一間小小的電影圖書館的誕生。電影圖書館裏有很多的電影，可以租出來借出來，有一些專門放映的負責人把它們帶出來帶回去，免得別人把它們弄壞。電影圖書館裏有很多資料可以給我們去查，希治閣是某年某月出生的，他一共拍過多少的片子。或者是差利卓別靈的喜劇有甚麼特色，笑中有淚的電影除了卓別靈最成功之外還有誰。

電影圖書館裏有很多書，都是有關電影的，也有小說也有唱片，也有劇本，也都和電影有關，大家可以跟進去看。館裏的椅子多，大家坐下來，手裏捧着《廣島之戀》的劇本書，音樂也許正是《齊瓦哥醫生》的一首曲子，我們等待這樣的日子。

我們等待有人開一間可愛的電影店，裏邊有各式各樣的電影雜誌，電影書本，用不着我們一個一個自己去訂購，花很多的郵資，又被書店重重地剝削我們。店裏還有菲林，還有放映機，拍攝機，剪接機，也有大幅大幅的招貼畫，明星的相片，店賺公道的價錢，我們歡天喜地地進去，手舞足蹈地出來。

我們等待一間小小的藝術電影院。很小很小就可以了，小得「廣智那樣」甚至小得像人家的一間車房，但每天放映夠水準的廉租電影，一個星期換一次。這個星期是法國文化協會借出來的短片，下個星期是一位朋友自己拍的十六米厘。藝術的電影院不是為了賺錢，它們就和「第一影室」或「大影會」一樣，努力把好的電影介紹給大家。

＊＊＊

露天的電影院，可以設在大廈天台。人們可以看或者不看電影，人們可以坐在天台上喝檸檬水。人們一樣可以聊天，一樣可以看天上的星。地下室的電影院，一樣可以設在「的士夠格」裏，人們一樣可以跳舞，一樣可以聽音樂，默片是最好的牆景。有人說，人們喜歡電影，是因為人類最初的時候穴居在山洞裏，山洞是黑黝黝的，就像燈色四滅的電影院。人們喜歡電影，因為人們終必歸向泥穴。那也是一個黑漆漆的世界。人們喜歡閉上眼睛做夢，電影則是我們睜着眼看到的幻景，但黑暗使我們彷彿閉上眼睛。

巨大的汽車電影院可以設在郊外，寬大的廣場上是一座長城一般的牆，銀幕是十倍百倍地擴張起來，電影彷彿出現在天幕上。我們不是喜歡看煙花麼。電影就是美麗的煙花。

＊＊＊

在波蘭，除了波蘭斯基，還有很多很好的導演，也有很好的演員。還有設計漂亮電影海報的畫家。域多高卡，設計過《大街上的小店》和《沙維多·威廉安諾》。法蘭西斯高，史杜拉維斯基設計過《恐怖的伊凡第二部》和《把戲師的故事》。很好的電影，到處張貼着美麗的海報。英瑪褒曼的《第七封印》，阿倫雷奈的《去年在馬倫堡》，都有出色的招貼畫。許多人就去看電影，許多人且想辦法把海報找回來。

康城的影展，威尼斯的電影節，也有大幅的海報，設計的人很多，許多人為電影設計海報，像在那裏開畫展。有一部電影叫《新婚樂》，不是傑作，但裏邊有一幅康城影展的招貼畫，誰仔細看，就可以發現。

我們等待我們自己的設計漂亮海報的人。「大影會」每次上映電影，請來年青嚴肅的莫傑祥設計沙發那麼大的海報，它們多半是黑白的，相片一般的，很是美麗。莫傑祥還替龍剛設計過《飛女正傳》也綠色也黑色〔的〕海報，那時候，巴士的尾巴窗子底下到處都是它。

把美麗的設計帶到十字街頭來，把電影的藝術氣氛到處〔灑遍〕，這是時候了。

＊＊＊

我們等待。等待汪榴照像以前一樣寫影評，等待孫家雯在報紙上寫寫關於意大利。它們以前寫很多，但現在那麼少，甚至一聲不響了。

我們等待導演們像楚原〔，〕龍剛，常常和喜歡電〔影〕的朋友多些談天，但談的應該是拍一部好電影的理想，而不是如何去討好製片人的臉色。

我們等待電影從業員的訓練學校的開辦，而不光是鋪展演員的溫床。我們每年每年見在銀幕上的新臉孔，但背後總是那一些人在工作。從事電影工作的人中，有〔的〕本來不喜歡電影，有的不看電影，有的不懂電影，那麼，電影怎麼會好。電影的血不是死水。

我們等待更多的唐書璇，一部電影拍得好不好還在其次，重要的是去做，去實現，而且，這裏的氣候不算很差。世界上有哪一個角落拍電影不會遇到困難，大家喊的還是一種聲音：我們沒有錢，我們到處碰壁。但這樣喊的人裏邊，沒有錢的人還是拍出了電影，到處碰壁的人也拿出了作品來。

＊＊＊

校外課程應該有人講講電影，成人夜校應該有拍電影而不是看電影的小組，中學裏邊，應該有小小的電影會，那是一種課外活動。

每年暑假，青年人的活動是那麼多。他們有的上工廠去，有的去修橋築路。有的去旅行，爬山。但為甚麼不去拍電影。作曲，繪畫和拍電影，都是創作，青年人應該把更多的時間投在創作上。常常想，梅維爾如果不是一個導演，他會怎樣？梅維爾那麼醉心警匪的故事，他自己的一身打扮，就是一名「獨行殺手」。要是梅維爾不是導演，不寫小說，他會做殺手的。不然的話，他到哪兒去展露他的才能。讓青年人去拍電影，也許這樣，男童院女童院就不會滿座了。

有一位牧師，他自己拍起電影來了。他買了拍攝的和放映的機，又找了書本來看。他要用電影來講道。我們不是說，傳道的人使我們嘔心嗎？傳道的人不是不知道〔，〕有人用電影來傳播福音了。

有一些學校，設立了一個電影會，同學們課餘聚在一起討論電影，還一起拍一些短片，老師也幫他們忙，這不是很好麼。

有的出版社，打算出版一些電影叢書，也許是影評的選輯，也許是翻譯的理論。讓更多的人可以有電影書看，這不是很好麼。

一切一切都在慢慢成長起來。

我們等待這些。

米蘭（一九六九年十一月，第三十五期。）

附錄

電影及人物譯名

凡例

一、本附錄以中文筆劃序列書中影片名稱、人物姓名等，分為三個表格：「外語電影」、「華語電影」（包括國語片及粵語片）及「外國影人、作家、藝術家」；

二、各表盡量羅列原文提及的譯名，惟未收錄無從臆補的名稱；

三、「外語電影」、「華語電影」兩表盡量收錄同一影片的各種譯名，讀者可根據名稱筆劃或本書頁碼查索；倘譯名首字相同，並行排列，以斜線區分；

四、原文未用而兩岸三地公映、今日通用的中文片名，另列一欄，不論首字是否相同，均並行排列，以斜線區分；

五、「年份」指影片完成或首次在出品地的公映年份，或與香港首次公映年份有別；

六、「外國影人、作家、藝術家」表僅羅列原文提及的影人、作家及各類藝術家，不收錄各類作品的角色名稱；

七、單篇中僅有姓氏或名字簡稱，「外國影人、作家、藝術家」表按首字筆劃另列一行；倘單篇中已有人物全名，所有簡稱不予另列。

外語電影

中文片名	原名	英文片名
	一劃	
一夕風流恨事多 / 一夜風流恨事多	/	A Kind of Loving
一加一	/	One Plus One / Sympathy for the Devil
一代舞后	/	Isadora / The Loves of Isadora
一男與一女 / 一男一女	Un Homme et une femme	A Man and a Woman
一夜狂歡	/	A Hard Day's Night
一個女人是一個女人	Une femme est une femme	A Woman is a Woman
	二劃	
八十日環遊世界	/	Around the World in 80 Days
十二怒漢	/	12 Angry Man
七年之癢	/	The Seven Year Itch
七金剛	7 uomini d'oro	Seven Golden Man
十命冤魂	四谷怪談	Illusion of Blood
七俠蕩寇誌	/	The Magnificent Seven
八部半	8½	8½
	三劃	
小女孩沙西	Zazie dans le metro	/
小兵	Le petit soldat	The Little Soldier
大刺客	侍	Samurai Assassin
女金剛大戰鑽石黨 / 女金剛勇鬥鑽石黨	/	Modesty Blaise
山河淚	Celui qui doit mourir	He Who Must Die
小飛象	/	Dumbo
三野狼	Le glaive et la balance	Two Are Guilty
已婚婦人	Une femme mariée	A Married Woman
大街上的小店	Obchod na korze	The Shop on Main Street
	四劃	
天師捉妖	/	The Fearless Vampire Killers
天國與地獄	天国と地獄	High and Low
天涯歷險記	/	In Search of the Castaways
中華兒女	La Chinoise	The Chinese

其他中文片名	年份	本書頁碼
一種愛意 / 一點愛意	1962	234
/	1968	479
伊薩多拉 / 伊莎朵拉 / 絕代美人	1968	495
男歡女愛 / 男與女	1966	256, 350
艱難時光	1964	346
女人就是女人	1961	474
環遊世界八十天	1956	47, 53, 430
/	1957	99
七年一覺飄香夢	1955	430
七金人	1965	179, 181
四谷怪談	1965	100, 123, 134, 154
豪勇七蛟龍 / 蕩寇七俠傳	1960	101, 138, 215
八又二分一	1963	77, 82, 155, 335, 338, 345, 356, 364, 367, 491
賽西 / 莎西遊巴黎 / 莎西在地下鐵 / 扎齊坐地鐵 / 扎奇在地下鐵	1960	170, 171
過河卒	1963	474, 475
侍	1965	92, 93, 99
/	1966	186, 323
該死的人	1957	350
/	1941	74, 119
/	1963	22
有夫之婦 / 已婚女人	1964	228
/	1965	496
大膽吸血鬼	1967	494
/	1963	22, 67, 91, 92, 345
格蘭特船長的兒女	1962	74, 75
中國姑娘 / 中國女人	1967	479

中文片名	原名	英文片名
切腹	切腹	Harakiri
幻想曲	/	Fantasia
月圓花殘斷腸時	/	Madame X
巴黎在焚燒嗎？／巴黎戰火	Paris brûle-t-il?	Is Paris Burning?
	五劃	
玉女風流	/	One, Two, Three
扒手	/	Pickpocket
石中神劍	/	The Sword in the Stone
去年在馬倫巴	L'année dernière à Marienbad	Last Year at Marienbad
四百擊	Les quatre cents coups	The 400 Blows
古城春夢	Αλέξης Ζορμπάς (Alexis Zorbas)	Zorba the Greek
古堡魅影	/	The Innocents
玉樓春劫	/	Bonjour Tristesse
仙樂飄飄處處聞	/	The Sound of Music
占勳爵	/	Lord Jim
白鯨戰海盜	Flipper and the Pirates	Flipper's New Adventure
	六劃	
好女十八嫁	/	What a Way to Go!
百夫長	/	Lost Command
血印	/	The Pawnbroker
成吉思汗	/	Genghis Khan
如何偷一百萬而快快樂樂地生活一輩子	/	How to Steal a Million
名花有主	/	Send Me No Flowers
朱門蕩母	/	Phaedra
色情男女	/	The Knack... and How to Get It
安德魯狗	Un chien andalou	An Andalusian Dog
西邁提斯	Cervantes	The Young Rebel

其他中文片名	年份	本書頁碼
剖腹	1962	254
/	1940	236
X 夫人	1966	182
巴黎在燃燒 / 巴黎燒了嗎？	1966	263, 264, 265, 284, 360, 365, 441

一、二、三	1961	101
竊手	1959	346
石中劍	1963	119, 120, 121
去年在馬倫堡 / 去年在馬里安巴 / 去年在馬里昂巴德	1961	245
胡作非為 / 四百下	1959	360
希臘人佐巴 / 希臘左巴	1964	234, 249, 352
無辜的人 / 無罪的人	1961	48
日安憂鬱 / 早安，憂鬱 / 你好，憂傷	1958	49, 430
音樂之聲 / 真善美 / 一個叛逆修女的故事	1965	143, 167, 228, 338, 355, 356, 357
吉姆勳爵 / 吉姆老爺 / 吉姆爺	1965	143
海豚歷險記	1964	50

傻女十八變 / 傻女十八嫁 / 旺夫魔女 / 要走這樣一條路！	1964	28
野戰雄獅	1966	440, 441
典當商 / 當舖老闆	1964	191, 192, 193, 200, 211, 224, 254, 280, 284, 324, 364
/	1965	237
偷龍轉鳳 / 贗品	1966	413
不要送花給我	1964	46
菲德拉 / 菲特娜 / 費德拉	1962	30, 52
訣竅	1965	173, 175, 177, 185, 206, 221, 223, 233, 234, 235, 256, 266, 280, 306, 328, 350, 364
安達魯之犬 / 一條安達魯狗 / 一條安德魯狗	1929	487, 488, 489, 490, 492
/	1967	440

中文片名	原名	英文片名
	七劃	
壯士千秋	/	Barabbas
我如何停止了憂愁而愛上了核子彈 / 我如何學會了停止憂愁而愛上了核彈	/	Dr. Strangelove or: How I Learned to Stop Worrying and Love the Bomb
冷血驚魂	/	Repulsion
阿里路亞群丘	/	Hallelujah the Hills
男性女性	Masculin Féminin	/
我的舅舅	Mon Oncle	My Uncle
劫後英雄傳	/	Ivanhoe
扭計師爺	/	The Fortune Cookie
我怎樣打了勝仗	/	How I Won the War
我曾快樂地在這兒	/	I Was Happy Here
阿爾伐城	Alphaville: une étrange aventure de Lemmy Caution	Alphaville
沙維多・威廉安諾	La Pointe courte	/
沙漠梟雄	/	Lawrence of Arabia
快樂	Le Bonheur	Happiness
赤鬍子	赤ひげ	Red Beard
男歡女愛	Un Homme et une femme	A Man and a Woman
狂戀	/	Picnic
	八劃	
武士妖魔	大盜賊	Samurai in the Land of Witchery
波士頓殺人王		The Boston Strangler
金手指	/	Goldfinger
夜生活	/	World by Night
忠臣藏	忠臣蔵　花の巻　雪の巻	47 Ronins
奇妙旅程	/	Fantastic Voyage
東京世運會	東京オリンピック	Tokyo Olympiad
金枝玉葉	/	Roman Holiday
雨夜情殺案	/	10:30 P.M. Summer
武林雙俠	丹下左膳	Tange Sazen

其他中文片名	年份	本書頁碼
巴拉巴	1961	152
奇愛博士 / 密碼一一四	1964	40, 113
厭惡 / 反撥	1965	489, 491, 494
山巒禮讚 / 哈里路亞山丘	1963	318
/	1966	479
糊塗舅父 / 我的舅父	1958	63, 350
英雄艾凡赫	1952	273, 283
飛來福 / 飛來艷福	1966	243, 248, 365
我如何贏得戰爭	1967	347
/	1966	221
阿爾發城	1965	479
短角情事 / 短岬村	1955	496
阿拉伯的羅倫士	1962	44, 56, 177, 272, 280, 323, 336
幸福	1965	335
紅鬍子	1965	129, 350
一男與一女 / 男與女	1966	360, 361, 365, 495
/	1955	34, 449

/	1963	40
絞殺魔 / 勾魂手 / 辣手人魔	1968	486
/	1964	115
世界夜生活	1961-1964	324
/	1962	129
神奇旅程	1966	396
/	1965	275
羅馬假期	1953	61, 169
夏夜十點半 / 激情風雨夜	1966	337
獨爪鬼門劍	1963	89, 90

中文片名	原名	英文片名
虎俠	/	Appaloosa
花都喜相逢	/	Wild and Wonderful
盲俠聽聲劍	座頭市喧嘩旅	Zatoichi Fighting Journey
牧野梟獍	/	Hud
花落斷腸時	/	Christine
孤鳳奇緣	/	Lili
怪談	かいだん	Kwaidan
青樓紅杏	Belle de Jour	/
金臂人	/	The Man with the Golden Arm
九劃		
神女生涯原是夢	/	Walk on the Wild Side
昨日今日明日	Ieri, oggi, domani	Yesterday Today and Tomorrow
秋月春花未了情	/	Darling
穿心劍	椿三十郎	Sanjuro
飛行大競賽	/	Those Magnificent Men in Their Flying Machines
春光乍洩	/	Blow-Up
春江花月夜	/	Fanny
很私人的事情	Vie privée	A Very Private Affair
紅沙漠	Il deserto rosso	Red Desert
面具	/	Persona
神奇媬姆	/	Mary Poppins
流芳頌	生きる	Ikiru
春風得意龍虎鳳	/	Texas across the River
風流劍客走天涯 / 風流劍俠走天涯 / 風流俠士走天涯	/	Tom Jones
怒海沉屍	Plein soleil	Purple Noon
流浪者	/	Baby, the Rain Must Fall
紅粉忠魂未了情	/	From Here to Eternity
美國製造	/	Made in U.S.A.
香港女伯爵	/	A Countess from Hong Kong
俠盜風雲	Cartouche	King of the Thieves
英雄淚	/	Requiem for a Heavyweight
柔道群英會	姿三四郎	Judo Saga

其他中文片名	年份	本書頁碼
阿巴盧薩 / 種馬 / 大西部	1966	215, 267
鴛鴦綺夢 / 鴛鴦奇談	1964	28, 48
/	1963	66, 67
原野鐵漢 / 赫德	1963	141
魅力姬絲汀 / 花月斷腸時	1958	86
莉莉	1953	231
奇談	1964	143
白日美人 / 青樓怨婦	1967	494
黃金手臂男子 / 富貴人	1955	430
狂野邊緣	1962	429
人海萬花筒	1963	63, 78, 82, 141, 314
親愛的 / 春花秋月未了情	1965	260, 261
大劍客 / 奪命劍	1962	90
飛行器裏的好小夥	1965	110, 113
放大 / 春光乍現	1966	251, 255, 256, 266, 275, 276, 277, 278, 345, 350, 354, 361, 368, 466, 475
香宵花月夜	1961	101
野貓痴情	1962	170
赤色沙漠 / 紅色沙漠 / 紅色荒漠	1964	334, 335, 345
假面	1966	486
歡樂滿人間 / 瑪麗・波平斯	1964	242
生之慾 / 留芳頌	1952	67, 84, 91, 237, 368, 369
德州龍虎鳳 / 越過河岸到德州	1966	224, 225
湯姆・瓊斯 / 湯鍾士	1963	14, 16, 77, 107, 155, 156, 248
太陽背面 / 陽光明媚 / 陽光普照 / 紫色正午	1960	65, 147, 295, 365, 440
蓬門碧玉紅顏淚 / 蓬門碧血淚	1965	64
亂世忠魂	1965	110, 111
/	1966	339, 479
來自香港的伯爵夫人 / 伯爵夫人	1967	239, 240, 241
/	1962	18, 36
拳擊運動員的悲歌 / 拳台血淚	1962	135
柔道龍虎榜	1965	128, 404

中文片名	原名	英文片名
風雲群英會	/	Spartacus
英雄榜	/	King Rat
祖與占 / 祖和占	Jules et Jim	Jules and Jim
迷魂記	/	Vertigo
神龍劍俠	Lo spadaccino di Siena	Swordsman of Siena
	十劃	
烈士忠魂	/	Behold a Pale Horse
鬥牛小姐	/	Cabriola
通天大盜	/	Topkabi
桃色公寓	/	The Apartment
乘客	Pasazerka	The Passenger
脂粉七雄	/	Seven Brides for Seven Brothers
原野奇俠	/	Shane
特務飛龍	/	Our Man Flint
窈窕淑女	/	My Fair Lady
氣蓋山河	Il Gattopardo	The Leopard
茱麗葉神遊記 / 茱麗葉夢遊記	Giulietta degli spiriti	Juliet of the Spirits
	十一劃	
鳥	/	The Birds
第七封印	/	The Seventh Seal
殺人連環計	殺人者を消せ	Satsujin Sha O Kese
梁山人馬	/	The Happening
第五號	No. 5	Smile
烽火霸王	/	Taras Bulba
週末	Week-end	Weekend
第四號	No. 4	Bottoms
混世魔星	/	Dr. Terror's House of Horrors
械劫銷金窩	Melodie en sous sol	Any Number Can Win
救命	/	Help!
殺妻笑史	/	How to Murder Your Wife
異客	Lo straniero	The Stranger
深宮怨	/	Young Bess
梅莉愛	Muriel ou le Temps d'un retour	Muriel

其他中文片名	年份	本書頁碼
斯巴達克斯 / 萬夫莫敵	1960	152, 428, 432
黑獄梟雄 / 鼠王	1965	206, 207, 211
夏日之戀	1962	179, 295
眩暈	1958	48, 112, 430
神劍飛龍	1962	40

十面埋伏擒蛟龍 / 看見一匹灰色馬	1962	110, 137, 167, 304
/	1965	212, 213, 214
士京盜寶記	1964	179, 180
公寓春光 / 非常公寓 / 公寓	1960	219, 249
女乘客	1963	192, 193
七新娘巧配七兄弟 / 七對佳偶 / 七對佳侶	1954	61
/	1953	315
弗林特 / 諜海飛龍 / 諜報飛龍	1966	137, 139, 194
/	1964	60, 61, 108, 113, 204, 278
浩氣蓋山河	1963	78, 141, 283, 323, 439
神遊茱麗葉 / 鬼迷茱麗葉 / 茱麗葉的夢 / 死亡精靈	1965	275, 277, 345, 361

群鳥	1963	108, 201
/	1957	282, 465, 496
/	1964	146, 147, 148
邁阿密傳奇	1967	257
/	1968	481
戰國群雄 / 塔拉斯・布爾巴	1962	41, 48
/	1967	479
/	1966	481
活屍的城堡 / 驚恐博士的恐怖屋	1965	200, 201, 202
大小通吃	1963	26
/	1965	110, 116, 118, 122, 140, 155, 346
殺妻記 / 失妻記 / 家有嬌妻	1965	108, 114
陌路相逢 / 局外人 / 異鄉人	1967	273, 357
少女貝斯	1953	83
慕里愛 / 穆里愛 / 穆里耶 / 莫里埃爾	1963	335

中文片名	原名	英文片名
偷渡金山	/	America, America
雪堡雨傘	Die Regenschirme von Cherbourg	The Umbrellas of Cherbourg
彩鳳游龍	Mädchenjahre einer Königin	The Story of Vickie
假鳳虛凰	/	Goodbye Charlie
密碼一一四	/	Dr. Strangelove or: How I Learned to Stop Worrying and Love the Bomb
野貓痴情	Vie privée	A Very Private Affair
偷龍轉鳳	/	How to Steal a Million
十二劃		
雄才偉略	/	Witness for the Prosecution
華氏表四五一度	/	Fahrenheit 451
創世紀	/	The Bible: In the Beginning
喋血凌宵閣	L'Insoumis	The Unvanquished
喋血街頭	/	Once a Thief
黃色潛艇	/	Yellow Submarine
惡向膽邊生	/	In Cold Blood
勝利者	/	The Victors
黑俠恩仇	La tulipe noire	The Black Tulip
運財童子	/	Dear Brigitte
越過河岸到德州	/	Texas Across the River
童話世界	/	The Wonderful World of Brothers Grimm
雲想衣裳花想容	/	Made in Paris
殘酷生活	Tabu	Taboos of the World
無敵鐵金剛	Furia a Marrakech	Death Pays in Dollars
湯鍾士	/	Tom Jones
雄霸天下	/	Becket
十三劃		
想入非非	/	The Magnificent Cuckold
意大利式結婚	Matrimonio all'italiana	Marriage Italian Style
意大利式離婚	Divorzio all'italiana	Divorce Italian Style
傻大姐偷情	/	Georgy Girl
聖女貞德	La Passion de Jeanne d'Arc	The Passion of Joan of Arc
瑞士家庭魯濱遜	/	Swiss Family Robinson
獅子與我	/	Born Free

其他中文片名	年份	本書頁碼
亞美利加／美國，美國	1964	16, 72, 167
秋水伊人／愛果情花／瑟堡的雨傘	1964	357
/	1954	83
再見，查理！／假鳳求鸞	1964	48, 49
奇愛博士／我如何學會停止恐懼並愛上炸彈／我如何學會停止恐懼並愛上核彈	1964	38, 54, 113
很私人的事情／私人生活	1962	86, 170
如何偷一百萬而快快樂樂地生活一輩子／贗品	1966	194, 356
控方證人／情婦	1957	24, 179
華氏四五一度	1966	201, 273, 335
天地創造／聖經：創世紀	1966	236, 237, 238
不屈的人	1964	440
午夜槍聲	1965	64, 67, 143, 144
黃色潛水艇	1968	493
冷血	1967	486
/	1963	16
龍虎風雲／黑鬱金香	1964	36, 40, 90
神童	1965	64
春風得意龍虎鳳／德州龍虎鳳	1966	439
格利姆兄弟的奇妙世界／格林兄弟的奇妙世界	1962	75, 95
/	1966	143, 146
/	1963	54, 55, 344
/	1966	197, 199
風流劍客走天涯／湯姆・瓊斯	1963	318
霸主／貝克特	1964	44
/	1964	80, 81, 82, 155
結婚進行曲	1964	141
/	1961	80, 81, 82, 95, 135
喬琪姑娘／嬌嬌女郎	1966	233, 234, 255
聖女貞德的受難／聖女貞德蒙難記／聖女貞德的激情	1928	483
海角樂園／瑞士家庭魯賓孫	1960	74, 75
生來自由	1966	188, 189, 190, 448

中文片名	原名	英文片名
亂世佳人	/	Gone with the Wind
萬世流芳	/	The Greatest Story Ever Told
萬世英雄	/	El Cid
聖袍千秋	/	The Robe
新婚樂	L'amour	Mad Love
楊梅樹下話當年	Smultronstället	Wild Strawberries
萬種風流一俏傭	/	The Amorous Adventures of Moll Flanders
痴漢淫娃	Pote tin Kyriaki	Never On Sunday
萬綠叢中一點紅	/	Lady L
痴戀	/	Girl with Green Eyes
	十四劃	
睡	/	Sleep
漫天風雨待黎明	/	The 7th Dawn
埃及妖后	Cléopâtre	Cleopatra
齊瓦哥醫生	/	Doctor Zhivago
碧血千秋	/	Nine Hours to Rama
碧血自由魂	/	Young Cassidy
碧血長天	/	The Longest Day
槍兵	The Carabineers	Les carabiniers
瘋狂大賽車	/	The Great Race
瘋狂世界	/	It's a Mad Mad Mad World
瘋狂將軍	/	The Night of the Generals
瑪莉亞萬歲	/	Viva Maria!
誘惑	Boccaccio '70	Boccaccio '70
夢斷城西	/	West Side Story
	十五劃	
衝出鐵幕	/	Torn Curtain
審判	Le procès	The Trial
黎明決鬥	/	Gunfight in Abilene
影城春色	/	Boy Did I Get a Wrong Number
廣島之戀	Hiroshima Mon Amour	Hiroshima My Love
慾海痴魂	/	Carnival Story

其他中文片名	年份	本書頁碼
/	1939	324, 453
最偉大的故事	1965	238
錫德 / 熙德 / 西德傳 / 聖劍	1961	44
聖袍	1953	10
瘋狂的愛情	1969	497
野草莓	1957	282
/	1965	107
痴漢嬌娃 / 決不要在星期日	1961	352
蘭黛夫人	1965	140
綠眼女郎 / 碧水情瞳 / 綠眼睛的姑娘	1964	221, 222, 223, 364
沉睡 / 睡眠	1963	494
/	1964	114
埃及艷后	1963	46, 210, 427
日瓦戈醫生 / 齊瓦格醫生	1965	176, 177, 189, 210, 272, 280, 336, 343, 427, 495
拉瑪九小時 / 九小時到拉曼	1963	428
鵑血忠魂	1965	107
最長的一天 / 最長的一日	1962	16, 38, 39, 263
槍手 / 卡賓槍手	1963	475
/	1965	115, 141, 352
/	1963	52, 54, 113, 242, 243
將軍之夜	1967	243, 245, 246, 276
江湖女間諜 / 萬歲瑪利亞 / 瑪麗婭萬歲	1965	170, 171, 172, 216, 224, 356
薄伽丘 70 年 / 三艷嬉春	1962	95
西區故事 / 西城故事	1961	14, 15, 32, 52, 60, 61, 85, 107, 113, 119, 175, 231, 253, 278, 340, 357, 427, 428, 429
衝破鐵幕	1966	343
/	1962	357
決戰艾比林	1967	215, 216
/	1966	218
廣島我愛 / 廣島吾愛	1959	118, 245, 368, 369, 495
情海癡魂	1954	341

中文片名	原名	英文片名
慾海驚魂	À bout de souffle	Breathless
醉鄉情淚	/	Too Much Too Soon
蝴蝶春夢	/	The Collector
十六劃		
橋	Die Brücke	The Bridge
戰地兩婦人	La ciociara	Two Women
獨行俠	/	The Lonely Man
獨行俠江湖伏霸	Per qualche dollaro in più	For a Few Dollars More
獨行俠連環奪命槍	Per un pugno di dollari	A Fistful of Dollars
獨行殺手	Le Samouraï	The Godson
貓兒叫春	/	What's New Pussycat
戰爭與和平	/	War and Peace
賴活	Vivre sa vie: Film en douze tableaux	My Life to Live
龍城殲霸戰	/	High Noon
諜海殺人王	/	The Liquidator
諜海密碼戰	/	Arabesque
諜海群英會	/	The Quiller Memorandum
戰國英雄	/	Exodus
戰艦音特金號	/	Battleship Potemkin
十七劃		
環球脂粉客	/	Boeing Boeing
十八劃		
斷了氣	À bout de souffle	Breathless
雙姝怨	/	The Loudest Whisper
獵獸奇觀	/	Hatari!
十九劃		
羅可兄弟	Rocco e i suoi fratelli	Rocco and His Brothers
羅生門	/	Rashomon
關於她的二三件事	2 ou 3 choses que je sais d'elle	Two or Three Things I Know About Her
瀟湘雲夢	/	The Sandpiper
瓊樓飛燕	/	The Unsinkable Molly Brown

其他中文片名	年份	本書頁碼
斷了氣 / 筋疲力盡 / 筋疲力竭 / 窮途末路	1960	105, 476, 477
醉香紅淚	1958	24
收藏家	1965	167, 168, 169, 221, 224, 304, 306, 352, 452
/	1959	352
烽火母女淚 / 戰地兩女性 / 兩個女人 / 兩婦人 / 塞西拉	1960	18
孤獨的人	1957	356
黃昏雙鏢客 / 金錢與仇恨 / 賞金殺手 / 為錢賣命 / 為了更多的幾塊錢	1965	337
荒野大鏢客 / 為了幾塊錢	1964	215
午後七點零七分 / 武士	1967	494, 495
風流紳士 / 貓咪最近怎麼了	1965	143, 155, 156
/	1956	176
隨心所欲 / 我的一生	1962	474
正午 / 日正當中	1952	263, 315
公司債務清算人 / 中奸人	1965	194, 196
/	1966	185, 186, 187, 192, 334, 427
奎勒備忘錄 / 虎穴擒魔記	1966	246, 343
出埃及記	1960	430
波坦金戰艦 / 波特金號戰艦 / 戰艦波將金 / 戰艦波將金號	1925	243, 255
波音波音 / 我愛空姐	1965	144
筋疲力盡 / 筋疲力竭 / 窮途末路 / 慾海驚魂	1960	474
孩子們的時刻	1961	169
哈泰利	1962	190
洛可兄弟 / 羅科和他的兄弟 / 羅科及其兄弟	1960	65, 350
/	1950	200
我所知道她的二三事 / 我略知她一二 / 我知道的關於她的兩三件事	1967	339
春風無限恨	1965	95, 96
翠谷奇譚 / 飛燕驚鳴	1964	48

中文片名	原名	英文片名
	二十劃	
觸目驚心	/	Psycho
寶貝歷險記	/	101 Dalmatians
蘇聯潛艇大鬧美國	/	The Russians Are Coming, the Russians Are Coming
	二十一劃	
鐵金剛勇破魔鬼黨	/	Thunderball
鐵金剛賭城擒諜	Estambul 65	That Man in Istanbul
魔鬼的茱麗葉	Giulietta degli spiriti	Juliet of the Spirits
露滴牡丹開	La Dolce Vita	The Sweet Life
	二十三劃	
戀火融融	Vu du pont	A View From the Bridge
	二十四劃	
靈肉思春	/	The Night of the Iguana
靈慾春宵	/	Who's Afraid of Virginia Woolf

其他中文片名	年份	本書頁碼
驚魂記 / 精神病患者 / 精神病人	1960	429
101 斑點狗 / 101 忠狗	1961	74, 119
俄國人來了！俄國人來了！/ 俄國人來啦！俄國人來啦！/ 俄國人來了 / 俄羅斯人來啦	1966	242
霹靂彈 / 007 之霹靂彈 / 雷霆萬鈞 / 雷電堡	1965	427
諜王鐵金剛 / 伊斯坦布爾的男人	1965	101
茱麗葉神遊記 / 茱麗葉夢遊記 / 神遊茱麗葉 / 鬼迷茱麗葉 / 茱麗葉的夢 / 死亡精靈	1965	249, 335
甜蜜生活 / 甜美的生活	1960	323
橋下情仇	1962	339
靈慾思春 / 大蜥蜴之夜 / 巨蜥一夜 / 伊古安娜之夜 / 巫山風雨夜	1964	97
誰怕弗吉尼亞・沃爾夫	1966	339, 364

華語電影

中文片名	英文片名	電影出版年份	本書頁碼
		一劃	
一江春水向東流	The Spring River Flows East	1947	43
		二劃	
七仙女	A Maid from Heaven	1963	401
		三劃	
大地兒女	Sons of Good Earth	1965	401, 402
女秀才	The Perfumed Arrow	1966	383, 414
女巡按	The Pearl Phoenix	1967	227, 228, 229
三更冤	The Midnight Murder	1967	402
大刺客	The Assassin	1967	459
山歌戀	The Shepherd Girl	1964	20, 25, 26, 34
大醉俠	Come Drink with Me	1966	158, 159, 160, 351
		四劃	
不了情	Love Without End	1961	24, 26
少年十五二十時	That Tender Age	1967	401, 453
不是冤家不聚頭	The Mating Season	1966	203
		六劃	
血手印	The Crimson Palm	1964	42
江湖奇俠	Temple Of The Red Lotus	1965	153
西遊記	Monkey Goes West	1966	401, 402
西廂記	West Chamber	1965	104, 105, 106
		七劃	
何日君再來	Till the End of Time	1966	161, 162, 400, 436
		八劃	
妲己	The Last Woman of Shang	1964	32, 33, 34, 40
明日之歌	Song of Tomorrow	1967	394, 395, 402, 413
花木蘭	Lady General Hua Mu Lan	1964	10, 20, 21, 40, 394
虎俠殲仇	Tiger Boy	1966	152, 153
玫瑰我愛你	Rose, Be My Love	1966	209, 210
金蓮花	Golden Lotus	1956	26
金鷹	The Golden Eagle	1964	41, 43
		九劃	
飛女正傳	Teddy girls	1969	497
神仙・老虎・狗	The Fair Sex	1961	58

中文片名	英文片名	電影出版年份	本書頁碼
南北兩家親	The Greatest Wedding on Earth	1964	26
垂死天鵝	Swan Song	1967	266, 268, 368
香江花月夜	Hong Kong Nocturne	1967	230, 231, 232, 437
紅伶淚	The Vermillion Door	1965	402
珊珊	Susanna	1967	368
風流丈夫	Move Over Darling	1965	203, 401
英雄本色	The Story of a Discharged Prisoner / Upright Repenter	1967	254, 255, 256, 286
紅樓夢	/	1962	228
十劃			
連鎖	Lady Jade Locket	1967	407
十一劃			
船	My Dream Boat	1967	268, 368, 456
情人石	Lovers' Rock	1964	43
梁山伯與祝英台	The Love Eterne	1963	86, 394
烽火萬里情	Too Late for Love	1967	342, 410
深宮怨	Romance of the Forbidden City	1964	125
十二劃			
紫貝殼	The Purple Shell	1967	447
最長的一夜	The Longest Night	1965	71, 72, 73
雲海玉弓緣	The Jade Bow	1966	131
菟絲花	Dodder Flower	1965	149, 164
黑森林	The Black Forest	1964	34, 43
十三劃			
董夫人	The Arch	1968	495
萬古流芳	The Grand Substitution	1965	62
楊門女將	Women Generals of the Yang Family	1960	12
意難忘	Unforgettable Affair	1965	164
十四劃			
魂斷奈何天	Dawn Will Come	1966	401
十五劃			
播音王子	Prince of Broadcasters	1966	134, 135, 136, 160, 254, 351, 372
慾海情魔	Madame Slender Plum	1967	411

中文片名	英文片名	電影出版年份	本書頁碼
	十六劃		
穆桂英大戰洪州	Battle of Hongzhou City	1963	12
鴛鴦劍俠	The Twin Swords	1965	122, 123, 153
獨臂刀	The One-Armed Swordsman	1967	268, 459
	十七劃		
幪面大俠	That Man in Chang-an	1967	401
黛綠年華	Four Sisters	1967	342, 418, 458
	十八劃		
邊城三俠	The Magnificent Trio	1966	412
斷腸劍	Trail of the Broken Blade	1967	459, 460
雙鳳奇緣	The Female Prince	1964	42, 43
藍與黑	The Blue and the Black	1966	401
鎖麟囊	The Lucky Purse	1966	125
	二十劃		
寶蓮燈	The Lotus Lamp	1965	68, 92
	二十一劃		
鐵扇公主	Princess Iron Fan	1966	402
鐵觀音	Angel With The Iron Fists	1967	437
	二十二劃		
歡樂青春	The Joy of Spring	1966	231, 402, 453
	二十四劃		
艷陽天	Blue Skies	1967	392
	二十五劃		
觀世音	The Goddess of Mercy	1967	238

外國影人、作家、藝術家

名字	原名	本書頁碼
	英文簡稱	
AD	Alain Delon	64, 455
BB	Brigitte Bardot	18, 64, 81, 86, 170
CC	Claudia Cardinale	18, 78, 80, 81, 82, 441, 451
	二劃	
力士夏里遜	Rex Harrison	60
卜合	Bob Hope	218, 219, 248
	三劃	
大衛尼雲	David Niven	141
大衛連	David Lean	56, 176, 177, 178, 222, 336
大衛漢寧斯	David Hemmings	354
	四劃	
文尼里	Vincente Minnelli	96
丹尼爾史波里	Daniel Spoerri	485
尤伯連納	Yul Brynner	41, 138
比利懷德	Billy Wilder	242, 248, 249, 250, 320, 365
巴哈	Johann Bach	477
王爾德	Oscar Wilde	60
	五劃	
占士史超域	James Stewart	112
占士甸	James Dean	484
占士美臣	James Mason	234
占士高賓	James Coburn	138
史丹利克藍瑪	Stanley Kramer	52
布立克	Georges Braque	274
卡民拉羅維支	Jerzy Kawalerowicz	246
加利谷巴	Gary Cooper	484
仙杜拉蒂	Sandra Dee	214, 437
加利格蘭	Cary Grant	184
布拉里	Jean-Claude Brialy	88
司花利亞	Maurice Chevalier	75
史坦法列柏	Stan Freberg	433
加洛龐蒂	Carlo Ponti	345
布紐爾	Luis Buñuel	487, 489, 490, 491, 492

名字	原名	本書頁碼
路易馬盧	Louis Malle	170, 171, 172, 221, 330, 356
溫妮莎	Vanessa Redgrave	234
奧迪梅菲	Audie Murphy	216
聖泰也哲雷	Satyajit Ray	464
奧馬沙里夫	Omar Sharif	112, 177, 192, 246, 247
愛恩法蘭明	Ian Fleming	195
愛姬森瑪	Elke Sommer	219
奧斯亭	Jane Austen	272, 356
愛森斯坦	Sergei Eisenstein	99, 334, 481, 483, 494
愛絲德威廉絲	Esther Williams	230, 366
愛路扶連	Errol Flynn	19
奧遜威爾斯	Orson Welles	141
葛雷菲斯	David Wark Griffith	442
雷諾亞	Pierr Renoir	78, 141, 476, 481, 483, 484
十四劃		
歌狄亞嘉汀娜／歌蒂亞嘉汀娜／歌迪亞加汀娜	Claudia Cardinale	82, 141, 367
蒙妮卡維蒂	Monica Vitti	179, 323, 334
翟科比	Gert Frobe	115
碧姬巴鐸／碧姬芭杜／碧姬芭鐸	Brigitte Bardot	170, 171, 197, 216, 356, 367, 388, 439, 467
維娜麗絲	Virna Lisi	108
瑪莉蘇	Marisol	213
維斯岡第／維斯岡堤／維斯康堤	Luchino Visconti	77, 78, 141, 152, 273, 320, 441
瑪蒂斯	Henri Matisse	117, 274, 285
瑪麗蓮夢露	Marilyn Monroe	474, 485
嘉寶仙	Capucine	155
十五劃		
德加	Edgar Degas	177, 192, 484
黎里	Alain Resnais	245, 335, 368
蓮格里美	Lynn Redgrave	234
蓮娜端納	Lana Turner	182, 183
德琵雷諾	Debbie Reynolds	48
十六劃		
積加迪夫	Jack Cardiff	108
蕭伯納	George Bernard Shaw	60

編後記

西西的多向度電影文化比較視野[1]

一、引言

三冊的《西西看電影》收錄的作品涵蓋一九六三至一九六九年，本冊收錄西西在一九六四至一九六八年間發表於《香港影畫》及《亞洲娛樂》的文稿，包括每月發表的影評、單篇影話、明星訪問等。其中，一九六六至一九六七年的文章佔了本冊超過一半的篇幅。這兩年，是西西至為活躍於本地電影圈的時刻：她與其他《中國學生周報》「電影圈」的青年影評人創辦本地電影會、為電影公司寫劇本，另拍攝了實驗電影。換言之，本冊記錄了西西寫作影評中後期、漸入高峰的步伐，見證她涉足本地電影製作的歷程。

據羅卡先生多年前憶述，約於一九六三至一九六五年間，他與西西、陸離等青年影評人陸續獲得不同的報刊編輯、電影公司代表邀請，獲得更多寫作影評的機會。例如邵氏的朱旭華先生約請他們參與《香港影畫》的編寫工作，

1 本文初稿曾於二〇一九年七月三十一日在澳門大學舉行的第二十二屆國際比較文學大會發表。

這促成他們後來參與本地電影製作。[2] 至於《亞洲娛樂》，因年代久遠，西西早已忘記約稿細則，但因為一人需負責多篇影評，她在海蘭、倫士以外，又用了妹妹的名字張舜為筆名。本冊收入的文章，在數年前曾經何福仁先生請西西確認過。

西西雖不在香港出生，但她自小學時期隨父母遷居香港以後，一直關心、感激這個地方。香港當然應為出產了像西西這樣的一位作家而驕傲；反過來說，西西的成就得益自這個她生活多年的地方，也是毋庸置疑的。本編後記試從西西「電影時期」漸入高峰的寫作場域入手，追溯一九六〇年代香港本地電影製作及娛樂出版工業的空間特色，點示西西當時自本地文化空間所發展出來的多向度電影文化視野。西西一生立足香港、超越香港的寫作成果，實在是得天獨厚的個人天賦與寬廣包容的文化空間所共同成就的。

二、戰後香港電影及娛樂文化工業的跨區域生產與傳播

西西在六十年代得以為《香港影畫》、《亞洲娛樂》寫

2 筆者與羅卡先生訪談所得，二〇一二年九月六日，電郵文字紀錄；二〇一二年九月十五日下午，香港藝術發展局，羅卡口述，筆者文字紀錄。

影評，與戰後香港電影的發展步伐和經營模式有莫大關係。

一九四九年以後，香港的電影製作基本上失去了國內市場，發行越趨倚重星馬地區的三大戲院商，即由邵逸夫家族、陸運濤家族及何啟榮家族擁有的東南亞院線網絡。隨着香港先後在一九五一、一九五三年頒令封閉連接中國邊境、電影檢查法規，為了穩定片源，原本主力發行中國大陸或香港出品的邵氏兄弟有限公司（下稱邵氏）和電影懋業公司（下稱電懋），先後改以香港為基地，模仿荷里活的垂直工業生產，一手包辦電影的生產、發行、上映，初步奠定了香港由大型片廠主導、跨越東南亞的工業發展模式。[3]

傅葆石認為，香港電影早在上世紀五、六十年代，已從地方工業轉型成跨越亞洲的企業模式，邵氏可謂最具代表性。邵氏前身為上海的天一公司，自二十年代末開始就致力以新加坡為基地，爭奪東南亞市場。邵氏早在一九三四年便於香港設廠，但當時主要專門生產低成本粵語片。及至一九五六年，前身為優秀國語電影公司永華的電懋，正式於香港成立並設廠。電懋同樣擁有龐大資本及院線網絡，以設備優良、重視創意及人才見稱，被邵氏

3　鍾寶賢：《香港影視業百年》（香港：三聯書店，二〇〇四年），頁一二六 — 一二八、二〇四 — 二〇六。

視為勁敵。再加上當時東南亞地區隨解殖潮流陸續觸發了各種民族運動，當地原由華人主導的電影業在種族文化衝突中首當其衝。各種原因，促使邵氏於一九五七年回港設立日本以外亞洲最大的清水灣影城，轉而開拓台灣及海外的國語片市場。[4] 邵氏與電懋的兩雄爭霸局面，推動了五、六十年代香港電影的起飛。

自五十年代起，香港以兩大資本企業為首、在亞洲作跨地域發行的電影工業發展模式，同時推動了相關娛樂文化出版事業的發展。以影星為封面作招徠的娛樂書刊，成為了本地電影製作相當重要的跨國宣傳工具。《香港影畫》由邵氏於一九六六年創刊，在本地電影刊物史上頗有名氣。至於《亞洲娛樂》，雜誌於一九六三年創刊，應隸屬中小型電影商同文影業，[5] 雜誌同樣發行到越南、星馬、泰國等東南亞地區。西西先後為兩本雜誌撰稿，正是上述香港電影文化工業跨地域經營模式的結果之一。正因如此，本冊收入西西的華語電影評論、明星稿，數量為三冊《西西看電影》之冠。

4 傅葆石：〈走向全球——邵氏電影史初探〉，載廖金鳳等編著：《邵氏影視帝國：文化中國的想像》（台北：麥田出版，二〇〇三年），頁一二六 — 一二八、二〇四 — 二〇六。

5 雜誌出版者為亞洲娛樂有限公司。據雜誌創刊號的廣告所載，該公司與同文影業建設有限公司的地址相同，前者設於後者下層。

三、由港日兩地推動的亞洲電影文化與藝術交流意識

從同樣以東南亞為市場定位、所屬電影公司規模較小的《亞洲娛樂》來看，香港當時的跨地域電影及娛樂文化生產與傳播模式，相當普遍。事實上，自失去龐大的中國大陸市場以後，擁有龐大發行網絡的邵氏和電懋更需要推動亞洲電影文化的發展，以穩定片源。由是，邵逸夫早在一九五四年便參與日本永田雅一發起的東南亞製片人聯盟，並合辦首屆「東南亞電影節」，後改名為「亞洲電影節」，電懋自翌年起亦參與其中。[6] 這個逐步由港日兩地影人主導的亞洲電影文化網絡，最初源於日本渴望開拓東南亞市場。在促進亞洲同業合作與交流的前提下，本地電影質量亦有所提升。及至六十年代，邵氏、電懋與日本、台灣電影界的合作進入高峰，亦是香港電影明星風靡亞洲影壇的黃金時代。[7]

西西自一九六四年起幾乎每月為《亞洲娛樂》撰寫影評。雜誌創刊號即載有亞洲電影節的報導。每年的「亞展」消息、得獎作品及演員，不論國籍，一直佔據雜誌不少的

6 邱淑婷：《港日電影關係：尋找亞洲電影網絡之源》（香港：天地圖書：二〇〇六年），頁一一一。

7 邱淑婷：《港日影人口述歷史：化敵為友》序（香港：香港大學出版社，二〇一二年），頁 x—xi。

篇幅。《亞洲娛樂》所屬的同文影業，並非知名的電影公司，但從雜誌所載的內容、編輯方式來看，香港由邵氏參與推動的跨區域亞洲電影文化「共同體」想像，在六十年代初早廣為本地同業所接受。

《亞洲娛樂》不僅以「亞洲」定名，發刊詞還指出雜誌雖以「娛樂」為電影定位，卻未視「亞洲電影節」、相關影人聯盟單純為跨國市場推廣的渠道，而極期待相關團體能「進一步促進亞洲各國的文化藝術交流」、提供更多「觀摩最高藝術造詣」的機會。雜誌甚至明確指出，刊物的「娛樂目標是指向電影藝術」。[8] 因此，雜誌以「娛樂」作自我定位的創刊號，既以享譽「亞展」的本地影星如林黛為封面，介紹菲律賓、台灣等地的影星；亦引入能談及電影手法的影評人如西西來評論電影，另設「電影常識」欄目。

從西西在「每月影評」專欄的評論對象來看，《亞洲娛樂》除了每期的華語電影評論必須佔一半篇幅外，應未施加太多的限制，[9] 可評論歐洲、美國、日本等地的電影，讚賞或批評不拘。西西評及的華語電影主要是當時產量最多的國語片，邵氏的出品佔了超過一半的比例，但她可論及

---

8 〈創刊詞〉，《亞洲娛樂》（一九六三年一月），頁一。《亞洲娛樂》當年的期數編號偶有錯排，為免混淆，本文一律不列該刊期數。

9 西西曾隱約透露文稿在提及影星時，或要考慮所屬公司。倫士：〈雙鳳奇緣〉，《亞洲娛樂》（一九六五年一月），頁七七。

電懋、鳳凰影業、長城影業、明星電影，甚至是北京電影製片廠、台灣國聯影業的出品。研究冷戰時期香港電影的李培德指出，當時的香港是海峽兩岸三地最自由的地方，各路影人在競爭中也互相合作。[10] 早在五十年代，香港的中小型製片商便開始借助星馬戲院商的院線網絡，為旗下電影作本地及海外分銷。[11] 西西在《亞洲娛樂》評及的鳳凰影業和長城影業出品，當時很可能分別賣了給邵氏和電懋。[12] 而隨着東南亞影人聯盟成立並舉辦電影節，港日兩地電影界的合作更為頻繁，邵氏和電懋至為積極，前者更是不少日本電影的香港發行商。換句話說，西西評及不同派別、地域的電影出品，大體上不離本地大片商的亞洲發行網絡。

《亞洲娛樂》所屬的同文影業電影出品、演員，知名度明顯較邵氏、電懋的為低。雜誌的編輯方向和內容，不妨視為借助較知名的「亞洲」電影及影星名氣，通過書刊印刷的視覺並置方式抬高旗下出品、演員的地位。即便如此，仍無法否認雜誌兼收並蓄的包容空間，包含着本地

---

10 李培德：〈左右可以逢源——冷戰時期的香港電影界〉，載黃愛玲、李培德編：《冷戰與香港電影》（香港：香港電影資料館，二〇〇九年），頁八六。

11 例如在五十年代初，本地粵語影人以合作社形式組成的中聯電影企業有限公司的出品，最初也是通過陸運濤旗下的國泰公司，才得以在星馬地區上映。見《香港影視業百年》，頁一四九。

12 見李培德引述廖一原的說法。〈左右可以逢源——冷戰時期的香港電影界〉，頁八六。

電影界對亞洲電影文化「共同體」的認同和期許，鼓勵着亞洲的同業爭鳴、電影藝術的交流意識，無形中亦推動西西等一代的青年影評人，置身這樣的電影文化視野和認同當中。

正因為西西在六十年代涉足商業電影製作及評論之時，香港電影工業由大企業領導的跨區域製作及發行網絡已相當成熟；且大大小小的電影公司，均有意參與、推動亞洲電影文化的發展，讓她得以見盡各地電影的優劣處。文化空間促成西西的跨文化眼界，這眼界反過來也為本地電影文化應有的發展方向，提出了具前瞻性的意見。

四、邵氏的現代化與全球視野

一九六六年，西西除了為《亞洲娛樂》撰稿，亦兼顧邵氏刊物《香港影畫》的寫作，其後更參與過電影劇本寫作。要了解她當時投身本地電影場域的文化氛圍，還需要先了解本地電影工業尤其是邵氏的發展情況。

傅葆石指出，邵氏最初是為了保證自身院線網絡的電影供應，才利用自由港的優勢，在香港擴展製片業務。而邵氏最終能稱霸亞洲，除了因為成功引入現代化資本主義管理制度、流水式生產策略的片廠模式，更因為邵逸夫自五十年代中期銳意把電影業擴展至全球市場。除卻中國和東南亞市場先後萎縮的客觀因素，此番全球化目光不無他身為南來影人，期望能把中國電影提升至世界級水平的民族主義理想。雄厚的資本讓邵氏首先通過引入現代化科技和設備來達成這樣的理想。當時的清水灣影城購置了歐美、日本的新式器材，設有多個大型攝影棚和佈景街道，另設員工宿舍，是日本以外亞洲規模最大、設備最先進的製片廠。[13]

其時，邵氏不惜工本地投資拍攝古裝鉅片，並廣招世界各地的電影人才。羅卡指出，邵氏自五十年代中後期開始即進行跨國發展，首要是積極地從世界各地招攬台前幕後的人才，藉此提升出品的種類、質量和產量，當中以亞洲外援至為有效，尤其是來自台灣、日本的人才。此外，邵氏亦嘗試通過合拍影片、購買外語電影版權等形式，開拓台灣、日本和歐美的市場。[14]

然而，六十年代中期以前的邵氏在面向歐美、日本等電影大國的時候，學習到的技術仍然有限，在跨國合作中亦多充當助手的角色。邵氏雖一度取得媲美荷里活外語電影票房的成績，但巨額投資、在亞洲影展叫好叫座的黃梅調電影，只在台灣市場取得較明顯的成功，無法在國際

---

13 〈走向全球——邵氏電影史初探〉，頁一一八。

14 羅卡：〈邵氏兄弟的跨界發展〉，載《邵氏影視帝國：文化中國的想像》，頁一六四 — 一六六。

影壇上獲得廣泛認同，僅偶以零星幕後獎項陪坐末席。因此，羅卡認為，邵氏跨國招攬人才的策略的成功，在六十年代主要體現在鞏固片廠制度的層面，尤其是通過開拓新片種類型提升成本效益等方面，但需以藝術品質為代價。[15]

真正讓邵氏蜚聲國際的，是六十年代中後期的新派武俠片。邱淑婷認為，邵氏通過招攬日本人才、參考日本電影，讓出品成功打入國際市場，但邵逸夫的強烈民族意識，促使他主要讓延攬的日本人才負責開發、支援另類的新片種，如特務動作片、青春歌舞片等，致力模仿商業外語片，以高效率的方式大量製作能回應年輕一代口味的出品。但由於邵氏並未打算從日本人身上得到有特色的日本傳統，不少出品充滿「西化了的東西」。日本電影的國際地位是通過武士片建立的。邵氏早在五十年代起，便於本地和台灣招攬了不少後來成為中流砥柱的華語電影人才，如張徹、徐增宏等，最終亦選擇把新派武俠片交予這些來自兩岸三地的影人主理。此策略確使新派武俠片更能把握中國人的歷史、文化和情感，是它們最終能於亞洲、國際影壇上取得成功的關鍵。[16]

簡言之，邵氏在五、六十年代的現代化及人才招攬策

15 同上注，頁一六六 — 一六七。

16 邱淑婷：〈邵氏電影的日本因素〉，載《邵氏影視帝國：文化中國的想像》，頁九八。

略所帶來的成果，主要顯示在其國語片的出品上，基本可分為兩個方向：一是為了提高成本效益、迎合市場需要而製作，即使成果是西化的「翻版」（或通過日本而變得西化）、套路重複，都可接受；二是致力於技巧層面借力外援，承接邵氏的民族文化理想，通過現代化技術來達致產業的全球化推廣。此外，邵氏積極引入日本、歐洲等地的商業外語片，在成就更廣泛的跨國電影文化交流層面而言，邵氏的確功不可沒。

五、西西對香港跨區域電影文化視野的承接與超越

西西自一九六四年起為《亞洲娛樂》撰稿。這一年，邵氏的清水灣影城落成，也是電懋的主席陸運濤及旗下電影人才遇空難身亡的一年。學者多認為，後一事件直接促成邵氏能迅速在六十年代中後期稱霸香港以至亞洲影業。除了彩色新派武俠片於一九六五年抬頭，邵氏延攬外援以提高成本效益的片廠制度，亦自一九六六年起才開始見到成效。[17] 而這正是《香港影畫》創刊，西西開始為其撰稿之時。

17 此據羅卡統計的邵氏六十年代公映影片年產量。見〈邵氏兄弟的跨界發展〉，頁一六六。

事實上，《香港影畫》雖為邵氏旗下的通俗娛樂雜誌，創刊初期卻相當積極推動電影文化交流。雜誌當時不僅讓羅卡和西西等影評人參與撰稿及編務工作，還讓他們帶領不同社會界別的人士參與電影討論會，創刊之初未對他們引入歐美等電影潮流和相關美學知識加以拒絕。這無疑是一種文化生產過程中資本交流的正面結果：邵氏借這批影評人的品味、知識以及他們在新一代中建立的聲譽，提升雜誌的現代、進步形象；而當時已略有名聲的影評人如西西，實際上也為邵氏的雄厚資本、當時的革新和開放姿態所吸引，認為可希望通過雜誌實現他們早萌生的革新本地電影製作、推進電影藝術發展的理想。[18]

根據前文的分析，可知西西為《亞洲娛樂》撰稿之時，邵氏自五十年代引領的亞洲電影文化認同意識，在本地電影界已廣為同業所接受，並有開拓海外市場、進行電影藝術交流的面向。而及至她為《香港影畫》撰稿之際，邵氏已在亞洲市場取得成功，企圖進軍國際。除了進一步延攬人才，亦攝製、引入各類新鮮片種。換言之，這是邵氏片廠制度剛步入成熟的時刻。

18 有關羅卡、陸離和西西等影評人參與《香港影畫》創刊初期各種工作的情況，參見拙作《西西一九六零年代影話寫作研究》。

(一) 歐日視野下的「按部就班」

技術進步的可喜與憂思

在較早期的西西影評中，不難發現她對邵氏國語片的製作水平漸高，流露了欣賞之情。邵氏在六十年代初憑一系列黃梅調電影稱霸亞洲，最廣為人知的是成功搶在電懋之前攝製《梁山伯與祝英台》（一九六三），在台灣造成轟動。其後，邵氏一方面乘勝追擊，繼續攝製黃梅調電影，另一方面亦以更新鮮的題材開拓台灣市場，包括不惜工本到當地取景、與台灣電影公司合作，務求拍出更符合當地華人口味的電影。《黑森林》（一九六四）可視為這類新穎而成功的嘗試。西西當時稱許這齣港台合拍片，謂其風格耳目一新，從故事到剪接都簡潔有力，她甚至認為部分場次的攝影達世界級水平，欣賞邵氏為拍攝好電影而作的努力。[19] 至於黃梅調電影，西西顯然並不喜歡，但仍欣賞岳楓執導的《西廂記》（一九六五）部分運鏡和畫面轉位敢於嘗試，突破黃梅調以歌唱為主的老套。邵氏資本實力雄厚，設備較其他電影公司齊備、先進，尤其在影城落成以後，室內場景、鏡頭更為多變。西西當時也看出，《西廂記》的個別運鏡和剪接手法，略有炫耀先進設備之感，忽略了效

---

19 倫士：〈《黑森林》〉，《亞洲娛樂》（一九六四年十月），頁七七。

果，一度援引法國新浪潮電影為例，解釋特寫鏡頭的用意。[20] 儘管如此，相比她同期看到的粵語武俠片、鳳凰影業的戲曲片等，[21] 邵氏在革新硬件以後的嘗試，讓西西感受到大製片商的誠意。當時的她甚至想像這些重視影像的嘗試，日後或能衝出亞洲、進軍國際影壇。[22]

六十年代中前期，在先進的設備以外，能廣納優秀的電影人才亦是邵氏能稱霸國語片市場的原因。在為《香港影畫》撰稿首年，西西就頗為欣賞《不是冤家不聚頭》（一九六六）能一洗國語片的呆相，在劇本、剪接方面，捨棄過去人物、劇情均枝節過多的問題。西西當時為邵氏嘗試開發這一類生活小品感到高興，尤其欣賞該片編劇汪榴照的才智，看出借鏡法國電影集中人物特寫、加入意大利式喜劇細節的嘗試，配合導演吳家驤靈活的室外鏡頭，整體風格清新可喜。[23]

《不是冤家不聚頭》的編劇和導演先後在一九六四、一九六五年從電懋轉投邵氏，其中，汪氏此前曾任職於台

---

20 倫士：〈《西廂記》〉，《亞洲娛樂》（一九六五年十一月），頁六〇—六一。

21 倫士：〈《萬古流芳》〉，《亞洲娛樂》（一九六五年六月），頁五七；倫士，〈《金鷹》〉，《亞洲娛樂》（一九六五年一月），頁七七。

22 倫士：〈《西廂記》〉，《亞洲娛樂》（一九六五年十一月），頁六〇—六一。

23 海蘭：〈《不是冤家不聚頭》〉，《香港影畫》（一九六六年十月），頁五六—五七。

灣中央電影事業編審組，吳氏則早在三十年代便於中國電影廠工作，身兼演員。至於《西廂記》導演岳楓，在加入邵氏前亦先後在長城、電懋工作，又曾與邵氏的日籍攝影師西本正合作過。西西當時未必完全了解各幕後人員的來歷和經驗，但她欣賞電影之處，恰恰證明了邵氏、電懋在兩雄爭霸期間，廣招兩岸華語電影人才的正面結果。而西西針對《不》的弱項，建議邵氏進一步添置伸降車等設備，以使鏡頭能更靈活多變，是看到了製片商大有完善本地製作的能力和意願。

儘管西西認同邵氏當時自新設備而引領的「現代化」表現，她僅視之為起點。在六十年代初，邵氏經常以闊大的新藝綜合體銀幕作招徠，又不惜工本製作可媲美外語片的宏偉場面。但這些通過技術革新帶來的所謂成就，在西西看來仍只處於技術層面的「進步」，技巧仍屬嘗試階段。她呼籲本地製片商不應停留在這些表面的物質文明之上，否則只會淪為外國鉅片如《聖袍千秋》（*The Robe*, 1963）的翻版，[24] 只求新鮮的視覺效果。

24 海蘭：〈《花木蘭》〉，《亞洲娛樂》（一九六四年七月），頁七〇—七一。

從技術、文法到手法的創新

從劇本到鏡頭、設備，西西正面評論國語片時多援引外語片為例子。但這並不代表西西單純以外語片作為標準來評論本地的出品。在六十年代初、中期，西西眼中的歐美、日本電影都已相當進步。她很早便以電影作品與藝術電影來看待不同的製作，[25] 而她為《亞洲娛樂》撰稿需同時點評外語和華語電影，大部分又是商業製作，這讓她更多地選擇了以成功的歐美或日本商業電影為參照點，來看待本地的出品。

比較西西欣賞用語和角度相近的影評，可知她當時對國語片流露的欣賞之情，實際上考慮到本地電影的發展，尚在起步的階段。例如她眼中剪接、色彩和運鏡都準確多變的《救命》（*Help!*, 1965），這齣所謂「展覽技術」的優秀之處，主要以技巧取勝，是西西稱之為「悅目」的電影。類似的評價角度，亦見諸西西討論日本電影《柔道群英會》（《姿三四郎》，一九六五）、《十命冤魂》（《四谷怪談》，一九六五）等文字。她在談《救命》的出色之處以後就提到：

25 倫士：〈電影作品、藝術電影、電影〉，《中國學生周報》第六一一期（一九六四年四月），第十一版。

我們應該學懂看這樣的影片，純粹展覽畫面的電影（不必理內容的），我們還沒法子追得上，那麼還談甚麼欣賞人家的《去年在馬倫堡》和《廣島之戀》呢？

香港也應該嘗試拍這種電影，而扔開一些垃圾，既然還沒有本領建築萬里長城，還是玩玩積木的好。[26]

顯然，西西認為本地製作在打好電影文法基本功之餘，還需嘗試能增加電影感的手法。在六十年代初，不少外語片是西西眼中以豐富技巧、畫面取勝的作品，對當時不少偏重故事情節的黃梅調、古裝宮闈片及文藝片來說，實在有許多可學習之處。

在西西眼中，六十年代的日本已然是電影大國，即使是商業電影，電影技巧大都表現出眾，尤其是攝影、剪接俱佳的古裝武士片，不但畫面豐富、構圖別出心裁，節奏亦明快，《十命冤魂》、《大刺客》（《侍》，一九六五）都是這一類的作品；即使是劇本略遜一籌的《柔道群英會》、《武林雙俠》（《丹下左膳》，一九六三），整體的攝影表現仍然突出，聲畫表現亦偶有創新處。雖是商業製作，日本

26 西西：〈《救命》〉，《亞洲娛樂》（一九六六年二月），頁五六—五七。

電影總是讓西西看見文法以外還有手法，在商業路向中亦不忘創造，成就遠較美國荷里活電影為高，故視日本電影為值得當時香港片商大量選購、細心研習的對象。[27]

從現代化到地方性的追求

前文提過，邵氏在五、六十年代之交致力推動亞洲電影文化，其中包括發行當時已在國際影壇取得廣泛認同的日本電影，以便應付東南亞院線的龐大需求。其時，不少在港上映的日本電影正是由邵氏發行的。[28] 香港本地通過日本製作所開拓的現代電影文化視野，實在值得注意。西西在六十年代的影評，今日看來更有先見之明。在她看來，日本電影作為本地製作的學習對象，有兩種可能的參考方向：借鏡現代電影手法，或闡釋中國文化傳統，或發揚地方與時代觸覺。

早在黃梅調仍盛行之際，西西就建議過香港要學習日本電影利落的剪接技巧。[29] 及至本地在一九六六年掀開「彩色武俠電影世紀」的序幕，西西當年就評論過長城

---

27 倫士：〈《大刺客》〉，《亞洲娛樂》（一九六五年十一月），頁五八—五九。

28 例如《天國與地獄》、《柔道群英會》、岡本喜八的《大刺客》等，據電影上映時的報紙廣告所示，這些日本電影均在邵氏旗下的麗都戲院上映。

29 倫士：〈《萬古流芳》〉，《亞洲娛樂》（一九六五年六月），頁五七。

的《雲海玉弓緣》(一九六六),以及邵氏的《鴛鴦劍俠》(一九六五)、《大醉俠》(一九六六)、黑白片《虎俠殲仇》(一九六六)。細看她的評論角度,大多以日本電影尤其是武士片為參考:《雲海玉弓緣》以一個英雄人物為中心的敘事、俯攝大場面的嘗試,彷彿西西談《武林雙俠》的處理方法;[30]《鴛鴦劍俠》能活用畫面色彩進行敘事,亦是她經常稱許的日本電影常用手法。在西西看來,日本武士片的成功,主要是能以電影手法補劇本的不足,邵氏的《虎俠殲仇》、《鴛鴦劍俠》同犯節奏不明快之弊,以為人物打得燦爛就是武俠電影,加上無端混入歌唱場面、展示體魄的鏡頭,七拉八雜,更形荒誕。[31]

一直到《大醉俠》的出現,西西方才見到本地武俠片的曙光。雖然電影後半部分不免落入神怪與誇張的窠臼,但前半部分表現優秀,獲西西稱許為本地最出色的武俠片。西西以日本武士片處理兩雄相對峙場面、盲俠片耍招式的新鮮感作參照,讚賞《大醉俠》終能取別人之長,補一已之短,一改過去情節拖沓之弊,從畫面色彩到特技支

30 海蘭:〈《雲海玉弓緣》〉,《亞洲娛樂》(一九六六年三月),頁五六—五七;倫士:〈《武林雙俠》〉,《亞洲娛樂》(一九六六年十一月),頁五八—五九。

31 海蘭:〈《虎俠殲仇》〉,《亞洲娛樂》(一九六六年四月),頁五六—五七;倫士:〈《鴛鴦劍俠》〉,《亞洲娛樂》(一九六六年二月),頁五八—五九。

援、剪接，整體表現頗得中國武俠小說的氣勢。[32]

《大醉俠》的攝影出自前文述及的邵氏日籍名將西本正之手，[33] 胡金銓的電影語言風格耳目一新，當中不無日本外援的助攻。然而，在技術層面的模仿以外，西西認為本地武俠片要擺脫日本武士片早自成一格的服飾和持刀法，文化精神層面亦需具備自己的民族文化特色。她認為日本電影的成功「在於無時無刻不透露出地方性，人物，風俗，風景，行徑，都叫人一看就懂得是東瀛的」。[34] 而在《大醉俠》、《獨臂刀》（一九六七）等武俠片面世後，西西即以不同地域的英雄片為例，提出本地武俠片當承接自身的民族歷史、文化和傳統，另創劍俠片之路。[35]

當時，西西建議在技法上已略有所成的新派武俠片應關注劇本，尤其要以更開闊的視野檢視武俠的定義，說的是武俠文化中的俠義精神：仇怨不拘泥於個人層面，而具浩氣、行天道等情懷。[36] 今日回看香港後來的武俠片發展，例如《大醉俠》導演胡金銓脫離邵氏後開拓的電影俠義世

---

32 倫士：〈《大醉俠》〉，《亞洲娛樂》（一九六六年五月），頁五六—五七。

33〈邵氏電影的日本因素〉，頁八九。

34〈《武林雙俠》〉，頁五八—五九。

35 西西：〈開麥拉眼〉，《香港影畫》第二十一期（一九六七年九月），頁五四。

36〈《鴛鴦劍俠》〉，頁五八—五九；《大醉俠》〉，頁五六—五七。

界，至今廣為影評人所稱許，對後世影響亦大，足見西西當年影評的前瞻性。西西當年期望的，正是從視覺到精神層面，打破日本武士類型片的成規。

從《新生晚報》到《香港影畫》，西西的專欄沿用「開麥拉眼」之名，亦更多地聚焦技術層面的說明。然而，技術說到底只是手段。西西的「開麥拉眼」，從未停留在沿習電影文法的層面，更未為本地大片商致力開發的片種類型所限。日本電影的成功，實在還在於跨越古今的地方性：西西欣賞黑澤明，是因為不論是《七俠四義》（《七人の侍》，一九五四）的古裝武士，或是《天國與地獄》（《天国と地獄》，一九六三）與《流芳頌》（《生きる》，一九六二）的現代英雄，都展示出導演在地方文化意識以外兼具時代觸覺。[37] 西西此番兼顧時代觸覺和電影藝術表現的觀影眼界，也見諸她對歐洲電影如《色情男女》（*The Knack... and How to Get It*, 1965）的評論，最終讓她看到了當時本地粵語片的人才與發展潛力。

相比廣受關注的《大醉俠》，西西更欣賞同年的《播音王子》（一九六六）。她讚賞龍剛這齣處女作展示出成熟而敢於創新的電影技巧，在敘事、剪接、畫面構圖等方面均表現出色，稱許為當時國、粵語片中至為出色的製

---

37 〈《武林雙俠》〉，頁五八—五九。

作，較《大醉俠》更能代表香港參與亞洲影展。[38] 翌年，西西謂龍剛在《英雄本色》（一九六七）的表現更進一步，不但能褪去過度粉飾的電影手法、活用經典鏡頭，劇本也能以小見大，整體能從個人而擴散到社會的層面，充滿地方文化與時代氣息。西西因龍剛而對粵語片刮目相看，[39] 一九六八年以母親名字陸華珍為筆名，與龍剛合寫劇本《窗》（一九六八），突顯她對本地能轉化現代電影技法於地方情境之用，滿是期待。

《播音王子》的電影手法極具歐美電影味道，西西當時雖亦以歐美電影作品及導演為例，提出龍剛編導俱佳的過人之處，但她的重點在於導演能活用手法為本地情境所用，更欣賞他未照搬越趨偏激的西方新潮形式。這是能同時照見歐美與日本電影發展歷程中的優劣處，鼓勵適當取捨的眼界。

西西獨到的眼光，實在提示了當時未為本地大片商所肯定的發展路線，那就是承接本地五十年代粵語片的人力資源，發揮他們的時代和藝術觸覺。龍剛早年曾在邵氏擔任演員，至六十年代初效力新藝製片公司（下稱新藝），

38 倫士：〈《播音王子》〉，《亞洲娛樂》（一九六六年三月），頁五六—五七。

39 西西：〈《垂死天鵝》〉，《亞洲娛樂》（一九六七年十月），頁五六—五七。

師承秦劍。新藝乃星馬院商何氏家族的光藝機構在香港設立的分公司，規模較邵氏、電懋為小。光藝為香港五十年代粵語片四大公司之一，早在一九五五年請來原屬中聯影業的秦劍負責策劃、組織，生產富摩登都市色彩的粵語片；後於一九六二年另成立新藝，由秦劍培訓出龍剛、楚原、謝賢、胡燕妮等台前幕後的人才，並在廣受歡迎的文藝愛情片種以外，開拓更廣闊的現代都市題材。[40] 不少新藝的人才後來為邵氏所延攬，但大多服務於國語片製作，如秦劍，整體成績甚或不及光藝或新藝時期。誠如傅葆石指出，邵氏因應市場需要及邵逸夫推廣民族文化的理想，大力發展國語片市場，無形中扼殺了粵語片的整體發展空間。[41] 龍剛、楚原等人在今日的香港電影史上均赫赫有名，若追本溯源，尤其是師承秦劍的粵語片影人一脈，其表現和成就，足資說明當時以時代和地方文化為本、靈活融入電影手法的發展路向，實在亦大有可為。

40《香港影視業百年》，頁一五二。另見黃愛玲編：《現代萬歲——光藝的都市風華》前言（香港：香港電影資料館，二〇〇六年），頁一六 — 一七。

41〈走向全球——邵氏電影史初探〉，頁一一八 — 一一九。

（二）得失互見的歐美藝術與商業電影

新潮以後、類型以外

在為商業電影雜誌寫稿前，西西一直比較欣賞西片，尤其是歐洲的電影，當時的她已視電影為現代藝術的重要一環。及至西西為《亞洲娛樂》、《香港影畫》供稿，她個人的觀影興趣和學養，與她涉足的商業電影場域交錯。各地的電影發展步伐不一、傳統各異，而西西總能顧及不同地域的電影文化發展傳統，把不同地域的電影表現互為參照：或借歐洲出品照見泛濫的新潮之弊；或從美國荷里活電影看出商業製作突破成規的可能和藝術價值。

西西最早為電影所着迷，源於二戰後歐洲掀起的電影藝術新浪潮。然而，這股以五十年代為高峰的浪潮，實際上以略為延後的「時差」，與六十年代以降的「新潮之後」同步輸入香港。面對市場上各種以「新潮」為號召的電影製作，西西陸續看到歐美外語片為新潮而新潮、為藝術而新潮等問題，她的影評流露出了後來難得一見的直率與嚴厲。例如她直接批評《貓兒叫春》（*What's New Pussycat*, 1965）為「黐線電影」，指導演只是偉大的抄襲家，只懂賣弄花巧；[42] 至於直接搬用《廣島之戀》（*Hiroshima Mon Amour*, 1959）、《去年在馬倫巴》（*L'année dernière à Marienbad*, 1961）等作時空交錯敘事技巧的《瘋狂將軍》（*The Night of the Generals*, 1967），西西指後者僅屬手法上的移植，完全不顧內容是否配合，淪為「衣不稱身的怪物」。[43]

六十年代中後期，由意大利新寫實主義、法國新浪潮掀起的歐洲電影潮流，其影響早深入不同的地域文化。西西認同藝術貴乎創新，但自各種怒潮、新潮、新電影的衝擊以後，她認為很多電影都「為了譁眾取寵而標奇立異，為了投向技法而不擇手段」，[44] 於藝術的長遠發展無益。正如她喜歡的導演高達所言，抄襲和模仿是創造的根本，[45] 但這不代表贊同搬弄技巧。對於能顧及內容和整體藝術表現的「抄襲」，諸如《風流俠士走天涯》（*Tom Jones*, 1963）、《想入非非》（*The Magnificent Cuckold*, 1964）、《十命冤魂》，西西即使不認為它們是偉大的藝術，評價仍相當正面。相

---

42 倫士：〈《貓兒叫春》〉，《亞洲娛樂》（一九六六年五月），頁五四—五五。

43 倫士：〈《瘋狂將軍》〉，《亞洲娛樂》（一九六七年四月），頁五四—五五。

44 同上注。

45 倫士：〈《傻大姐偷情》〉，《亞洲娛樂》（一九六七年五月），頁五二—五三。

對來說，她並不喜歡諸多為新鮮、熱鬧或潮流而作的嘗試，即使純粹為增加藝術性而使電影表現形式變得豐富，在她看來亦不足取。[46] 可以說，面對一直以創新為其傳統的歐洲電影，西西的要求顯然較高，《色情男女》、《瑪莉亞萬歲》（*Viva Maria!*, 1965）等作獲得她的青睞，是以不同的方式分別延續了昔日歐洲電影回應時代的藝術創新精神。

面對越趨泛濫的形式新潮，西西更欣賞的是「悅目」以外還能「賞心」的電影。尤其在她接觸更多以荷里活為首的商業電影以後，西西欣賞面向觀眾的「電影作品」能至少完熟地應用電影技巧，在內容層面一洗陳俗老套，引發思考。

相對於歐洲的藝術創新精神，歷史源遠流長的美國荷里活更擅於製作類型電影。當時，特務英雄片如《諜海殺人王》（*The Liquidator*, 1965）、「鐵金剛」系列廣受市場歡迎，但西西認為這些電影不外以新科技作招徠，以超越凡人的能力來滿足觀眾對英雄拯救現實的心理，[47] 因循了各種成規。誠如鄭樹森教授所言，類型電影會與電影的類型互動，猶如語言系統與個別話語之間的關係，傑出的作品甚

46 西西：〈《痴戀》〉，《亞洲娛樂》（一九六七年三月），頁五二—五三。

47 倫士：〈《諜海殺人王》〉、〈《無敵鐵金剛》〉，《亞洲娛樂》（一九六六年十月），頁五四—五五。

至會改寫或顛覆成規。[48] 西西當時較欣賞的，正是不被類型框死的電影表現。例如西部片《春風得意龍虎鳳》（*Texas Across the River*, 1966）的成功，是經典技法上的活用，更是古代騎士俠義風格的幽默再現，為西部片注入生氣，也展示出一種人嚮往的生活方式；[49] 至於《烈士忠魂》獲西西的讚許，除了堪稱完美的剪接和場面調度，更在於劇本一反傳統的勇猛英雄形象，以雖生猶死的心理鋪寫主角的決心，種種表現「用心也用腦」，引人深思，突破了戰爭英雄片的老套。[50]

無論是越趨狂熱的各式新潮，或以新科技及視覺效果作招徠的類型電影，在西西看來，歐美電影似乎越來越趨向以感官刺激或技巧展示為時尚，忽略了劇本的重要性。這種風氣甚至有蔓延至日本和香港電影之勢。[51] 是以在六十年代中、後期，西西越來越強調內容比形式重要，這是她針對各地域電影文化共有的問題，有感而發。她在六十年代末發表了幾篇較長的影話，均取法國《電影筆記》

48 鄭樹森：《電影類型與類型電影》（台北：洪範書店，二〇〇五年），頁六 一 一一。

49 西西：〈《春風得意龍虎鳳》〉，《亞洲娛樂》（一九六七年四月），頁五〇一五一。

50 西西：〈《烈士忠魂》〉，《亞洲娛樂》（一九六六年二月），頁五六一五七。

51 西西：〈開麥拉眼〉，《香港影畫》第十八期（一九六七年六月），頁五二。

（*Cahiers du Cinéma*）之名為題，實在是她縱覽多地電影文化發展歷程的總結。此中不難見出她對藝術的創新精神，堅持中亦不無省思，尤其是有關藝術表現手法與受眾關係，以及對藝術與商業截然二分的反思，眼界更趨開闊。

片廠與明星制度抹平個性之弊

除了以新潮為尚的「藝術」之途，純為市場所主導的商業製作，也讓西西看到了極端工業化的片廠制度之弊。她早年為邵氏革新表現的欣喜之情，在一九六七年以後的影評中明顯減少。其時，她已參與到本地的電影幕後製作，例如為轉投邵氏的秦劍寫《黛綠年華》（一九六七）的劇本，加上大量接觸商業外語片，讓她看到成熟片廠制度的問題，實在為不同地方的電影文化所共有。

邵氏當時大量延攬的日籍影人，主要來自日活、東映等公司。羅卡指出，這是看中他們的工作效率和熟練技術，而非藝術才能。拍攝低成本、日程緊迫的類型片，更是他們的強項。與此同時，邵逸夫也派送演員等人才到海外學習。[52] 西西為《香港影畫》所撰的不少明星文稿，便提及這些短期學習歌舞、化妝等藝能的安排。進入六十年代中後期，邵氏成功提高了製作的成本效益，開拓出更多

52〈邵氏兄弟的跨界發展〉，頁一六六。

的類型片如歌舞片、青春愛情片等。然而，人才的培訓與延攬，最終若只服膺於流水式的生產制度，藝術品質的降低，乃必然的代價。

從這個角度看西西後來的失望之情，就更可以理解了。她早在評價秦劍轉投邵氏後製作的《玫瑰我愛你》（一九六六）時就暗示，邵氏並不缺乏優秀的電影人才，但他們的才能未有發揮得當、出品難登國際舞台，是因為片商最關心的是成本效益，大幅地縮短製片過程。[53] 片廠規模較小如新藝，實在也有同樣的問題，但編導空間仍較邵氏為大。[54] 片廠模式為成本效益而犧牲品質之過，最能顯示在那些按市場需求而量化生產的類型片上。及後，出自產量驚人的日籍導演井上梅次之手的《香江花月夜》（一九六七），更讓西西極為失望。她認為全片從畫面構圖、轉位到景物佈置，均極其敷衍，情節牽強，情感處理輕率，視該片為「製作上的倒退」。[55] 此片恰恰還選用了曾赴日學習歌舞的鄭佩佩、秦萍和何莉莉，卻完全沒有可

---

53 倫士：〈《玫瑰我愛你》〉，《亞洲娛樂》（一九六六年十一月），頁五六—五七。

54 據西西記錄，龍剛用了九個月寫《英雄本色》的劇本，但製片時間只有三十日。後者似乎是當時的慣例。見倫士：〈《英雄本色》〉，《亞洲娛樂》（一九六七年七月），頁五〇—五一。

55 西西：〈《香江花月夜》〉，《亞洲娛樂》（一九六七年四月），頁五〇—五一。

供發揮的空間。顯然，這齣為歌舞而歌舞的電影，表面上通過日本而有所現代化，實際上只是美國荷里活歌舞片的翻版。

在西西看來，邵氏一直不乏優秀的人才。但除了為類型而電影，為明星而電影亦是工業片廠模式引發的另一個問題，兩者的關係密不可分。諸如六十年代中期已成濫調的黃梅調，因着《梁山伯與祝英台》的成功而不斷複製類似的角色和劇情公式，窒礙了手法層面的改進，亦縮窄了演員的戲路。於是乎，西西看到凌波女扮男裝、戲曲歌唱表現模式，居然從《梁山伯與祝英台》，一直延續到《花木蘭》（一九六四）和《女巡按》（一九六七），劇情與手法多有重複，新演員的演出也變得面目模糊。[56] 類似的選角與劇本問題，不時可以在西西的影評中讀到。事實上，荷里活電影工業最擅於利用明星制度，操控演員的戲路，以提高成本效益，這種「為明星而明星」的流水式片廠生產模式，亦使得西西一度從西片女星想及本地的馮寶寶和陳寶珠，害怕她們會落入一樣的困局。[57]

從類型片到明星文化，西西親身涉足商業電影製作的

56 西西：〈《女巡按》〉，《亞洲娛樂》（一九六七年四月），頁五〇—五一。

57 西西：〈《鬥牛小姐》〉，《亞洲娛樂》（一九六七年二月），頁四八—四九。

經驗，讓她看到片廠制度高度工業化的生產模式，如何把電影形式和個人演出標準化、商品化，即法蘭克福學派文化工業（culture industry）理論所指，資本主義文化工業通過消費文化來製造、整合大眾的需求，終致抹平個體性（pseudo-individuality）的問題。[58] 六十年代的西西也有喜歡的本地及外國電影明星，例如阿倫狄龍、凌波，都具備獨特的氣質和專長。惟商業電影的工業製作模式，要麼罔顧演員的個人特質，要麼不斷複製單一的形象，以供消費。

由此閱讀冊中收入的一系列明星稿，更能發掘西西創新筆調底下的深意。明星訪問多為「鱔稿」，以演員的技能、背景或演出角色、作品為題，藉此達到宣傳的目的。西西的明星訪問總選取獨特的寫作角度，時而從明星的生活細節處出發，時而記錄訪問的場景和過程。例如她以凌波的衣飾、率直的對話，呈現對方自然流露的英氣；[59] 藉李菁住處的毛公仔和衣櫥寫其溫婉可愛；[60] 從秦萍的圓臉、吃雪糕的情態揭示其爽朗性格；[61] 她甚至模仿話本小說的語

58 馬克斯・霍克海默、提奧多・阿多諾著，林宏濤譯：《啟蒙的辯證——哲學的片簡》（台北市：商周出版，二〇〇八年）。

59 西西：〈重訪凌波〉，《香港影畫》第五期（一九六六年五月），頁二八—二九。

60 西西：〈這是李菁〉，《香港影畫》第二期（一九六六年二月），頁三四—三五。

61 西西：〈秦萍圓又圓〉，《香港影畫》第四期（一九六六年四月），頁五九。

調，描繪王羽的不拘小節、寡言，並插入他在情急之下出手打過影城守衛的趣事，生動地傳達出王羽貫串戲裏戲外的豪邁性格、貨真價實的武術造詣。[62] 至於商業味更濃，原為劇照、造型照配備的文字，西西或代入名不經傳的小角色作心理獨白描寫，或通過描繪衣飾展示女星如胡燕妮的可塑性。[63]

通過西西的文字，影星不再是可望而不可即的明星，也跳出了單一而重複的銀幕形象。西西不時側寫影星在拍戲前後倉促受訪的過程，自嘲為拙於應對的記者，有意無意地記錄了片廠制度模式帶來的問題。綜合來看，西西跳脫活潑的文字，讓讀者感知演員無異於一般人的生活面向，卻又具備獨特的氣質，引導讀者發掘銀幕以外的觀察角度。在限制當中，西西致力為讀者補充被商品化、標準化所淹沒的個性，不妨視為以個人文字來突破制度的壓抑。

六、小結

西西寫作影評伊始，即視電影為現代藝術的重要一

---

62 西西：〈傻仔王羽〉，《香港影畫》第二十期（一九六七年八月），頁四二—四三。

63 葉菁：〈慾海情魔——令人蕩氣迴腸的影片〉，《香港影畫》第四期（一九六六年四月），頁五〇—五一；海蘭：〈耀眼的黑白小方格子〉，《香港影畫》第四期（一九六六年四月），頁七三。

環，對歐美電影新潮亦步亦趨。及至六十年代中期，西西的品味和識見，為她帶來了參與本地電影製作的機會。西西開始為商業電影雜誌供稿之時，本來就具備跨國發展模式的香港電影業，已普遍存在以亞洲為本的跨地域電影文化認同意識，當中不無促進電影藝術交流與發展的理想。而大型片商如邵氏亦開始步入成熟的階段，有着立足本地、進軍亞洲、開拓全球的豪邁視野。處身這樣的時代文化氛圍，西西的影話寫作亦漸入高峰，試圖在藝術理想與商業制度之間砥礪前行。因着寫作的需要，西西密集地觀賞、評論各地電影，視點穿梭於歐美、日本與香港本地的出品，流露出她對電影得以進步的「現代化」期許。

華語語系論者史書美的研究早提示，所謂地方（local）或全球（global）視野，實乃相對的概念。地方若以區域的現代化發展為參照，最終不必然達致真正的全球視野，視乎區域的現代化進程，會否僅是其他地方的摹本。唯有擺脫進化論的思維，對不同地方的現代化步伐進行比較與辨證，適所取捨，方算是真正的全球視野。[64] 在六十年代的香港，相對於大片商銳意把出品從亞洲推向國際的「全球化」發展宏圖，西西多向度交織的跨地域電影文化視野，才是

64 史書美著、何恬譯：《現代的誘惑：書寫半殖民地中國的現代主義（一九一七 — 一九三七）》（南京：江蘇人民出版社：二〇〇七年）。

真正具備辯證思維的全球視野：她明瞭各地電影文化的發展步伐不一，對本地片商提出的意見，非單純把歐美或日本等電影大國視為「進步」與「現代化」的指標。面對歐美與日本電影，西西實在也有所比較、參照，能兼顧各地的電影文化傳統，同時照見它們在發展進程中的得失，更未以狹隘的藝術性來判別商業電影的價值。此外，商業寫作及電影製作場域逼迫西西大量接觸標準化的類型成規、商品化的虛假個性；此舉反過來讓她看見並確認，藝術當在模仿中超越，在經典以外進行開拓。這些，都促使西西在堅持藝術創新價值的前提下，超脫於狹隘的地方、藝術與商業、現代與傳統概念，對當時的香港電影界，提出了許多在今日回看仍覺前瞻性的見解。

七、鳴謝

去年底，西西安詳離去。本冊的最後工作，筆者以不捨之情盡力完成。倘有紕漏，當負全責。

自多年前的蒐集、整理，及至出版、發印，過程有賴多方的協助。本冊得以成書，必須感謝陳鳳珍女士、已故的張景熊先生、書刊收藏家連民安先生及其朋友江少華先生。香港各大學圖書館所藏的《亞洲娛樂》並不齊全，若無他們慷慨借出珍藏、多番襄助，本冊必定失色不少。感謝大學時期好友黃絲鏵小姐多年前為《香港影畫》作初步的資料存查，昔日的同事兼好友鄭麗娟博士、唐文珊博士在後期的協助。

再次感謝中華書局，副總編輯黎耀強先生的支持、極為仔細用心的編輯張佩兒小姐，協力為西西著作的出版，力臻完美。

最後，再謝西西和何福仁先生的信任。西西一生專事寫作，著作極豐，可謂超額完成了她的工作。讀者的工作，卻可以永不終止。生命之燭熄滅，但文字的溫熱與光芒，只要願意，當可不斷重燃，無遠弗屆。

再見西西，西西再見。再見，再見再見。西西，再見再見。

趙曉彤

西西 著

趙曉彤 編

責任編輯 張佩兒　**排　版** 陳美連

裝幀設計 簡雋盈　**印　務** 林佳年

出版

中華書局（香港）有限公司
香港北角英皇道 499 號北角工業大廈 1 樓 B
電話：（852）2137 2338
傳真：（852）2713 8202
電子郵件：info@chunghwabook.com.hk
網址：http://www.chunghwabook.com.hk

發行

香港聯合書刊物流有限公司
香港新界荃灣德士古道 220 - 248 號
荃灣工業中心 16 樓
電話：（852）2150 2100
傳真：（852）2407 3062
電子郵件： info@suplogistics.com.hk

印刷

美雅印刷製本有限公司
香港觀塘榮業街 6 號海濱工業大廈 4 樓 A 室

版次

2023 年 7 月初版

規格

大 32 開（210mm x 145mm）

ISBN

978-988-8860-04-3

資助

香港藝術發展局全力支持藝術表達自由，
本計劃內容並不反映本局意見。